한국고대사 사료(史料)로서의
『제왕운기(帝王韻紀)』

한국고대사 사료(史料)로서의
『제왕운기(帝王韻紀)』

초판 1쇄 인쇄 2019년 11월 20일
초판 1쇄 발행 2019년 11월 27일

–

엮은이 (사)동안이승휴사상선양회
지은이 신종원, 이창식, 강석근, 김도현, 조경철, 김진광
펴낸이 이방원
편 집 정조연 · 김명희 · 안효희 · 윤원진 · 송원빈 · 정우경
디자인 손경화 · 박혜옥 **영 업** 최성수 **기획 · 마케팅** 이미선

–

펴낸곳 세창출판사
신고번호 제300-1990-63호
주 소 03735 서울시 서대문구 경기대로 88 냉천빌딩 4층
전 화 723-8660 **팩 스** 720-4579
이메일 edit@sechangpub.co.kr **홈페이지** http://www.sechangpub.co.kr/

–

ISBN 978-89-8411-914-7 93910

이 도서의 국립중앙도서관 출판예정도서목록(CIP)은 서지정보유통지원시스템 홈페이지(http://seoji.nl.go.kr)와
국가자료종합목록 구축시스템(http://kolis-net.nl.go.kr)에서 이용하실 수 있습니다.(CIP제어번호 : CIP2019046433)

한국고대사 사료(史料)로서의

제왕운기
帝王韻紀

(사)동안이승휴사상선양회 편

세창출판사

책머리에

이승휴 선생이 쓴 『제왕운기』를 인쇄하기 위해 판목에 글자 새기는 일을 거의 끝낼 즈음, 부사 이원은 후제로 이승휴 선생과 『제왕운기』를 다음과 같이 간결하게 평하는 글을 썼다.

> 선생은 평생 학문만 하였는데, 지식이 정밀하고 박식하여 고금을 환하게 통달하였다. 우사간지제고 벼슬을 지내다가 곧 관동 지방으로 돌아가 노후를 보냈는데, 비록 행적은 개경을 떠난 것 같지만 마음만은 임금을 바르게 보필하는 데 있었다. 그래서 불경을 보는 여가에 이 『제왕운기』를 편찬하여 임금이 읽어 보시도록 바쳤는데, 문장은 간결하지만, 그 뜻은 창연하여 마치 구슬을 꿰미에 꿰 놓은 것 같고 그물이 벼리에 매어져 있는 것과 같아 만대 동안 서로 이어 가면서 잘 다스려지고 어지러웠던 시말이 이 책 속에 다 들어 있으니 통감의 정수라 할 수 있을 것이다.

이 글에서 이원이 이승휴 선생이 비록 수도인 개경을 떠났지만, 마음만은 임금을 바르게 보필하는 데 있었다고 평가한 것으로 보아 백성들과 늘 함께하고자 했던 관료로서 이승휴 선생의 행적과 함께 『제왕운기』를 쓴 목적을 가늠할 수 있다. 또 불경을 읽고 나서 『내전록』을 작성하고, 용안당을 간장사로 이름을 바꾸어 희사한 일은 오로지 국가와 민족을 위해 한평생을 살아간 선생의 모습을 잘 보여 주며, 당시의 학자들과 관료들도 이를 높이 평가하였음을 알 수 있다.

일찍이 이승휴는 은거하게 되면 세상에 교훈이 되는 책을 저술하고 싶다는 희망을 피력한 바 있었다. 그리고 그러한 꿈을 실현하기 위해 『제왕운기』를 짓게 되었는데, 찬술을 시작한 처음의 뜻이 고려왕조가 처한 현실에 관한 관심에서 비롯된 일이었음을 밝혔으며, 그 구체적인 배경 중의 하나가 위의 설명과 같다고 보인다. 『제왕운기』 초간본은 이를 편찬한 지 10여 년이 지난 원정 연간(1295~1297)에 진주에서 간행되었다.

지금까지 이승휴 선생이 쓴 『제왕운기』가 지닌 사료로서의 가치는 동시대에 간행된 『삼국사기』나 『삼국유사』에 비해 평가받지 못하였다. 단웅신화[환웅신화], 발해에 대한 인식 등 우리 민족의 건국과 우리의 역사 무대였던 만주 지역에 대한 역사지리적 인식에서의 선구자라거나 역사를 서사시로 풀어내었다는 문학적 가치 등에 대한 의미는 부여받았으나, 사서로서의 위상은 그리 높지 못하였던 것이다.

이와 같은 선입견을 바로잡기 위해 『제왕운기』에 담겨 있는 내용, 즉 "시로 쓰인 본문과 이에 대한 주석은 구체적으로 어떠한 내용을 담고 있는가?" "이들 내용이 한국고대사와 고려사 연구에 유용하게 활용될 1차 사료로서의 가치를 지닐 수 있을 것인가?"라는 질문을 바탕으로 『제왕운기』에 실려 있는 내용을 새롭게 발굴·이해·의미 부여할 수 있는 기본 토대를 구축하기 위해 2016년과 2018년에 『제왕운기』에 실린 내용을 소재로 (사)동안이승휴사상선양회에서 학술대회를 개최하였다.

구체적으로 소개하면, 2016년에는 동북아역사재단의 후원으로 11월 4일(금) 삼척문화원 대강당에서 《중국의 동북공정에 대응하여 이승휴의 문학과 역사, 어떻게 계승할 것인가?》로 학술대회 공동 주제를 설정하여 전문가 발표와 토론의 형태로 진행하였다. 이때 발표된 주제와 발표자, 토론자는 다음과 같다.

- 1차사료로서의 『제왕운기』

  발표: 신종원 한국학중앙연구원 교수

  토론: 정구복 한국학중앙연구원 명예교수
- 고려시대 영사시의 전통과 이승휴의 『제왕운기』

  발표: 강석근 동국대학교 아시아연구원 연구원

  토론: 이창식 세명대학교 교수
- 이승휴의 고구려·발해 인식

  —『삼국유사』와 『제왕운기』의 비교 검토를 중심으로

  발표: 김진광 박사(한국학중앙연구원)

  토론: 권은주 경북대학교 사학과 BK 연구교수
- 동안거사 이승휴의 역사교육적 활용 방안

  발표: 홍영호 박사(하슬라문화재연구소)

  토론: 차장섭 강원대학교 교수

2018년에는 삼척시와 강원도의 후원으로 5회에 걸쳐 삼척평생학습정보관에서 《『제왕운기』에 담긴 한국의 역사와 문화 이해》를 학술대회 공동 주제로 설정하여 토크쇼 형태로 전문가 발표와 토론을 진행하였다. 이때 발표된 주제와 발표자, 토론자는 다음과 같다.

- 『제왕운기』에 수록된 단군신화

  발표: 신종원 한국학중앙연구원 명예교수

  토론: 채미하 고려대학교 연구교수

- 『제왕운기』에 나타난 역사의식 분석

  발표: 차장섭 강원대학교 교수

  토론: 배재홍 강원대학교 교수

- 『제왕운기』에 수록된 '천왕' 기사 분석

  발표: 김도현 강원대학교 외래교수

  토론: 최종성 서울대학교 교수

- 『제왕운기』에 수록된 설화 분석

  발표: 이창식 세명대학교 교수

  토론: 강석근 경북스토리텔링연구원 원장

- 『제왕운기』와 불교 —고려 주몽은 왜 옆구리에서 태어났을까

  발표: 조경철 연세대학교 외래교수

  토론: 신선혜 고려대학교 연구교수

두 차례에 걸쳐 발표된 논문 중 네 편은 관련 분야 등재 학술지에 실려

학문적 성과를 인정받았으며, 다른 논문들도 관련 분야 학술지에 실을 수 있도록 준비하고 있다.

학술대회를 진행하면서 (사)동안이승휴사상선양회와 발표자들은 『제왕운기』에 실린 내용이 한국고대사 사료로서의 가치가 매우 크다는 사실에 공감하여 이를 단행본으로 만들어 학계에 조금이나마 기여하는 것이 좋겠다는 의견을 모았다.

이에 단행본을 만들기 위해 준비하는 과정에서, 앞서 진행된 두 차례의 학술대회에서는 다루지 못하였으나, 이승휴 선생과 『제왕운기』를 이해하는 데 필요하다고 여겨진 「동안 이승휴 선생의 불교 인식과 간장사」(김도현)를 싣고, 『제왕운기』를 쓴 장소인 삼척시 미로면 내미로리에 소재한 천은사와 이승휴 선생과의 관련에 대한 이해를 돕기 위한 글인 「《제왕운기》의 산실, 천은사의 역사와 이승휴」(김도현)를 부록으로 싣는 것이 좋겠다는 의견을 모았다.

이와 같은 논의를 바탕으로 이 책의 1부에는 '이승휴의 사상과 문학'을 주제로 「동안 이승휴 선생의 불교인식과 간장사」, 「이승휴 《제왕운기》의 고구려·발해 인식」, 「응제시의 관점에서 살펴본 《제왕운기》와 이승휴의 역사인식」, 2부에는 '한국고대사 사료로서의 『제왕운기』'를 주제로 「한국고대사 사료로서의 《제왕운기》」, 「《제왕운기》에 수록된 '천왕'의 성격」, 「《제왕운기》에 인용된 설화의 성격」, 「《제왕운기》와 불교」를 실었고, 부록으로 「《제왕운기》의 산실, 천은사의 역사와 이승휴」를 담았다.

이승휴 선생을 모신 사당인 동안사는 현재 삼척시 내미로리 천은사 내에 있다. 1979년 10월 3일 천은사에서 동안 이승휴 선생을 기리는 다례제를 처음 지낸 이래 매년 동안사에서 천은사와 삼척시·강원도의 후원으로 (사)동안이승휴사상선양회가 주관하여 다례제를 지내고 있다. (사)동안이승휴사상선양회는 『제왕운기』를 저술하여 민족의 자주적인 역사의식과 진취적인 기상을 과시한 동안거사 이승휴 선생의 업적과 사상을 발굴, 연구·계승하고, 관련 유적을 정비·복원하여 그의 정신을 선양하며, 지역 문화 유적을 보존·전승하여 지역 문화 창달에 기여하는 것을 목적으로 1998년 9월 이승휴선양기념사업회(회장 장을병, 전 성균관대학교 총장)를 발족하였다. 그리고 2008년 5월에는 사단법인으로 등록하여 2009년 8월 제2대 이원종 이사장(전 청와대 정무수석)이 취임하여 이승휴 선생과 관련한 다양한 학술·교육·선양 활동을 하고 있다.

본 선양회에서 진행한 연구 성과 중 단행본은 『이승휴 연구논총』(진성규·김경수 편, 1994), 『국역 동안거사집—부록 제왕운기』(김경수·진성규, 1995), 『이승휴와 제왕운기』(2004), 『이승휴의 삶과 정치활동』(장을병, 2008), 『빈왕록』(진성규, 2009), 『동안거사집』(진성규, 2009), 『민족의 역사가 이승휴, 제왕운기를 쓰다』(차장섭·배재홍·김태수·김도현, 2010), 『국역 제왕운기』(배재홍 역, 2010), 『이승휴의 사상과 역사의식』(강원전통문화연구소 편, 2013) 등이며, 학술대회를 10회 이상 개최하는 등 이승휴 선생과 『제왕운기』에 대한 학문적 토대를 다지기 위해 부단히 노력하였다. 그러나 기존의 다양한 노력과는 달리, 이번에 발간하는 『한국고대사 사료로서의 《제왕운기》』는 『제왕운기』에 실린 내용을 중심으로 주제를 선정하여 작성된 논문을 묶은 최초의 연구 총서이기에 그 의미는 매우 크다고 감히 자부한다. 향후 『제왕운기』에 대한 역주와 함께 다양한 주제 발굴, 이승휴 선생의 글을 모은 『동안거사문집』, 『빈왕록』에 대한 연구를 계속 진행하여 관련 분야 연구와 이해에 조금이나마 도움을 드리려고 한다.

본 연구서가 발간되기 위해 많은 분이 도와주셨다.

많은 연구 성과에도 불구하고 본 선양회가 전문적인 학술 단체가 아니기에 『제왕운기』가 지닌 사료적 가치를 좀 더 심도 있게 부각시키지 못하다가 2016년·2018년 관련 연구자들의 적극적인 참여와 연구에 의해 『제왕운기』를 집중적으로 연구하여 발표·토론할 기회가 마련되었다. 이에 동참해 주시고, 귀한 옥고(玉稿)를 보내 주신 연구자들에게 먼저 감사의 인사를 드린다. 이와 함께 본 선양회가 추진하는 활동을 지원하기 위해 매달 묵묵히 후원해 주신 회원과 이사님들, 그리고 학술대회와 선양사업이 원만하게 추진될 수 있도록 불철주야 노력하시는 이원종 이사장님, 다양한 지원을 해 주신 전 천은사 주지 스님인 문일봉 스님과 현 주지 스님인 동은 스님, 김양호 삼척시장님, 최문순 강원도지사님, 이현주 전 동북아역사재단 사무총장님과 관계자 여러분께 감사함을 전한다.

매우 어려운 출판 환경 속에서도 쾌히 좋은 책을 만들어 주신 세창출판사 이방원 대표님과 김명희 이사님께도 감사함을 전하며, 특히 학술서적이어서 교정과 편집이 쉽지 않음에도 모든 필자를 만족시킨 진행을 도와주신 정조연 님을 비롯한 세창출판사 가족들에게도 감사드린다.

2019년 11월

저자 일동

차례

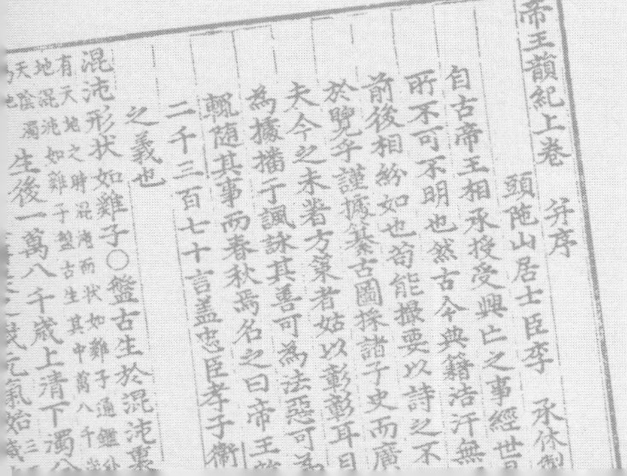

帝王韻紀上卷 并序
頭陀山居士臣李 承休
自古帝王相承授受興亡之事經世
所不可不明也然古今典籍浩汗無
前後相紛如也苟能撮要以詩之不
夫今之未嘗方策者姑以彰彰耳目
為據描于諷詠其善可為法惡可
輒隨其事而春秋焉名之曰帝王
二千三百七十言蓋忠臣孝子
之義也
混沌形狀如雞子○盤古生於混沌

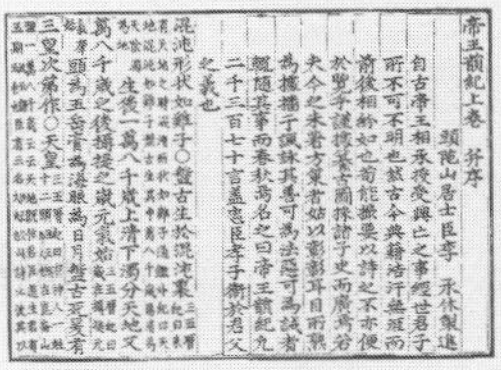

2부 한국고대사 사료(史料)로서의 『제왕운기(帝王韻紀)』

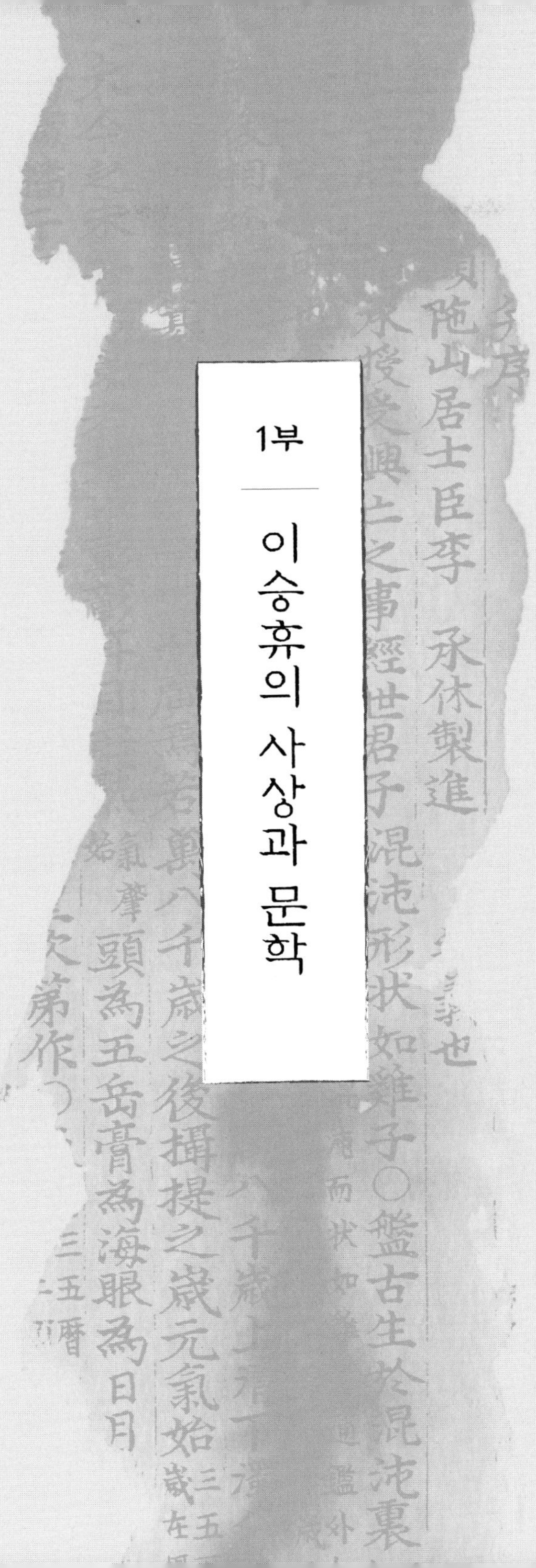

1부

이승휴의 사상과 문학

동안 이승휴 선생의 불교인식과 간장사(看藏寺)

김도현
문화재청
문화재전문위원

덧붙임

- 이 논문은 필자의 다음 글을 결합하여 수정·보완하였음.
- 김도현, 2006, 「삼척시 미로면 천은사의 역사와 목조아미타불 복장」, 『박물관지』 13집, 강원대학교 중앙박물관; 김도현, 2015, 「동안 이승휴의 불교인식과 看藏寺」, 『이사부와 동해』 제10집, 한국이사부학회.
- 『제왕운기』에 이승휴가 단 주석의 경우 별도 표기 없이 본문보다 글자크기를 작게하여 구별할 수 있도록 하였음.

I. 머리말

우리나라 역사의 시작을 알리는 환웅[단웅]신화를 전하는 대표적인 사서(史書)가 일연(一然)의 『삼국유사(三國遺事)』와 이승휴(李承休)의 『제왕운기(帝王韻紀)』라는 것은 잘 알려진 사실이다. 그중에서도 우리에게 일반적으로 알려진 환웅신화는 『삼국유사』 「기이(奇異)」 제1의 「고조선(古朝鮮)」 조(條)에 실린 내용으로 환인·환웅·곰·호랑이 등이 등장한다. 이와는 달리 『제왕운기』 권하(卷下)의 「전조선기(前朝鮮紀)」 조(條)에는 석제(釋帝)·단웅(檀雄)·손녀·단수신(檀樹神) 등이 등장한다. 이와 같이 『제왕운기』에서는 단웅신화가 불교적 외피를 입고, 제장(祭場)으로서 나무를 중시하는 등 『삼국유사』와는 다른 면모를 보인다.[1] 더불어 『제왕운기』에서 이승휴가 중국의 역사를 상권에 먼저 기록한 후 하권에서 우리나라 역사를 기록한 점이라든지, 단군조선의 시작을 요임금의 즉위와 같은 무진년(戊辰年: B.C. 2333)으로 서술한 사실 등은 그가 유학자이고 역사가이기 이전에 그의 생애(1224~1300)가 민족 사상의 일대 격변기에 위치한다는 사실과 밀접하게 관련된다.

1 신종원, 2004, 「단군신화에 보이는 나무신앙 및 역사인식」, 『삼국유사 새로 읽기』 1, 일지사.

이와 같이 나름대로 민족의식을 지녔던 이승휴의 불교인식과 관련한 기존의 연구는 진성규와 변동명에 의해 『동안거사집』에 실린 불교 관련 내용 분석과 그의 불교 관련 저술인 『내전록(內典錄)』에 대한 서술 추론 등을 위주로 연구되었다. 이와 같은 연구는 이승휴의 불교관과 관련한 기본적인 내용을 보여 주고, 당시 거사불교(居士佛敎)와의 관련성 등을 언급하여 그의 불교관을 이해하는 데 도움을 주었다.[2]

그러나 이승휴가 활동하였던 고려 후기 불교계의 동향, 특히 거사불교와 관련한 기본적인 연구 성과를 수용하지 않은 상태에서 이승휴의 불교관을 정리한 연구들이 대부분이어서 그의 불교관이나 역사인식, 현실 문제에 대한 접근 태도를 평가하는 데에는 일정한 한계가 노출되었다.

필자는 『제왕운기』에 실린 단웅신화에 대한 새로운 연구 성과는 적극 수용하되, 이승휴의 불교관과 현실인식·대응 태도 이해에 필수적인 고려 후기 거사불교[3]에 대한 연구 성과를 바탕으로 그의 아들인 이연종이 편집한 『동안거사문집(動安居士文集)』과 역사서인 『고려사』, 『고려사절요』, 그리고 『제왕운기』 등에 실린 관련 내용을 분석하여 이승휴가 지녔던 불교인식에 대한 새로운 이해 체계를 세워 보고, 이의 연장선상에서 그가

••••

2 이승휴의 불교관과 관련한 기존의 연구 성과는 다음과 같다. 진성규, 1994, 「13세기 불교계 동향과 이승휴」, 『이승휴 연구논총』, 삼척군; 진성규, 1995, 「李承休의 佛敎觀」, 『중앙사론』 8, 중앙대학교 사학회; 변동명, 2001, 「이승휴와 불교」, 『한국 중세사회의 제문제』, 정림사; 변동명, 2004, 「이승휴의 내전록 저술」, 『한국사상사학』 23집, 한국사상사학회; 신종원, 2004, 「단군신화에 보이는 나무신앙 및 역사인식」, 『삼국유사 새로 읽기』 1, 일지사; 진성규, 2005, 「이승휴의 불교관」, 『진단학보』 99, 진단학회; 김도현, 2015, 「동안 이승휴의 불교인식과 看藏寺」, 『이사부와 동해』 제10집, 한국이사부학회.

3 이 글에서 '居士佛敎'는 '在家佛敎信者'들에 의해 인식되고 실천된 불교를 이른다. 이에 필요에 따라 '居士佛敎'와 '在家佛敎信者' 용어를 혼용하여 사용하였다.

창건한 간장사의 창건과 연혁에 대하여 살펴보려 한다.

이를 통해 이승휴의 불교인식 변화 과정과 그 성격을 종합적으로 살펴봄으로써 이승휴의 불교관을 좀 더 정확하게 이해하고, 그의 불교관이 정치·역사인식과 어떤 관계성을 지녔는지를 이해할 수 있는 토대를 마련하고자 한다.

II. 이승휴의 생애

1. 시대적 배경

고려 후기 사회는 무인정권과 몽골의 침입 그리고 원의 정치적 간섭과 공민왕 대의 반원적 개혁정치라는 일련의 권력구조의 급격한 변화를 겪은 시기이다. 이는 당연히 신분제의 변동과 더불어 조세 수취 방식의 변질 등을 가져와 사회 전체의 변화를 가져왔다.

좀 더 구체적으로 이승휴가 활약한 13세기는 최씨 무신정권 말기로서, 몽골과 오랜 기간 동안 전쟁을 치르고, 결국 이들의 간섭 아래 놓이게 된, 우리 민족 최대의 시련기 중의 하나였다. 당시의 처절했던 대몽전쟁은 엄청난 인명 피해와 경제적 손실을 가져다준 반면에 기존의 귀족문화가 해체되고 새로운 개혁의 기운과 자주적인 민족의식이 싹트는 계기를 만들어 주기도 하였다.

즉, 이승휴가 활동하던 시대는 기존의 귀족문화가 해체되면서 새로운 시대의 탄생을 준비하던 시기로 볼 수 있다. 이때에는 강계(康癸)의 난,

몽골의 침략과 복속으로 인한 사회적인 변화와 신분 계층 간의 변동을 기해서 중앙 관계로 진출하려는 지식인[士人]층이 있었다. 이들은 '능문능리(能文能吏)'의 교양과 능력을 토대로 사회 변혁에 부응하는 새로운 이념을 제시하면서 이 시대를 이끌어 간 신진사대부였다. 유학을 정신적 근간으로 삼은 이들은 나아가서는 광세제민(匡世濟民)하고 들어와서는 수신제가(修身齊家)하는 선비[士]의식을 갖추었다. 이승휴와 같은 초기 신진사대부들은 그들의 불안정한 정치적 위치와 미숙한 사상으로 인해 체계적인 개혁 방안을 제시한다거나, 사상적인 통일성을 기하지는 못하였으나 그들 나름의 독자적인 사상과 행동 체계를 구체화하려는 노력은 있었다.

고려는 성종 이후 유교를 정치적 이념으로 삼고, 불교를 정신적 지주로 하였으므로 문인 관료나 유학자라고 하더라도 거의 모두가 불교와 깊은 관련을 맺고 있었다. 이로 인해 고려 후기에 거사불교가 유행하여 거사(居士)를 자칭하는 사람들이 많았다.

여기서 '거사'란 이승휴와 같이 재가불자[在家佛敎信者]로서 부처의 가르침에 따라 수행에 정진하는 이를 가리킨다. 불교 경전에 나오는 유마거사(維摩居士)가 그 전형적인 존재로 볼 수 있는데, 당시 사람들이 이승휴를 유마에 비유하거나 혹은 그 스스로 동안거사(動安居士)라 자처하였던 것은 이승휴의 그러한 거사적 성향을 잘 드러내 준다고 볼 수 있다.

이규보에 의하면 당시 거사는 수도에 힘쓰는 이로서 어느 정도의 재산 곧 사회적 지위를 가진 인물형으로 정의되고 있다. 그러나 고려 후기의 거사들에 대한 연구 성과들을 종합해 보면 도(道)에 관심을 가지고 수행에 힘쓰며 생활하였던 사람들이라 할 수 있다.

이들의 신앙 행위는 비록 수행에 치우쳐져 있었으나, 이를 보수적이라거나 은둔적이라 할 수는 없다. 동안거사 이승휴에게서 보이듯이 『제왕운기』의 편찬 같은 활동은 적극적으로 현실을 이해하고자 하는 태도에서 가능한 것이기 때문이다.

고려 시기에는 이승휴 이외에도 거사 생활을 한 인물들이 적지 않았다. 이들은 대체로 거주지나 불교식을 기준으로 '거사' 호를 사용하였던 문인이나 관인 출신의 지식인층이었다. 또한 그들은 일상생활에서 불도(佛道)가 합치된 삶을 추구하였으며, 의식주 생활은 불교 수행과 함께 존재하였다. 즉, 그들은 일상에서도 불교의 체득화를 중요시한 것이다. 나아가 거사들은 끊임없는 반성과 자기성찰을 게을리하지 않았다. 참선 활동과 독경 생활, 승려와의 교류 등 다양한 불교 탐구 활동을 통해 정신을 풍요롭게 하였다. 또한 개인적인 앎의 추구에서 나아가 주변 현실 문제에도 깊이 공감하였다. 사회적 약자에 대한 자선 활동이나 질병 치료 활동 등의 보시행은 진실된 삶의 문제에 대한 깊은 관심을 보여 주는 것이다.[4]

●●●●

4 정제규, 2002, 「高麗 後期 在家佛敎信者의 役割과 社會的 意味」, 『文化史學』 17, 韓國文化史學會; 이민정, 2010, 「고려시대의 '居士'연구」, 한국교원대학교 대학원 석사학위논문. 고려 후기 사회에서 재가신자는 공경대부로부터 일반 서민에 이르기까지 다양하게 존재하였는데, 정제규는 「高麗 後期 在家佛敎信者의 役割과 社會的 意味」에서 이들이 존재했던 사회적 의미를 정치·사회적인 면에서 다음 4가지로 정리하였다. 첫째, 왕실을 중심으로 한 재가신자들은 우선 국가·사회의 어려움을 타결하는 데 핵심이 되는 각종의 불교 의례를 주관하였다. 고려시대에 불교 의례가 개설되었던 목적은 불교가 관념적으로 이해되는 점에서 벗어나 인간사의 구체적 관심사에 대응되었다는 것이다. 즉, 고려 사회의 제 문제를 불교로써 해결할 수 있다는 의식에 기초를 두었던 것이다. 둘째, 사회 속에서의 재가신자는 불교를 통한 사회 교화의 역할을 수행하였다는 것이다. 고승 대덕들의 존재와 그들에 대한 존경심은 이상적인 인간상을 제시하여 사회를 옳은 방향으로 이끌어 갈 수 있었다. 셋째, 施財는 재가신자들이 기본적으로 수행해야 할 의무이기도 하지만, 이들은 불사에 적극적으로 참여함으로써 공동체를 단

그리고 이들은 유학자임을 표방하면서도 유학과는 거리가 있는 불교나 도교에 심취하는 모습을 보이게 되었다. 또한 이들의 사상적 태도는 유(儒)·불(佛)·도(道)의 융합 양상을 보이면서, 사회적 참여와 함께 자신의 개인적 수양에도 몰두하는 양면성을 지니게 되었다. 이승휴가 유·불·도가 융합된 사상적 경향을 보인 것은 이와 같은 13세기의 시대 분위기를 통해 이해할 수 있다.

13세기 후반에 이르러 고려에는 두 부류의 정치 세력 사이에 갈등이 있었다. 많은 폐단의 당사자로 지목되던 부류는 충렬왕 측근의 권세가들이었다. 이들은 대부분 좋지 않은 신분 출신으로서 관직에 나아가는 데에도 여러 제약을 안고 있었다. 왕의 총애와 후원이 없었더라면 정치적인 출세가 불가능한 이른바 '천계(賤系)' 출신이었던 것이다.

반면에 이승휴 등 천계의 정치적 득세를 비판하는 부류는 주로 과거급제자였거나 아니더라도 관료로 진출하는 데 아무런 제약이 없는 신분의 소유자들이었다. 무신란 이전이라면 관직에 나아갈 수 있는 권한을 포함한 각종 특권을 배타적으로 누렸을 이른바 '사대부' 출신이었던 것이다. 이들은 당시의 현실 정치구도에 대한 가장 비판적인 세력이었다. 특히 국왕의 측근세력이 토지를 독점하면서 지방 지주인 신진사류가 경제적 타격을 가장 많이 입었을 뿐만 아니라 정치적 입지도 미약해졌기 때문에 현실적 이해관계에 있어서도 당시의 주도세력인 국왕의 측근세력과 첨

••••

합되게 만드는 역할을 하였다. 이는 폐단을 지닌 불교를 긍정적으로 바라보는 계기를 마련하였다. 넷째, 재가신자들의 문화적 영향력이다. 그들은 고려 사회의 문화를 주도하였다. 이것은 불적의 간행을 그 대표적인 예로 들 수 있다. 불적에는 불경·사경·어록·문집 등이 모두 해당한다.

예하게 대립할 수밖에 없었다. 또한 그들의 힘이 미약하여 오히려 국왕과 그 측근들에 의해 면직 또는 유배되는 등 극심한 탄압을 받게 된다.[5]

2. 생애

이승휴는 고려 고종 11년(1224)에 태어나서 충렬왕 26년(1300)까지 살았으므로, 그가 활동하였던 시기는 무신집권기이면서, 몽골의 침략을 받는 시기였으며, 무신정권이 무너진 이후에는 원의 간섭하에서 권문세족들이 등장하여 고려를 움직이던 시기였다. 이러한 시대적 격변기에 그의 생활은 파직과 은둔의 연속이었으며, 실제 관직 생활과 정치 활동을 한 것은 약 17년에 지나지 않는다. 이에 이승휴의 생애를 살펴봄에 있어 당시의 대내외적 상황과 이승휴 개인의 행적을 기준으로 그의 생애를 4기로 나누어 검토할 수 있다. 제1기는 출생으로부터 과거에 급제한 29세까지이고, 제2기는 과거급제 후 어머니를 뵈러 왔다가 몽골의 침략으로 길이 막혀 약 10여 년간 삼척에서 생활하던 시기이며, 제3기는 41세에 경흥부 서기로 관직에 진출하여 약 17년간 관직 생활을 하다가 1280년 파직되었을 때까지다. 제4기는 파직 후 다시 삼척에 내려와서 은둔 생활을 하면서 불경을 빌려 읽고, 조정에 다시 출사하였다가, 관직에서 물러난 후 77세를 일기로 세상을 하직할 때까지의 기간이다.

이승휴의 생애에 대하여 좀 더 구체적으로 서술하면, 처음 과거에 합

5 김도현, 2010, 「이승휴의 생애와 유적」, 『민족의 역사가 이승휴, 제왕운기를 쓰다』, (사)동안이승휴사상선양회.

격하여 관직에 오를 수 있게 된 것이 29세 되던 해 봄이었으니 다른 사람들에 비하면 늦은 나이였다. 그는 급제의 기쁨을 안고 홀어머니가 계시는 외가인 삼척으로 내려왔는데, 몽골의 침입으로 수도인 강화도로 돌아가는 길이 막혀 10여 년 동안 관직에 나가지 못하였다.

이때 이승휴는 삼척 지역 주민들과 함께 요전산성에 들어가 몽골 침입에 대비하였다고 그의 시를 수록한 『동안거사문집』에 기록되어 있다. 그리고 이때 이승휴는 울릉도를 자기 눈으로 직접 본 소감을 시로 남겼다. 이 시가 바로 '무릉도를 바라보면서'라는 제목의 시(詩)이니, '무릉도'란 지금의 '울릉도'를 말한다.

몽골의 침입으로 강화도로 가지 못한 채 두타산 아래 구동에서 어머니를 모시고 12년간을 머무르던 이승휴가 비로소 관직에 발을 내디딘 것은 그의 나이 41세 때였다. 첫 관직인 경흥도호부(지금의 강릉)의 판관 겸 서기를 시작으로 식목녹사, 원행 사신의 서장관, 합문지후·감찰어사, 우정언, 우사간, 양광·충청도 안렴사, 전중시사 등의 요직을 두루 거쳤다.

그러나 정작 중요한 것은 요직을 거쳤다는 점이 아니라 숱한 질시와 반대로 파면과 복직을 거듭하면서도 결코 불의와 타협하지 않고 오직 정도(正道)를 지켰다는 점이다.

심지어는 전중시사로 있던 1280년에는 당시 왕이었던 충렬왕의 실정과 세력가인 부원배들의 횡포를 비판하는 상소를 올렸다가 파면되기도 하였다. 파면당한 이승휴는 미련 없이 관직을 버리고 외가인 삼척으로 돌아와 두타산 아래 구동에 머무르며 위진남북조시대 진(晉)나라의 유명한 시인 도연명의 시 「귀거래사」의 구절에서 따온 이름의 초막인 '용안당'을 짓고 유유자적한 생활 속에 독서와 글쓰기를 즐기며 생활하던 중

뜻한 바 있어 불후의 명저인 『제왕운기』를 저술하였으니, 낙향한 지 7년 뒤인 1287년, 그의 나이 64세 때의 일이었다.

한편 원행 사신의 서장관으로 임명되어 원나라에 갔다가 돌아올 때까지의 행적과 관련하여 다음과 같은 이야기가 전해 온다.

당시 이승휴는 억울한 누명을 쓰고 관직에서 물러나 있던 시기였기에 재주가 뛰어남에도 불구하고 사행 명단에서 빠졌다. 이를 안 원종이 예전 선생[이승휴]의 충성스러운 일을 보고 그의 이름을 벼루 갑에 적어 두었던 것을 기억하고, 친히 술과 안주를 내리며 간곡히 권유했을 뿐만 아니라 집이 가난함을 알고 백금 3근을 여비에 보태라며 하사하였다는 것이다. 이승휴의 재주와 충성심, 그리고 청렴결백한 성품을 당시 왕실에서도 인정하였음을 알 수 있다.

이승휴는 원종의 기대를 저버리지 않았다. 당시 이승휴가 지어 원나라 황제에게 올린 글이 훌륭한 문장이어서 황제가 무려 세 번이나 칭찬하였을 뿐만 아니라 원나라의 최고 학자로 불리던 한림학사 후우현을 비롯한 원나라 조정의 내로라하는 학자들이 입을 모아 문장이 중국을 감동시켰다며 극찬을 아끼지 않았다고 한다.

일행이 돌아오자 원종은 몹시 기뻐하며 집무실로 불러들여 잔치를 베풀고 후한 상을 내리고, 이승휴가 지은 글을 직접 읽어 보고는 관직 없이 따라갔던 이승휴를 잡직서령 겸 도병마녹사로 임명하는 파격적인 대우를 하였다.

충렬왕 때 고쳐야 할 폐단 10개조를 올린 후 파직된 이승휴는 삼척에 내려와 두타산 자락인 구동에 용안당을 세우고, 경진년(庚辰年, 1280) 10월에서 기축년(己丑年, 1289)까지 약 10년간 삼화사에서 1,000상자의 대장경을 빌려 읽는다. 그는 경전 공부와 함께 참선에도 열중하여 출가자 못지 않게 수행에 정진하는 재가수행자였다. 이러한 부류의 사람들을 당시 거사라 하였는데, 선승 몽산덕이의 법어를 받아들이고, '목우사자기'를 늘 곁에 두었으며, 간화선에 심취한 수행자의 모습 등은 그의 거사적 성향을 잘 보여 주고 있다. 그 후 불경을 읽었던 '용안당'을 '간장사'라 이름하였을 뿐만 아니라 불경을 빌리러 다니던 길, 즉 현 천은사와 옛 삼화사를 연결하는 산길이 지금도 남아 있어 당시의 정취를 느낄 수 있다.

삼척에서 은거하였다고 하여 이승휴가 완전히 세상을 등지고 숨어서 산 것은 아니었다. 파직당하던 처음엔 그도 실망을 금치 못했던 듯, "나라의 안위(安危)와 조정에서 하는 일의 잘잘못을 입에 올리지 않겠다"며, 스스로를 경계하고 은둔할 것을 다짐하기도 했다. 그러나 얼마 후 윤보에게 보낸 편지에서 "잘 모르는 자들이 저더러 권세와 이익을 잊지 못하여 당신에게 잘 보이려 한다고 쑥덕거릴까 두려워서" 문안 편지를 띄우지 못하였다고 말하는 것으로 미루어 보면, 현실에 대한 그의 관심이 여전하였음을 짐작할 수가 있다. 이처럼 그가 남의 눈길을 의식했다는 것은, 그만큼 현실 문제에 깊은 관심을 가졌음을 방증하는 것이기 때문이다. 그 밖에도 안집사로 나온 인물의 방문을 받아 며칠씩 어울리고, 문안차 고향의 부모를 찾은 국왕의 근신과 더불어 담소를 나누었다든지, 혹은 은퇴한 원로대신 김방경과 서신을 주고받았다든지 하는 일 등도 모두 그와 같은 맥락으로 볼 수 있다. 비록 은둔하였다고는 하지만, 이승휴는 여전히 세상과 일정한 관계를 맺은 가운데 인생의 말년을 보냈던 것이다.

그뿐만 아니라 은거 중이던 그가 충렬왕 13년(1287)에 『제왕운기』를 찬술하였던 것도 현실에 대한 그와 같은 관심에서 비롯된 일이었다. 고려 원종 때 강화도 참성단에서 초제(醮祭)를 설행하고, '일통삼한(一統三韓)'이라는 역사인식의 한계로 각 지역에서 일어났던 삼국부흥운동 등의 분립적 요소를 해소하기 위한 역사변전의식(歷史變轉意識)이 폭넓게 나타나자, 이의 영향으로 고조선을 고려 역사의 출발로 설정하는 『삼국유사』, 『제왕운기』가 간행되었다.[6]

일찍이 이승휴는 은거하게 되면 세상에 교훈이 되는 책을 저술하고 싶다는 희망을 피력한 바 있었다. 그러한 꿈을 실현하기 위해 『제왕운기』를 짓게 되었는데. 찬술을 시작한 처음의 뜻이 고려왕조가 처한 현실에 대한 관심에서 비롯된 일이었음을 스스로 밝히고 있고. 그 구체적인 배경 중 하나가 위의 설명과 같다고 보인다. 『제왕운기』 초간본(初刊本)은 이를 편찬한 지 10여 년이 지난 원정 연간(元貞年間: 1295~1297)에 진주에서 간행되었다.

『제왕운기』를 저술한 2년 후인 1289년(충렬왕 15)에는 용안당 남쪽에 '보광정(葆光亭)'을 창건하고, 그 곁에 있는 천정(泉亭)으로 '표음정(瓢飮渟)', 정자 아래에 '지락당(知樂塘)'을 시설하여 구동용계별서(龜洞龍溪別墅)를 완성하였다.

백발이 성성한 노구로 구동(龜洞) 용계별서(龍溪別墅)에서 신선을 자부하면서 살던 그는 71세인 1294년(충렬왕 20)이 되던 해에 홀연히 용안당

••••

6 이승휴가 『제왕운기』를 저술하게 된 배경은 여러 측면에서 살펴볼 수 있는데, 위에서 든 내용 이외에도 전통문화를 좀 더 강조하여 민족사의 자긍심과 독자성을 강조할 필요성이 있었음을 들 수 있다.

간판을 간장암(看藏庵)으로 바꾸어 별장을 중에게 희사했으며, 또한 밭을 희사하여 상주의 자본으로 삼게 하였다.

이 와중에 이승휴는 새로이 즉위하여 개혁정치를 펼치던 충선왕(忠宣王)으로부터, 두 번에 걸쳐 간곡한 부름을 받게 된다. 관직에 있던 아들 이임종(李林宗)을 내려보내기까지 하는 충선왕의 열성에 못 이겨 개경에 나아간 그는, 한때나마 고위직에서 활동하기도 하였다(충렬왕 24, 1298). 충렬왕 대에 빚어지고 있던 여러 폐단을 없애고 새로운 정치를 펼치려던 충선왕의 개혁운동에, 그가 적극 동조하였음을 알 수가 있다. 그러나 75세의 노년에 이른 이승휴로서는 언제까지나 현직에서 활동을 계속할 수 없었다. 그리하여 거듭 물러나기를 요청하였고, 마침내 충렬왕 24년(1298)에 은거지였던 삼척으로 돌아왔는데, 왕은 그에게 밀직부사 감찰대부로 치사하였다. 그리고 돌아온 지 2년 후인 충렬왕 26년(1300) 10월에 생을 마쳤다. 그의 나이 77세였다.

『경상도읍지(慶尙道邑誌)』 제4책 「성주목읍지(星州牧邑誌)」 총묘(冢墓) 조(條)에는 "성주 동쪽 40리 다산(茶山)에 장사 지냄"이라는 기록이 보이는데, 이는 이승휴가 1280년 관직에서 물러난 이후 삼척에서 계속 생활하면서 불경을 읽고, 『제왕운기』 등을 저술하였다는 사실로 보아 재검토가 필요하다고 본다.

이승휴의 아들은 3명이다. 맏아들은 임종(林宗)인데 과거에 올라 벼슬길에 나아가 가는 곳마다 청렴하고 능하다고 일컬어졌으며, 벼슬이 헌부산랑에 이르렀으나 벼슬을 사양하고 고향에 돌아와 어머니를 모셨고, 둘째 아들은 출가하였는데 이름은 담욱(曇煜)이며, 조계승 선발에 응시하여 상상과(上上科)에 합격하여, 선문(禪門)의 종사(宗師)가 되었다. 덕유(德儒)

는 막내아들인데, 이름은 연종(衍宗)이다. 일찍이 계묘년(癸卯年: 1243) 과거에 올라 좌사보(左思補) 지제교(知製敎)가 되었는데, 당시 사람들은 그 가정의 학문에 탄복하였다고 한다.[7]

Ⅲ. 이승휴의 불교인식

이승휴가 불교에 심취하였다는 사실은 여러 기록에서 볼 수 있다.

그 예로 『동안거사문집』의 「촌거자계문」을 보면 그 스스로 "불서를 친근히 하여 헛되이 날을 버리지 말라"고 할 정도로 불교에 심취해 있었다. 또한 이승휴에 대한 평가에서 "성품이 부처를 좋아하였는데, 늘그막에는 그 섬기기를 더욱 공손히 하였다"라고 한 「간장암중창기」나, "부처의 가르침을 지나치게 좋아하였다"고 한 『고려사』 「이승휴전」의 기사는 불교에 대한 이승휴의 관심과 믿음을 단적으로 표현하고 있다.

그리고 불교에 대한 이승휴의 믿음은 개인적인 차원만이 아니라 "우리나라를 이롭게 하려고 한다면 어찌 이 도를 말미암지 않는가? 이미 오천축국에서 시작되어 장차 중화를 가득 채우려 하였다"라고 했던 것처럼 불교의 도가 고려에 커다란 도움이 된다고 전제하였을 만큼 국가 발전과 불교를 연결하여 생각한 측면도 지니고 있었다.

이와 같은 불교에 대한 관심을 바탕으로 불교 관련 저술인 『내전록』을

••••

7 변동명, 2005, 「이승휴의 생애와 저술」, 『진단학보』 99집, 진단학회; 김도현, 2010, 「이승휴의 생애와 유적」, 『민족의 역사가 이승휴, 제왕운기를 쓰다』, (사)동안이승휴사상선양회.

찬술하였으며, 역사서인 『제왕운기』를 찬술한 것 또한 이 시기이다.

이승휴의 불교인식과 관련하여 『동안거사문집』에 수록된 관련 시(詩), 『제왕운기』에 수록된 내용을 중심으로 불교인식을 정리하면 다음과 같다.

1. 현실에 대한 인식과 불교

이승휴가 쓴 「간장사기」는 1289년(충렬왕 15) 이승휴 선생이 경전 열람을 끝내던 해에 작성된 글이다. 경전 열람을 끝내고 용안당을 간장사로 하여 기진하면서 작성한 글인데, 이 글에서는 현실 문제를 직시하고, 이에 대한 해결책으로 불교에 기대었음을 확인할 수 있다. 그의 불교 관련 내용을 정리하면 다음과 같다.

- 부처 탄생부터 깨달음, 활동, 입멸, 이후 불교의 확산을 서술하면서, 고려 태조의 위업과 지극한 숭불을 강조하여 그 전통을 면면히 계승하였기에 고려왕조가 태평성대를 누리게 되었음을 내세우고 있다.
- 이승휴 자신이 1,000상자의 불경을 10년에 걸쳐 읽었기에 그 기념으로 간장사를 기진함으로써 왕실과 나라가 번성하며 자신을 포함한 중생이 깨달음을 얻어 피안에 이르기를 서원하고 있다,
- 불교를 일러 "만일 우리나라를 이롭게 할 양이면 어찌 이 도로부

터 말미암지 않을 수 있겠는가…"라고 말하였다.

- "천 상자의 불경을 열람하며 그것을 배우고 익히는 즐거움과 함께 하다 보니, … 충성하고자 하는 바는 오직 나라와 임금뿐이다. …"
- "한마음으로 길이 임금을 연모하면서, 불경 한 축을 대할 때마다 만수를 누려 평안하기를 기원하며, 그리하여 만축이 모두 국왕께 만수를 받들어 올리리라."
- 용안당을 간장사로 바꾸면서 이승휴는 왕실이 평안하고 번성하는 가운데 또한 국왕이 성세를 누리며 승평의 곡조가 연주되는 것을 길이 즐기도록 축원하였다.
- "이 서원을 통하여 저 침륜한 사람들을 구제할지어다."[8]

위의 내용을 종합해 보면 불교의 정치·사회적 효용성을 강조하면서, 불교를 신봉하는 것이 곧 이국충군(利國忠君)의 길이며, 그로써 나라가 길이 유지되고 더불어 군주는 만수무강하도록 축원해야 한다는 것이 이승휴가 불경 섭렵 후 갖게 된 소신이었음을 알 수 있다.

즉, 이승휴는 당시의 정치 현실을 걱정하며, 불교를 통해 자신이 이상으로 생각하는 정치가 이루어지도록 축원하였는데, 구체적으로 부처의 가르침을 믿고 따름으로써 고려왕조가 번영하여 태평성대를 구가할 수

••••

8 현실 문제 해결에 적극적으로 나서는 대승적 성격을 잘 보여 준다.

있도록 하기 위한 간절한 마음을 담고 있다.[9]

2. 역사의식에 투영된 불교

이승휴의 『제왕운기』에 실린 단웅신화는 일연의 『삼국유사』에 실린 환웅신화와는 달리 세상을 연 존재, 우리의 역사를 연 존재로 '석제(釋帝)', 즉 부처님을 설정하였다. 해당하는 부분을 소개하면 다음과 같다.

> 처음에 어느 누가 나라를 열었던고.
> 석제, 손자 이름은 단군(檀君)일세.
>
> 「본기」에 적혀 있다. … 손녀로 하여금 약을 먹고 사람이 되게 하여 단수신과 결혼시켜 아들을 낳았다. 이름은 단군(檀君)이라 하고, 조선의 땅을 차지하여 왕이 되었다. 이런 까닭에 시라(尸羅)·고례(高禮)·남북옥저(南北沃沮)·동북부여(東北扶餘)·예(穢)와 맥(貊)은 모두 단군의 자손인 것이다. … 아사달에 들어가시어 신(神)이 되었으니 …

••••

9 진성규는 다음 논문에서 고려 후기 불교계의 동향을 13세기 전반기와 후반기로 구분하여 정리한 후 12세기 이후부터 발생한 거사불교에 대한 개념을 정리하였다. 또 『동안거사문집』에 수록된 몇 편의 시를 통해 이승휴의 불교관을 소개하였는데, 법은 공이라는 보편적 인식, 그리고 삼재와 유불선이 한 근원이라는 인식을 소개하였다. 이는 신라말부터 등장한 인식으로, 이를 종합하면 이승휴의 불교관은 자신의 만족에 안주하였던 거사불교의 성격을 벗어나기 어려웠고, 거사로서 불교세계에 침잠할 수 있었던 것은 탄탄한 유교 소양을 바탕으로 10년간 삼화사 불경을 읽었기 때문인데, 그럼에도 불구하고 불교관에서 대 사회의식을 찾기 어렵다고 단정하였다. 그러나 이승휴의 불교인식은 개인적 차원의 거사불교라기보다는 사회 변화와 민족을 생각하고, 이를 위해 불교에 기대는 경향이 여러 문장에서 발견된다. 이에 진성규의 위와 같은 인식은 再考가 필요하다. 진성규, 1994, 「13세기 불교계 동향과 이승휴」, 『이승휴 연구논총』, 삼척군.

「고기(古記)」[『삼국유사』]는 단군의 일천여(一千餘) 생애를 언급하면서 정작 단군 자신의 결혼 관계나 후사(後嗣)에 대한 언급은 없이 대단원을 맺고 있다. 이에 비하여 「단군본기」[『제왕운기』]는 단군사적만을 기술한 「고기」보다 그 서술 범위를 확장하였다. 그러므로 본래 『삼국유사』 고조선조의 「고기」가 있고, 이와는 별도의 「동명본기」[『제왕운기』]가 있으며, 이들을 아울러 하나의 계통으로 세워 본 것이 「단군본기」라 하겠다.[10]

3. 몽산덕이와의 교류, 그리고 간화선

다음 내용은 이승휴 선생이 참선을 기저로 한 자기 수행을 중시하는 불교인식 태도를 잘 보여 준다.

①「간장사기(看藏寺記)」

- 이 세상에서 살든 세속을 초월하여 살든 달자(達者)[11]와 같이 노닐고, 이심전심으로 막힘없이 크게 깨치기를 원하노라.[12]
- 영원히 선문(禪門)[13]의 맑고 좋은 가람 되었네.
- 옛 성인이 말하기를, "때가 말세를 당하여서는 산도 아니고 들도 아닌

10 신종원, 2004, 「단군신화에 보이는 나무신앙 및 역사인식」, 『삼국유사 새로 읽기』 1, 일지사.

11 일체의 사물에 달관한 사람.

12 참선을 중시하는 선종 형태로 볼 수 있음.

13 禪門은 佛門으로도 이해될 수 있으나, 그 명칭은 참선을 강조한 고려 후기적 성격으로도 볼 수 있다.

인가 근처에 풀을 엮어 집을 짓고 편히 참선(參禪)을 한다" 했으니 …

위의 내용은 이승휴의 도교적 성향과 함께 '선문(禪門), 참선(參禪)'이란 표현을 사용한 것으로 보아 참선을 직접 수행하는 거사로서의 모습을 표현한 것으로 볼 수 있다.

② 「몽산화상이 법어(法語)를 내려 준 데 대해 사례해 올림」

1298년(충렬왕 24) 75세 되던 해에 몽산덕이[14]가 법어를 내려 준 것에 대하여 이에 대한 감사의 표시를 전한 다음 기록은 참선을 중시하는 이승휴의 불교인식을 잘 보여 준다.

> 밖에서 큰 자비심을 일으켜 경의 요체인 화두(話頭)를 둔한 나에게 내려 주실 것을 생각이나 했겠습니까? … 처음 절하고 받은 날로부터 오늘날까지 200일에 이르렀으나, 관조가 용렬하고 … 귀의할 바를 알지 못했습니다. …

위의 내용을 통하여 몽산덕이가 200여 일 전에 화두를 내려 주었음을 알 수 있으며, 이승휴가 참선을 중시하는 선종 계통의 불교에 매료되었음을 잘 보여 준다. 그리고 몽산덕이가 이승휴에게 내려 준 화두의 내용은 게송에 기재되어 있는 '사종(四種)의 의심'[15] 으로 볼 수 있다.

••••

14 몽산화상은 蒙山德異(1232~?)로 남송의 강서성 서양 고안현 출생이다. 몽골 침입 시 양쯔강 남쪽에서 출가 수도한 인물로, 중국보다 우리나라에 잘 알려진 고승이다.

다음에 소개하는 2편의 게송은 이승휴가 몽산덕이의 가르침을 생각하며 지은 게송인데, 한 편은 몽산덕이의 가르침이고, 한 편은 이에 대하여 이승휴가 지닌 마음의 자세와 느낌을 적은 것으로 볼 수 있다.

사종의 의심을 자세히 살펴보라 했네.
눈썹을 치켜들 필요 없이 직접 목격하여,
아침 향불, 저녁 예불로 스승 삼으라 했네.
삼교(三教: 儒·佛·仙)가 한 근원임을 분명히 알겠네.
끊임없이 정탐하며 저 언덕 왔다 갔다 하며,
저 가풍의 막대한 은혜 갚기를 맹세했네.

③ 화상[몽산덕이]이 보낸 법어

몽산덕이가 이승휴에게 보낸 법어 중 중요한 내용은 다음과 같다.

- 고금에 2가지 도가 없으니, 삼재(三才)[16] 삼교가 하나의 근원이다.
- '사종의 의심' …
- '타(他)는 누구인가?'를 언급하여 그 타는 누구인가를 의심해야 한다는 … 내 자신이 석가도 되고, 미륵도 되는 존재임을 깨달아야 한다. …
- 우리 조사이신 달마대사께서 훈계하신 게송이 있는데 …

••••

15 四種의 의심은 구체적으로 '생명이 어디서 왔는가? 생명은 현재 어디에 있는가? 어떻게 해야 생사를 벗어나는가? 죽으면 어디로 가는 것인가?'이다.

16 天地人.

몽산덕이는 이승휴에게 다양한 가르침을 내려 주었는데, 주로 참선, 자기 수양과 관련한 내용을 담고 있다. 이와 함께 크게 깨달으려 노력하고, 조금에 만족하지 말고 항상 깨어 있기를 명심하라는 법어를 내려 주었음을 알 수 있다.

몽산덕이와 이승휴 선생이 정확하게 언제부터 교류하였는지는 알 수 없으나, 「간장사기」를 작성할 당시에는 현실 문제 해결과 역사인식에서 불교에 의탁한 측면이 강하게 표출되었으나, 몽산덕이와의 교류 이후 참선과 화두를 기저로 한 불교인식의 모습이 많이 나타난다.

4. 『내전록』 간행

『고려사』 「이승휴전」은 이승휴가 파직당한 후 삼화사의 불경을 빌려 읽으며, 역사서인 『제왕운기』와 함께 『내전록』을 지었음을 기록하고 있다.[17] 즉, 『고려사』가 편찬된 조선 전기에 『내전록』이 그의 주요 저서인 『제왕운기』와 동등하게 평가할 만한 저서로 인식되었음을 알 수 있다. 그러나 이 책은 현재 전하지 않고, 어떤 내용이었는지를 알 수 있는 단서도 없다.

먼저 저술 시기와 관련하여 『고려사』에 보면 파직당한 후 삼척에 내려와서 삼화사에서 불경을 빌려 읽으면서 『제왕운기』와 함께 『내전록』을 지었다는 기록과, 10년 동안 삼화사의 불경을 모두 섭렵한 후 용안당을 약간의 농토와 함께 기진하여 간장사로 삼았다는 기록을 종합해 보

••••

17 『高麗史』 卷106, 「李承休傳」, 〈… 看佛書 著帝王韻紀內典錄 …〉.

면, 이승휴는 삼화사 불경 열람을 마친 후 간장사를 만들고, 그가 읽은 불경 내용 또는 불서 해제와 자신의 생각을 기록한 『내전록』을 저술하였다고 추정할 수 있기에 충렬왕 24년(1289) 무렵에 저술한 것으로 볼 수 있다.[18]

『내전록』에 담긴 내용과 관련하여 변동명은 이승휴가 천 상자의 불경을 빌려 읽는 과정에서 불서 목록인 『대당내전록』을 접하였을 가능성이 크고, 내전은 유교 서적인 외전(外典)에 대비되는 의미이므로 불교 서적 목록을 정리한 서적일 가능성이 크다고 추정하였다.[19] 비슷한 시기에 활동한 이규보 역시 그의 저술에서 불경을 '내전(內典)'이라고 표현하고 있다.[20]

그러므로 『내전록』은 그가 읽은 불교 서적 목록을 정리한 책으로 볼 수 있는데, 이와 관련하여 변동명은 좀 더 구체적으로 불교의 전파 및 경전의 번역과 그 해석에 이르는 중국과 우리나라의 역사 등을 담은 일종의 불교사서일 가능성이 크다고 보았다.

이승휴가 『내전록』을 간행한 목적은 당시 재가불자들의 문화적 영향력과 관련하여 이해할 수 있다. 그들은 고려 사회의 문화를 주도하였는데, 불적, 즉 불경·사경·어록·문집 등을 간행하는 것 또한 불사를 후원

••••

18 변동명, 2004, 「이승휴의 내전록 저술」, 『한국사상사학』 23집, 한국사상사학회.

19 변동명, 2004, 「이승휴의 내전록 저술」, 『한국사상사학』 23집, 한국사상사학회.

20 이규보는 「法華經頌止觀贊 幷序」에서 지각이 『법화경』을 읽도록 권유하기 전에는 '내전' 즉 불경을 읽지 않았다고 하였으며, 「次韻李學士再和麗字韻詩見寄」에서 그동안 '내전' 구체적으로 『능엄경』을 좋아하였다는 서술이 있다. 이를 통해 이규보 역시 불교에 대한 배타적 인식 없이 불경을 外典이 아니라 內典으로 표현하고 있음을 알 수 있다. 박윤진, 2001, 「이규보의 불교관에 대한 일고찰」, 『사총』 53집, 고려대학교 역사연구소.

하는 것 못지않게 중요시하였다. 따라서 이승휴는 천 상자의 불경을 읽은 후 간장사를 창건하여 희사하면서, 『내전록』을 저술하는 것 또한 재가불자로서 하여야 할 사회·문화적 책무이고, 국가와 백성들을 위한 실천적 과제로 여겼다고 볼 수 있다.

Ⅳ. 이승휴와 간장사(看藏寺)

이승휴가 삼화사의 불경을 10여 년간 읽은 후 창건한 간장사는 현재의 천은사(天恩寺)다.[21] 이와 관련한 기록으로는 충렬왕 때 고쳐야 할 폐단 10개조를 올린 후 파직된 이승휴가 삼척에 내려와 두타산 자락인 구동 즉, 현재의 미로면 내미로리 천은사 경내에 용안당을 세우고, 무진년(庚辰年: 1280) 10월에서 기축년(己丑年: 1289)까지 약 10년간 삼화사에서 1,000 상자의 불경을 빌려 읽은 후 71세인 충렬왕 20년(1294)이 되던 해에 홀연히 용안당(容安堂) 간판을 간장사로 개칭하고 승려가 주석할 밭을 희사하였다는 내용이 실린 「간장사기」, 그리고 이승휴의 아들에 의해 중수된 후 둘째 아들인 담욱의 요청으로 최해가 쓴 「간장암중창기(看藏庵重創記)」가 전한다. 조선시대에 들어서는 각종 지리지에 이승휴, 간장사[看藏寺, 看藏庵]와 관련한 기록이 보이는데, 대부분의 내용은 「간장사기」와 「간장암

••••

21 천은사 일대는 현재 이승휴 유적지와 관련하여 국가 사적 421호로 지정되어 있다. 그리고 이 단원의 내용은 필자의 다음 글 중 관련 내용을 요약하였다. 김도현, 2006, 「삼척시 미로면 천은사의 역사와 목조아미타불 복장」, 『박물관지』 13집, 강원대학교 중앙박물관.

중창기」를 원용하고 있다.[22]

이승휴가 거처하였던 '용안당'은 해장(海藏)을 열람하려고 지은 것이라 하였다. 이후 '용안당'을 '간장사'라고 개칭한 이유는 이와 연계하여 '해장 열람' 즉, 불경을 읽은 사실과 관련하여 '간장사'라고 사명(寺名)을 정한 것으로 볼 수 있다.

현재의 천은사와 이승휴가 편액을 건 간장사는 별개라는 일부의 견해가 있으나, 천은사가 이승휴와 관련되는 간장사와 직접적인 관련을 지니고 있음은 다음을 통하여 확인할 수 있다.

첫째, 각종 지리지에 언급된 사명의 변화를 보면 '看藏寺[看藏庵] → 黑岳寺', '白蓮臺 → 看藏寺[看藏庵] → 黑岳寺 → 天恩寺'로 법등이 이어져 오고 있음을 [표 1-1]에 정리한 천은사 사명 변화 과정을 통하여 확인할 수 있다.

[표 1-1] 각종 지리지·기문 등에 기재된 天恩寺 寺名[23]

참고 자료	사찰 명
「葆光亭記」(1289)	容安堂 (1280)
「看藏寺記」(1294)	容安堂 → 看藏寺
「看藏庵重創記」(1323)	容安堂 → 看藏庵
『新增東國輿地勝覽』(1530)	看藏菴
「重修記」(萬曆 24: 1596)	黑岳寺

••••

22 최해가 쓴 「看藏庵重創記」를 원용하여 안축이 쓴 기문으로 李承休와 看藏寺를 소개한 문헌은 『新增東國輿地勝覽』; 『梵宇攷』; 『三陟鄕土誌』이다.

23 '[표 1-1] 각종 지리지·기문 등에 기재된 天恩寺 寺名'은 필자의 다음 글에 실린 [표 2]를 전재한 것임. 김도현, 2006, 「삼척시 미로면 천은사의 역사와 목조아미타불 복장」, 『박물관지』 13집, 강원대학교 중앙박물관, 47~48쪽.

참고 자료	사찰 명
「江陵都護府使 李命俊 詩」(1628~1630)	黑岳寺
『陟州誌』(許穆, 1662)	白蓮臺 或曰 看藏菴 → 黑岳寺
『東國輿地誌』(1680 전후)	看藏寺 → 黑岳寺
『東輿備攷』(1682)	看藏菴
「三陟府使 李秉淵 詩」(1732~1736)	黑岳寺
『望美錄』(蔡濟恭, 1751~1752)	黑岳寺
『輿地圖書』(1757~1765)	看藏菴
『伽藍考』(1781 이전)	看藏菴
「阿彌陀佛願文」(1798)	白蓮寺 → 看藏 → 黑嶽(寺)
『梵宇攷』(1799 이전)	看藏寺 → 黑嶽寺
『關東誌』(1826~1830)	看藏寺 → 黑嶽寺
『陟州先生案』 중 「府使 李奎憲」(1835~1839)	黑岳寺
『三陟府邑誌』(1826~1830보다 이후)	白蓮庵 或曰 看藏菴 → 黑岳寺
三陟金氏族譜 『己酉譜』(1849)	看藏寺(에서 간행)
『關東邑誌』(1870)	黑岳寺
『陟州誌』(金宗彦, 1848~1888)	黑岳寺
『三陟郡邑誌』(1895 이후)	看藏寺 → 黑嶽寺
『濬慶墓 永慶墓 儀軌』의 「完文」(1899)	黑嶽寺
『濬慶墓 永慶墓 儀軌』의 「守護節目」(1900)	黑嶽寺
『朝鮮地誌資料』(1910~1911)	天恩寺
『三陟郡誌』(1916)	白蓮臺 → 看藏庵 → 黑嶽寺 → 天恩寺
「天恩寺紀實碑」(1921)	白蓮臺 → 看藏寺 → 黑嶽寺 → 天恩寺
「三尊像改金後佛幀改彩願文」(1922)	看藏寺 → 黑嶽寺 → 天恩寺
『江原道誌』(1940)	白蓮臺 → 看藏寺 → 黑嶽寺 → 天恩寺
『陟州誌』(崔晩熙, 1946)	白蓮菴 → 看藏庵 → 黑嶽寺 → 天恩寺
『三陟鄕土誌』(1955)	天恩寺
『眞珠誌』(1963)	白蓮臺 → 看藏寺 → 黑嶽寺 → 天恩寺

이들 기록에 간장사와 흑악사(黑岳寺) 각각에 대한 위치 비정을 하지 않은 예도 있고, 이에 대한 전거를 제시하지 않은 제한점도 있다. 그러나 조선시대에 발간된 대부분의 기록에서 천은사를 소개하면서 이승휴와 관련된다는 사실을 소개하였으며, 법등이 '看藏寺 → 黑岳寺'로 이어지고 있을 뿐만 아니라 18세기 중반에 편찬된 『여지도서』와 1849년 간장사에서 인쇄된 삼척 김씨 족보 『기유보』로 보아 조선 후기까지 동일한 사찰이 '看藏寺[看藏庵]' 또는 '黑岳寺'로 불렸다는 사실은 이승휴가 세운 '간장사'가 '흑악사'이고, '흑악사'가 곧 현재의 '천은사'임을 보여 주는 것이다.[24]

둘째, 조선시대에 제작된 삼척 관련 고지도(古地圖) 중 1682년에 제작된 『동여비고(東輿備攷)』, 1757~1765년 사이에 발간된 『여지도서(輿地圖書)』와 고종 7년(1870)에 만들어진 『관동읍지(關東邑誌)』에는 현재의 천은사 위치에 '看藏寺[看藏庵]'라는 사명이 기재되어 있음을 확인할 수 있다. 다른 고지도에서는 해당 위치에 '黑岳寺'라 표기되어 있다. 특히 거의 동시기(1870경)에 만들어진 『관동읍지』에는 '看藏寺'라 표기한 데 비해 상백본(想白本) 『척주지(陟州誌)』에는 '黑岳寺'라고 표기되어 있다. 즉, 1870년경에 2개의 사명이 같이 사용되었음을 알 수 있다. 이를 종합해 보면 결국 '간장사'가 '흑악사'이고, 이는 현재의 '천은사'임을 나타내는 중요한 근거로 제시할 수 있다.

셋째, 천은사 경내 발굴조사에서 각종 건물지와 함께 청자를 굽던 가

••••

24 黑岳寺가 현재의 天恩寺인 이유는 극락보전에 봉안된 阿彌陀佛 내의 腹藏 중 '黑岳'이란 寺名이 기재된 「重修記」·「阿彌陀佛願文」·「三尊像改金後佛幀改彩願文」을 통해 이 불상이 黑岳寺의 불상임을 알 수 있으므로, 黑岳寺가 현재의 天恩寺라고 단정할 수 있기 때문이다.

마타 등이 발견되었다는 사실은 고려시대에 사찰이 있었다고 추정할 수 있으며, 이곳이 이승휴와 관련한 유적지였을 가능성을 높여 준다.

V. 맺음말

고려 후기의 거사들을 정의한다면 도에 관심을 가지고 수행에 힘쓰며 생활하였던 사람들이라 할 수 있다, 좀 더 구체적으로 살펴보면 재가불자는 공경대부로부터 일반 서민에 이르기까지 다양하게 존재하였다. 이러한 측면에서 재가불자들의 활동이 내포한 사회적 의미를 바탕으로 이승휴의 불교관이 어떤 모습으로 표출되었는지를 정리하면 다음과 같다.

첫째, 왕실을 중심으로 한 재가신자들은 국가·사회의 어려움을 타결하는데 핵심이 되는 각종의 불교 의례를 주관하였다. 고려시대에 불교의례가 개설되었던 목적은 불교가 관념적으로 이해되는 점에서 벗어나 인간사의 구체적 관심사에 대응되었다는 것이다. 좀 더 구체적으로 『인왕경』과 『금광명경』에 의한 의례의 개설 목적을 보면 고려 사회의 제 문제를 불교로써 해결할 수 있다는 의식에 기초를 두고 있음을 알 수 있다. 이와 관련하여 이승휴의 『동안거사문집』에 수록된 「간장사기」에 실린 불교에 대한 인식은 당시 거사불교가 지닌 사회적 의미를 이승휴도 적극적으로 인식하고 수용하였음을 잘 보여 준다.

둘째, 국가·사회적인 면에서 재가불자들은 재시(財施) 활동을 하여야 한다는 인식이 보편적이었다. 여기서 재시는 재가불자들이 기본적으로 수행해야 할 의무이기도 하지만, 이들은 불사에 적극적으로 참여함으로써 공동체를 단합되게 만드는 역할을 하였다. 이와 관련하여 이승휴가 약 10년간 삼화사에서 1,000상자의 불경을 빌려 읽은 후 71세 되던 해인 충렬왕 20년(1294)에 홀연히 용안당 간판을 간장사로 개칭하고 승려가 주석할 밭을 희사하였다는 내용이 실린 「간장사기」는 이와 관련하여 이해할 수 있고, 이에 더하여 용안당을 간장사로 바꾸면서 이승휴가 왕실이 평안하고 번성하는 가운데 또한 국왕이 성세를 누리며 승평의 곡조가 연주되는 것을 길이 즐기도록 축원하였다는 기록은 그가 국가·사회적인 면에서 재시 활동을 하였음을 잘 보여 준다.

셋째, 이승휴는 삼화사 불경 열람을 마친 후 간장사를 만들고, 자신이 읽은 불경 내용 또는 불서 해제와 자신의 생각을 기록한 『내전록』을 충렬왕 24년(1289) 무렵에 저술하였다. 내전은 유교 서적인 외전에 대비되는 의미이므로 불교 서적 목록을 정리한 서적일 가능성이 크며, 저술한 배경은 재가불교신자로서 하여야 할 사회·문화적 책무이며, 국가와 백성들을 위한 실천적 과제로 여겨서이다.

넷째, 「간장사기」를 작성할 당시에는 현실 문제 해결과 역사인식에서 불교에 의탁한 측면이 강하게 표출되었으나, 몽산덕이가 법어를 내려 준 것에 대하여 이에 대한 감사의 표시를 전한 시를 통해 참선을 중시하는 이승휴의 불교인식이 말년에 좀 더 다양해졌음을 알 수 있다.

주로 참선, 자기 수양과 관련한 내용을 통해 몽산덕이와 교류한 이승휴는 몽산덕이와의 교류 이후 참선과 화두를 기저로 한 불교인식의 모습이 많이 나타난다.

이승휴는 적극적으로 현실을 이해하고자 하는 태도에 기반하여 종교적인 실천을 통하여 국가와 사회에 봉사하였고, 이를 통해 그의 불교관은 고려 후기 재가불자들의 불교에 대한 인식과 맥을 같이 한다고 볼 수 있다.

이와 같이 이승휴를 비롯한 재가불자들의 불교인식과 활동은 고려 사회가 유지될 수 있는 동력으로 기능하였고, 비록 고려가 망하고 조선이 개창된 이후에는 그 영향이나 활동이 축소되어 갔으나, 그 전통은 계속 이어져서 오늘에 이어진다고 볼 수 있다.

참고문헌

1. 史料

李承休,『帝王韻紀』.

李承休 著, 李衍宗 編著,『動安居士文集』.

『高麗史』.

『高麗史節要』.

2. 논저·보고서

김도현, 2006,「삼척시 미로면 천은사의 역사와 목조아미타불 복장」,『박물관지』 13집, 강원대학교 중앙박물관.

______, 2010,「이승휴의 생애와 유적」,『민족의 역사가 이승휴, 제왕운기를 쓰다』, (사)동안이승휴사상선양회.

______, 2015,「동안 이승휴 선생의 불교인식과 간장사」,『이사부와 동해』 10호, 한국이사부학회.

박윤진, 2001,「이규보의 불교관에 대한 일고찰」,『사총』 53집, 고려대학교 역사연구소.

변동명, 2001,「이승휴와 불교」,『한국 중세사회의 제문제』, 정림사.

______, 2004,「이승휴의 내전록 저술」,『한국사상사학』 23집, 한국사상사학회.

______, 2005,「이승휴의 생애와 저술」,『진단학보』 99집, 진단학회.

서경수, 1975,「高麗의 居士佛敎」,『韓國佛敎思想史』(박길진박사기념논문집), 圓光大出版局.

신규탁, 2004,「高麗中期 居士佛敎와 李資玄의 禪思想」,『江原文化硏究』 23, 강원대학교 강원문화연구소.

신종원, 2004,「단군신화에 보이는 나무신앙 및 역사인식」,『삼국유사 새로 읽기』 1, 일지사.

이민정, 2010,「고려시대의 '居士'연구」, 한국교원대학교 대학원 석사학위논문.

인 경, 2000,「몽산덕이의 염불화두법 성립에 관한 일고찰」,『한국불교학』 26집, 한국불교학회.

정제규, 1999, 「高麗後期의 居士觀과 그 性格」, 『文化史學』 11·12·13합집, 韓國文化史學會.

______, 2000, 「高麗後期 在家佛敎信仰 硏究」, 檀國大 大學院史學科博士學位論文.

______, 2002, 「高麗 後期 在家佛敎信者의 役割과 社會的 意味」, 『文化史學』 17, 韓國文化史學會.

조명제, 2002a, 「高麗中期 居士禪의 사상적 경향」, 『韓國禪學』 4, 韓國禪學會.

______, 2002b, 「高麗中期 居士禪의 사상적 경향과 看話禪 수용의 기반」, 『역사와 경계』 44, 釜山慶南史學會.

진성규, 1994, 「13세기 불교계 동향과 이승휴」, 『이승휴 연구논총』, 삼척군.

______, 1995, 「李承休의 佛敎觀」, 『중앙사론』 8, 중앙대학교 사학회.

______, 2005, 「李承休의 佛敎觀」, 『진단학보』 99, 진단학회.

허흥식, 1995, 「蒙山德異의 著述과 生涯」, 『서지학보』 15, 한국서지학회.

홍성익, 2008, 「淸平寺에 대한 歷史考古學的 硏究」, 강원대학교 대학원 박사학위논문.

이승휴 『제왕운기』의 고구려·발해 인식

김진광
한국학중앙연구원
책임연구원

덧붙임

- 이 논문은 2016.11.4. (사)동안이승휴사상선양회 주최로 개최된 학술대회《중국의 동북공정에 대응하여 이승휴의 문학과 역사, 어떻게 계승할 것인가?》에서 발표한 원고를 바탕으로, 2016년 11월 17일 투고 완료되어, 2016년 12월 5일까지 심사위원이 심사하고 2016년 12월 10일까지 심사위원 및 편집위원 회의에서 게재·결정된 필자의 다음 글을 수정·보완하였음.
- 김진광, 2016,「이승휴《제왕운기》의 고구려·발해 인식」,『민족문화논총』64, 영남대학교 민족문화연구소.
- 『제왕운기』·『삼국유사』등 사서의 원주는 별도 표기 없이 본문보다 글자크기를 작게하여 구별할 수 있도록 하였음.

I. 머리말

고려 후기 및 원 간섭기에는 여러 편의 역사 관련 기록물이 만들어졌다. 그중 가장 대표적인 것이 인종 23년인 1145년 김부식이 편찬한 『삼국사기』이다. 이는 광종 때 지었을 것으로 생각되는 『구삼국사』를 뒤이은 것으로[1] 약 200여 년간의 문화적·사상적·사회적 발전 및 지리적 인식 확대의 상징물이었다. 이 과정에서 『구삼국사』에 실렸을 것으로 생각되는 많은 기록이 "표현이 거칠고 졸렬하며, 사건의 기록이 빠진 것이 있으므로 군주의 착하고 악함, 신하의 충성됨과 사특함, 국가의 안전함과 위태로움, 백성의 다스려짐과 어지러움을 모두 드러내어 권면하거나 징계할 수 없다"는 이유로 산삭되었다.[2]

『삼국사기』 성책 후 반세기가 지나 고구려 개국주의 신이한 사적을 담은 서사시 「동명왕편」이 지어졌고, 이때로부터 다시 약 100년, 『삼국사기』 편찬으로부터는 136년이 지난 1281년(충렬왕 7) 『삼국유사』가 지어졌

••••

1 정구복, 1993, 「고려 초기 삼국사의 편찬에 대한 일고」, 『국사관논총』 45, 국사편찬위원회, 165~166쪽.

2 『三國史記』, 「進三國史記表」, 〈…又其古記 文字蕪拙 事迹闕亡 是以 君后之善惡 臣子之忠邪 邦業之安危 人民之理亂 皆不得發露 以垂勸戒…〉.

으며, 다시 1287년(충렬왕 13)에 중조와 동국, 그리고 고려의 역사를 읊은 『제왕운기』가 만들어졌다. 이 사료들은 체제 면에서 차이가 있다. 하지만, 유교주의적 역사관에 바탕을 두고 편찬된 『삼국사기』와는 달리, 「동명왕편」은 『삼국유사』·『제왕운기』로 이어지는 역사인식상 특징을 지니고 있다. 그것은 『삼국사기』 편찬으로 고구려 계승의식에서 신라 중심적 계승의식으로 전변되었다가, 다시금 『구삼국사』 체계의 역사관으로 회귀했기 때문이 아닌가 한다.[3] 『제왕운기』에도 이러한 역사적 인식이 반영된 것으로 생각된다.

이승휴가 1287년에 지은 『제왕운기』는 서사시의 형식을 갖춘 2,370자 분량의 상·하권으로 이루어진 영사시이다. 상권에서는 반고(盤古) → 천황(天皇) → 지황(地皇) → 인황씨(人皇氏) → 유소(有巢) → 수인(燧人) → 복희(伏羲) → 신농(神農) → 황제(皇帝) → 소호(小昊) → 전욱(顓頊) → 제곡(帝嚳) → 당요(唐堯) → 우순(虞舜) → 하(夏) → 은(殷) → 주(周) → 진(秦) → 한(漢: 東漢) → 위[魏: 조비(曹丕)가 선위 받아 세운 위(魏)를 말한다] → 사마염진[司馬炎晉: 사마염(司馬炎)이 세운 동진(東晉)을 말한다] → 유송[劉宋: 유유(劉裕)가 세운 남조의 송(宋)을 말한다] → 소제[蕭齊: 소도성(蕭道成)이 세운 남조의 남제(南齊)를 말한다] → 소량[蕭梁: 소연(蕭衍)이 세운 남조의 양(梁)을 말한다] → 패선진[覇先陳: 진패선(陳覇先)이 세운 남북조시대의 나라로, 그 이름으로 국명을 삼았다] → 수(隋) → 당(唐) → 주전충양[朱全忠梁: 주전충(朱全忠)이 세운 오대의 후량(後梁)을 말한다] → 존욱당[存勖唐: 이존욱(李存勖)이 세운 오대의 후당(後唐)을 말한다] → 석진[石晉: 석경당(石敬塘)이 세운 오대의 후진(後晉)을 말한다] → 유한[劉漢: 유지원

3 정구복 외, 2012, 『역주 삼국사기』 2, 한국학중앙연구원, 11~12쪽.

(劉知遠)이 세운 오대의 후한(後漢)을 말한다] → 곽주[郭周: 곽위(郭威)가 세운 오대의 후주(後周)를 말한다] → 조송[趙宋: 조광윤(趙光胤)이 세운 북송(北宋)을 말한다] → 금(金) → 대원(大元)까지의 중국 역사를 기록했다. 하권에서는 우리나라의 역사를 「동국군왕개국연대(東國君王開國年代)」와 「본조군왕세계연대(本朝君王世系年代)」로 나누고, 전자에서는 서문에 이어 지리기(地理紀) → 전조선기(前朝鮮紀) → 후조선기(後朝鮮紀) → 위만조선기(衛滿朝鮮紀) → 한사군급열국기(漢四郡及列國紀) → 신라기(新羅紀) → 고구려기(高句麗紀) → 부여기(扶餘紀) → 후고려기(後高麗紀) → 백제기(百濟紀) → 후백제기(後百濟紀) → 발해기(渤海紀)를 다루었으며, 후자에서는 선대기(先代紀) → 역대기(歷代紀) → 금대기(今代紀)로 나누어 서술하였다. "예로부터 제왕들이 서로 잇고 주고받으며 흥하고 망하던 일은 세상을 다스리는 군자들이 알아야 하는 것"이라는 인식에서,[4] 중조(中朝: 중국을 이름)는 "원"까지의 역사적 계보를 적고, 동국(東國: 우리나라를 이름)은 "고려"까지의 역사를 기술한 것이다.

이승휴의 『제왕운기』는 「동명왕편」처럼 서사시 형태를 띠고 있다. 『제왕운기』가 「동명왕편」과 다른 점은 크게 두 가지이다. 하나는 중조와 동국, 즉 원과 고려에 이르는 역사를 정통 계승이라는 관점에서 읊고 있다는 점이다.[5] 다른 하나는 중조의 역사가 태초의 반고로부터 시작하듯이,

••••

4 『帝王韻紀』 卷上, 「序文」, 〈自古帝王 相承授受 興亡之事 經世君子 所不可不明也…〉.

5 하현강, 1999, 「이승휴의 사학사상」, 『동방학지』 69, 국학연구원. 정구복은 우리나라에서 처음으로 정통론을 다룬 것은 조선 태조 4년에 편찬된 권근의 『동국사략』이며, 이승휴는 우리나라 역사에서 정통을 전혀 논하지 않았다고 하였다(정구복, 1975, 「동국사략에 대한 사학사적 고찰」, 『역사학보』 68, 역사학회; 정구복, 2002, 「동국사략에 대한 사학사적 고찰」, 『한국중세사학사』 II, 경인문화사, 재수록; 정구복, 2010, 「이승휴의 역사관」, 『한국사학사학보』 21, 한국사학사학회, 5쪽).

동국의 역사도 단군으로부터 시작되었다는 유구한 역사적·문화적 자신감을 표출하고 있다는 점이다. 이 때문에 『제왕운기』는 『삼국유사』와 함께 주목을 받아 왔다.

『제왕운기』의 사서로서의 성격 연구는 수록 내용의 소략함이나 사서로서의 정확성에 대한 평가절하로 소홀히 취급된 경향이 있다.[6] 또 각자의 관점 차이로 오히려 혼란을 부추긴 측면도 있다. 그러함에도 사학사적 관점에서의 연구와 서사문학이라는 국문학적 관점에서의 연구는 『제왕운기』의 텍스트를 이해하는 데 다양한 실마리를 제공하였다고 하겠다. 사학사적 측면의 연구에서는 『제왕운기』에 담긴 내용이 자주적[7]이었다는 견해에 맞서 사대적[8]이었다는 주장이 제기되었는가 하면, 그 사관이 유교적 합리성을 위주로 기술된 유교사관[9]이라거나, 신이한 내용을 중심으로 다룬 신이사관[10]이라는 등의 서로 다른 주장도 제기되었다. 국

••••

6 변동명, 1990, 「李承休의 《帝王韻紀》 撰述과 그 史書로서의 性格」, 『진단학보』 70, 진단학회, 19쪽.

7 자주적 관점으로 평가한 연구는 다음과 같다. 정구복, 1979, 「고려후기의 역사인식과 서술」, 『한국사의 意識과 敍述』 6, 국사편찬위원회; 김상현, 1985, 「고려후기의 역사인식」, 『한국사학사의 연구』, 을유문화사; 한영우, 1994, 「고려시대의 역사의식과 역사서술」, 『한국의 역사가와 역사학』 상, 창작과비평사; 김상현 외, 1996, 「역사학」, 『한국사』 21, 국사편찬위원회; 김남일, 2005, 「이승휴의 역사관과 역사서술」, 『한국사학사학보』 11, 한국사학사학회.

8 사대적 관점이라고 비판한 연구는 다음과 같다. 신채호, 1925, 「朝鮮歷史上1千年來第1代事件」, 『동아일보』; 김철준, 1976, 「蒙古壓制下의 高麗史學의 動向」, 『考古美術』 129·130, 한국미술사학회; 김철준, 1985, 「李奎報 〈東明王篇〉의 史學史的 考察: 舊三國史記 資料의 分析을 중심으로」, 『東方學志』 제46·47·48 합집, 국학연구원; 김철준, 1990, 「李奎報 〈東明王篇〉의 史學史的 考察: 舊三國史記 資料의 分析을 중심으로」, 『한국사학사연구』, 서울대학교출판부, 재수록.

9 박인호, 2011, 「이승휴의 《제왕운기》에 대한 연구 현황과 쟁점」, 『국학연구』 18, 한국국학진흥원, 365쪽.

10 정구복이 이승휴의 역사관을 고대인들이 가졌던 하늘님신앙에서 연유하는 천도사관으로 규정한 것(정구복, 2010, 「이승휴의 역사관」, 『한국사학사학보』 21, 한국사학사학회, 35쪽)과는 달리,

문학계의 연구에서는 주로 문학 작품으로서의 내용 검토 이외에도, 영사시,[11] 서사시,[12] 민족서사시,[13] 통사계 영사시[14] 등 『제왕운기』의 형식 및 개념에 대한 다양한 검토가 이루어졌다. 그밖에도 역사문학적 관점에서 민족사에 대한 재인식을 통해 민족의식을 고취하려는 목적으로 지었다는 논의도 제기되었다.[15] 이처럼 『제왕운기』에 대해 역사학적, 사학사적, 국문학적인 입장에서 다양한 연구와 검토가 이루어진 것은 곧 『제왕운기』에 담겨 있는 함의가 다양함을 방증하는 것이라 하겠다.

『제왕운기』가 사료로서 그 역할을 담당하기 위해서는 당연히 기술된 내용에 대한 검토가 필요하다. '단군'에 대한 기록으로 『삼국유사』와 함

••••

박인호는 유교적 역사서술을 문학적 형태로 나타낸 것이며, 김부식에게서 확립된 유교사관이 진전되어 가는 모습을 보여 주고 있다고 인식하였다(박인호, 2011, 「이승휴의 《제왕운기》에 대한 연구 현황과 쟁점」, 『국학연구』 18, 한국국학진흥원, 364쪽). 이와는 달리 유교적 관점과 신이적 관점을 동시에 지녔다는 절충적 입장도 보인다(김인호, 2005, 「이승휴의 역사인식과 사학사적 위상」, 『진단학보』 99, 진단학회, 169쪽).

11 영사시란 역사적 사실을 읊은 것으로 사실과 함께 작자의 감정이나 뜻이 담겨 있는 것이라고 하였다(조동일, 1983, 『한국문학통사』 2, 지식산업사, 98~99쪽; 손정인, 1988, 「李承休의 《帝王韻紀》에 대한 이해」, 『한민족어문학』 15, 한민족어문학회, 199~201쪽).

12 박두포, 1966, 「帝王韻紀小考 : 其1, 東國郡王開國年代에 대하여」, 『青丘工電論文集』 3, 청구공업논문간행위원회, 15쪽.

13 이우성, 1962, 「高麗中期의 民族敍事詩」, 『論文集』 7, 성균관대학교, 106쪽. 이우성은 "부족적 지역적 설화에서 탈피하여 민족의 공동의 시조를 발견하고, 거기에서 발원한 민족의 활동의 전 과정을 서술한 것은 이규보를 거쳐 이승휴에 이르러 비로소 가능했다. 『제왕운기』는 이러한 의미에서 민족서사시의 대성이며 특별히 역사시라고 부르게 된 것도 이러한 이유에서이다"라고 평가하였다.

14 통사계 영사시란, 과거의 국조로부터 작자의 시대까지 역사적 사실을 종적으로 구성하여 서술한 작품을 언급하는 용어로서 손정인, 1988, 「李承休의 《帝王韻紀》에 대한 이해」, 『한민족어문학』 15, 한민족어문학회, 199쪽에서 사용되었다.

15 손정인, 1988, 「李承休의 《帝王韻紀》에 대한 이해」, 『한민족어문학』 15, 한민족어문학회, 197~198쪽.

께 중시되고 있듯이, 『삼국유사』에 이어 발해사를 한국사에 포함하여 서술하고 있다는 점은 결코 그 역사적 가치와 중요성이 작지 않다고 하겠다. 이에 본고에서는 『제왕운기』의 「고구려기」와 「발해기」를 중심으로 이승휴의 고구려·발해사 인식을 검토해 보려고 한다. 『제왕운기』에서 다루고 있는 북방사, 특히 발해사에 대한 인식을 살피기 위해서 동일시기에 성책된 『삼국유사』도 함께 살펴볼 필요가 있다. 물론 「동명왕편」의 내용도, 이후 성책된 두 사료의 내용을 검증하는 데 도움이 될 것이다. 이것은 같은 왕이 집권하던 시기에 만들어진 두 사료의 내용을 검토하는 것이 곧 편자 개개인의 인식을 엿보는 데 그치지 않고, 당대의 집단 지성들이 당시의 시대적 상황을 바라보던 인식도 반영하고 있다고 생각하기 때문이다.

II. 『제왕운기』의 "발해 관련 기록" 검토

발해사를 본격적으로 기록한 최초의 사서는 『삼국유사』와 『제왕운기』이다. 두 사서의 성책 시기는 충렬왕 집정 시기인 1281년과 1287년으로 두 사서의 차이는 6년에 불과하다. 충렬왕은 고려 24대 왕 원종의 원년, 즉 1260년에 태자로 책봉되었다. 1274년 원의 제국대장공주와 혼인함으로써 삼별초 전쟁으로 야기된 양국 간의 긴장과 갈등 국면을 불식시키고 원과 우호적 관계를 맺어 역사적 전환기를 맞이하였다. 하지만, 이와는 반대로 고려는 자주성을 잃고 원의 종속국으로 전락하여 간섭을 받는 상황에 직면하기에 이르렀다. 바로 이 시기에 두 사서가 만들어졌다. 이

책들에서는 우리나라의 역사적 시원으로서 '단군'을 기술하고, 북방에서 명멸해 간 '북부여·동부여·고구려·발해'를 다루었다. 특히 '한사군과 열국'을 고려의 역사 체계에 다시 포함시켰다는 것은 주목되는 점이 아닐 수 없다.

『제왕운기』의 내용은 이보다 수년 전에 편찬된 『삼국유사』의 기록과 다소 차이가 있다. 먼저 고려까지의 역사적 연원으로서 '단군'을 인식하고 있음은 두 사서의 편제가 동일하다. 그러나 첫째, 『제왕운기』에서는 「전조선기」와 「위만조선기」의 사이에 「후조선기」 즉 '기자조선'을 설정하고 있음에 비해, 『삼국유사』에서는 「고조선」에서부터 「위만조선」까지만 계승 관계를 설정함으로써 '기자조선'을 인정하지 않고 있다. 둘째, 『제왕운기』에서는 「한사군과 열국」 부분을 설정한 데 반해, 『삼국유사』에서는 「현도와 낙랑 등이 있던 2부」와 「낙랑, 남·북대방」을 별도로 기술하였다. 셋째, 『삼국유사』에서는 백제에 대해 '남부여·전백제·북부여' 및 '무왕'을 다루고 다시 '후백제 견훤'까지 자세히 다루었다. 그렇지만 고구려는 주몽 이외의 고구려 관련 내용이나 후고구려에 대해서는 기술하지 않았다. 넷째, 발해에 대해, 『삼국유사』에서는 「말갈 발해」 조를 설정하였다. 그러나 고구려 멸망 이후 건국한 발해에 앞서 그 선주민인 말갈에 대한 인식에 방점을 두어 「남·북대방」 조에 이어 10번째로 기술하였다. 이렇듯 두 사서의 편제와 내용상의 차이는 곧 두 사서가 한국사의 큰 흐름에 대한 인식에서 커다란 차이가 있음을 보여 주는 것이라고 하겠다.

이전 고구려의 옛 장수 대조영이 / 태백산 남쪽의 성을 근거로 삼았다. /
지금의 남책성이다. 오대사에서 발해는 본래 속말말갈로 영주 동쪽에서 살았다고 한다. / 주 측천 원년 갑신에 / 신라가 고구려를 멸망시킨 해로부터 17년째이다. / 나라를 열고 곧 발해로 이름하였다. / 우리 태조 8년 을유에 / 후당 장종 동광 원년이다. / 온 나라가 서로 이끌어 왕경에 찾아드니 / 누가 변고를 미리 알아 먼저 귀부하였는가? / 예부경과 사정경이라 / 예부경 대화균, 사정경, 좌우장군 대리저, 장군 신덕, 대덕 지원 등 600호가 와서 귀의하였다.[16] / 해를 지나기 242년 / 그 사이 몇 임금이 나라를 지켰던가.[17]

『제왕운기』「발해기」는 대문 10운 70자와 세주 4운 67자에 그 역사를 압축하여 읊은 아주 짧은 글이다. 단군의 '전기조선'부터 전해진 역사가 신라 → 고구려 → 후고구려 → 백제 → 후백제에 이어 10번째로 기술되어 있다. 그 내용은 크게 세 부분으로 나뉜다. 하나는 이전 고구려의 옛 장수 대조영이 태백산 남쪽을 근거로 삼아 나라를 세우고 발해라 이름하여 고려 태조 8년인 925년까지 지속되었다는 부분, 다른 하나는 나라가 멸망하여 발해의 유민들이 고려로 귀부하였는데, 그들은 예부경, 사정경, 장군 및 600여 호임을 밝힌 부분, 또 다른 하나는 그 나라가 왕조를 유지한 기간을 제시한 부분이다.

••••

16 임상선은 "사정경 좌우장군 대리서, 장군인 신덕, 대덕, 지원 등"으로 번역하고, '사정경 좌우장군 대리서'를 1인으로, "대덕, 지원"을 2인으로 해석하였다(임상선, 2011, 「《帝王韻紀》에 보이는 北方王朝 인식」, 『사학연구』 103, 한국사학회, 47쪽). 그러나 필자는 『高麗史』 卷1, 「太祖世家」 1, "乙酉 8年" 조에 따라 사정경과 좌우장군을 각각 1인으로 인식하였고, 임상선 해석의 "대리서"를 "대리저"로, "대덕, 지원"을 "대덕 지원"의 1인으로 해석하였다.

17 『帝王韻紀』 卷下, 「東國君王開國年代」, 「渤海紀」, 〈前麗舊將大祚榮 得據太白山南城(今南柵城也 五代史日 渤海本粟鞅鞨居營州東) 於周則天元甲申(羅之滅麗後十七年也) 開國乃以渤海名 至我太祖八乙酉(後唐莊宗同光元年也) 擧國相率朝王京 誰能知變先歸附 禮部卿與司政卿 (禮部卿大和鈞司政卿 左右將軍大理著將軍申德 大德志元等六百戶來附) 歷年二百四十二 其間幾君能守城〉.

우선 발해의 건국자는 "대조영"이고, "고구려" 출신이며, "장수"였다고 기술한 점에 대해 검토해 보자. 발해의 건국자가 대조영인 점은 크게 이견이 없다. 다만 그가 고구려 출신인가 말갈 출신인가에 대해서는 『구당서』와 『신당서』에서 그 출자를 달리 기술한 이후 학계의 최대 논쟁거리의 하나가 되었다.[18] 『제왕운기』의 편자 이승휴는 대조영을 "전려(前麗)의 옛 장수"로 인식하여 기술하였다. 그리고 바로 뒤이어 『오대사』 내용이 세주로 달려 있어 『제왕운기』 「발해기」의 출자 부분이 『구당서』의 인식을 따랐다는 지적이 제기되었다.[19]

『오대사』는 『구오대사』(974)와 『신오대사』(1053) 두 사서 가운데 하나이다. 그중 『제왕운기』에서 언급한 『오대사』는 내용적인 면에서 "발해를 본래 말갈로 불렀다"[20]라고 기술하고 있는 『신오대사』를 가리키는 것으로 생각된다. 그러나 『신오대사』에서도 대조영의 부친인 "걸걸중상"을 "고려의 별종"이라고 한 것을 제외하면, "발해"를 "말갈"로 불렀을 뿐 "속말말갈"로 특칭하고 있지 않으며, 또한 "영주의 동쪽에 거주하였다"라는 기록도 보이지 않는 점은 주의를 요한다.[21]

국내 사서로서 『발해』를 다루고 있는 또 다른 기록은 『삼국유사』이다. 총 9권으로 이루어져 있는 이 책은 『제왕운기』가 진상된 충렬왕 13년보다 6년 앞선 1271년(충렬왕 7)에 편찬된 것으로, 「기이」 제1 「말갈 발해」

••••

18 『三國史記』 卷46, 「崔致遠傳」, 〈…高句麗殘類聚 北依太白山下 國號爲渤海…〉; 『東文選』 卷33, 「謝不許北國居上表」, 〈臣謹按渤海之源流也 句驪未滅之時 本爲疣贅部落靺羯之屬…〉.

19 임상선, 2011, 「《帝王韻紀》에 보이는 北方王朝 인식」, 『사학연구』 103, 한국사학회, 48쪽.

20 『新五代史』 卷74, 「渤海」, 〈渤海 本號靺鞨 高麗之別種也〉.

21 『新五代史』 卷74, 「渤海」, 〈本號靺鞨, 高麗之別種也. 唐高宗滅高麗, 徙其人散處中國〉.

조에 관련 기록이 남아 있다.

> 『통전』에 말하기를 발해는 본래 속말말갈로 추장 조영에 이르러 나라를 세워 스스로 진단으로 불렀고, 선천 연간에 비로소 말갈이라는 이름을 버리고 오직 발해(渤海)로만 불렀다.
>
> … 또 『신라고기』에는 고구려 구장(舊將) 조영의 성은 대씨로, 남은 병력을 모아 태백산 남쪽에 나라를 세우고 국호를 발해라고 하였다고 기록되어 있다. …

『삼국유사』「말갈 발해」 조에서는 대조영의 출자에 대해 『통전』과 세주의 『신라고기』를 인용하였다. 전자에서는 그를 "속말말갈로 추장 조영에 이르러"라고 기술하였으나, 후자에서는 "고구려 구장"으로 표현하여 그의 출자에 대한 이설이 있음을 보여 주고 있다. 다만 일연은 후자의 뒤에 이어지는 세주에서 "위의 여러 글을 살펴보면, 발해는 말갈의 별종인데, 다만 분리와 통합이 같지 않을 뿐이다"라고 하여 비록 『신라고기』에 조영이 "고구려 구장"으로 기록되어 있다고 하더라도, 역시 여러 문헌을 살펴본다면 발해는 '말갈'이고, 그 건국주는 '속말말갈의 추장'임을 인정하고 있다. 이것은 『제왕운기』의 내용과 다른 첫 번째이다.[22]

여기에서 한 가지 염두에 둬야 할 부분은 바로 그가 인용한 『통전』의 발해 관련 기록이다. 잘 알다시피 『통전』은 중국 전장제도를 다룬 당의

••••

22 발해의 출자에 대해서는 말갈적 요소와 고구려적 요소를 동시에 언급한 주장, 고구려적인 요소를 강조한 주장, 그리고 말갈적 요소를 강조한 인식 등으로 대별할 수 있다. 이에 대해서는 송기호, 1995, 『渤海政治史硏究』, 일조각, 34~38쪽 참조.

제도사나 사회경제사 연구의 기본이 되는 책이다. 그런데 이 책의 변방전에는 「백제」나 「고구려」, 「말갈」, 「유구」 등은 입전되어 있지만, 『삼국유사』에 인용된 '발해' 열전은 없다. 찬자 일연의 실수나 기억의 오류가 아니라면 분명 있어야 하지만 그 흔적은 찾을 수 없다. 인용 서목이 『통전』이 아니라면 『자치통감』일 가능성도 있다. 그러나 이 사료에서는 발해를 "고(구)려가 망하니, 그 별종인 대조영이 영주로 거처를 옮겼다(高麗旣亡 其別種大祚榮 徙居營州)"라 하여 『삼국유사』에 인용된 『통전』과는 서술 흐름이 다르다. 따라서 『자치통감』을 인용했을 그 가능성도 낮아 보인다. 또한 『통전』과 유사한 이름으로 불린 사서로는 『문헌통고』가 있지만, 『삼국유사』 편찬 시기보다 약 30여 년이 늦게 성책되었다는 점에서 검토의 대상이 되지 못한다.

그렇다면 일연은 어떤 기록을 참고한 것일까. 『삼국유사』의 기록은 공교롭게도 『신당서』 「발해전」의 "발해는 본래 속말말갈이다. … 그 아들 조영이 남은 무리들을 이끌고 도망하여 … 멀리 떨어져 있음을 믿고 나라를 세웠다. … 선천 연간에 … 이로부터 말갈이란 이름을 버리고 오로지 발해로만 불렀다(渤海 本粟末靺鞨 … 其子祚榮 引殘痍遁去 … 恃荒遠 乃建國 … 先天中 … 自是始去靺鞨號 專稱渤海)"라는 기록과 그 흐름 및 선택한 단어에서 매우 높은 일치성을 보인다. 따라서 현재의 검토 내용으로는 일연이 『통전』이 아닌 『신당서』를 참고했을 가능성이 높다는 정도만 확인할 수 있을 뿐이다.

일연의 발해사 인식은 편장의 배열을 통해서도 확인할 수 있다. 「말갈발해」 조가 기술되어 있는 위치는 「기이」 전체 60편 중의 10편째로 바로 마한 78국 및 한사군(이부, 낙랑, 남·북대방) 조 바로 다음이다. 다시 그 뒤를 이어 「오가야」, 「북부여」, 「동부여」, 「고구려」가 기술되어 있다. 역사적 시간의 흐름 순으로 기술한다면, 「발해」는 분명 15번째 「고구려」의 뒤에 편차되거나 16번째 편차된 「백제」의 뒤에 위치하는 것이 옳다.

그러함에도 일연은 「발해」를 「고구려」나 「부여」보다 앞에 위치시켰다. 또 '발해'로 단독으로 이름하지 않고 '말갈'을 덧붙인 것은 그의 역사관이 투영된 것으로 이해된다. 이러한 예는 16번째 「변한 백제」에서도 보이는데, 서술 대상의 선조 또는 기원과 연관이 있다고 판단했기 때문으로 생각된다. 즉 발해는 말갈이 성장하여 세운 정치체로 최종의 모습이 발해였다거나, 백제는 변한으로부터 시작하여 마침내 백제로 성장하였다는 것이 그러한 인식으로 생각된다.

둘째, 발해의 건국 시기에 관한 것이다. 이승휴는 『제왕운기』에서 발해의 건국 시기를 "주 측천무후 원년 갑신"으로 기록하였고, 세주를 통해 그 시기를 "신라가 고구려를 멸망시킨 해로부터 17년째"라고 하였다. 발해의 건국 시기를 학계에서는 『구당서』·『유취국사』 등 기록을 근거로 "성력 중", 즉 698년으로 인식하는 것이 일반적이다.[23] 그런데 의아스러운 것은 이승휴가 참고했다고 생각되는 『삼국유사』, 그에 앞선 『구당서』나 『오대사』 등에서 건국연대를 『제왕운기』처럼 인식한 부분이 전혀 없다는 점이다.

『제왕운기』에서는 발해의 건국연대를 현재 알려진 698년보다 15년 빠

••••

23 발해의 건국연대에 대해서 『舊唐書』에서는 "聖曆 연간에 대조영이 스스로 振國王이 되었다"고 하였고, 『五代會要』에서는 "聖曆中에 와서 당에 조공하였다"고 하였으며, 일본의 『類聚國史』에서는 "天之眞宗豊祖父天皇 2년에 건국하였다"고 기록하고 있다.

른 684년을 제시하였다. 단군으로부터 동국의 정통성을 이어받은 고려 국왕께 올리는 글에서 이 같은 오류가 가능한 것인가? 이것이 곧 『제왕운기』 발해사관의 핵심이 아닐까 한다. 만약 이 기술이 잘못된 것이 아니라면, 분명 여기에는 이승휴가 드러내고자 하는 목적이 투영되어 있을 것이기 때문이다. 여기서는 『제왕운기』의 발해 건국기년 인식이 옳다면 어떤 가능성이 있는지에 대해서만 검토한다.

발해의 개국연대라고 한 "측천무후 원년 갑신"은 곧 예종 즉위년인 684년이다. 『구당서』나 『신당서』 등을 참고하면, 대조영이 본격적으로 건국의 기치를 올린 시기는 영주에 거주하던 시절, 거란인 '이진충·손만영'이 영주도독 조문홰의 학정에 못 이겨 반기를 든 696년이다. 발해 '건국 구상의 태동기'부터 발해의 역사가 시작된 것으로 이해했다면 적어도 대조영이 계루고지로 이동을 시작하는 이해에 역사적 상징성을 부여할 수 있을 것이다.

『구당서』에는 이미 "성력 중"으로 그 건국연대를 밝히고 있고, 『삼국유사』에서 인용한 『삼국사』에서는 『제왕운기』 기록보다 빠른 "의봉 3년 무인 즉 678년"을 제시하고 있다. 만약 이승휴가 중국 사서에 정통했거나 또는 『삼국유사』를 참고했다면 분명 두 연대 중 어느 하나에 방점을 찍었을 것이겠지만 어떠한 까닭인지 그와는 다른 기년을 제시하였다.

이에 필자는 이승휴가 발해 '건국 구상의 태동기'로서 '고구려를 멸망시킨 당 고종의 사망과 발해 건국을 배태한 측천무후 즉위'라는 상징성에 주목한 것이 아닌가 한다. 이승휴는 「발해기」에서 대조영을 "전려의 옛 장수"라고 표현하였는데, 이것은 『신당서』에서 '상경' 천도를 언급하면서 "구국에서 직선으로 300리"라고 한 표현에서 사용한 "구국"과 유사한 개념이다. '전려(前麗)'라는 표현은 곧 '후려(後麗)'가 있었음을 암시하는 것이다. 이것은 앞의 「전조선기」와 「후조선기」의 존재에서도 엿볼 수 있다. 이를 감안한다면, 당 고종은 '전려'인 고구려를 멸망시킴으로써 『제왕운기』에서 표현한 '전조선'으로부터 이어져 온 동국의 정통을 단절시킨 자가 되는 것이고, 그 뒤를 이은 당의 측천무후는 '후려'를 배태 또는 '복국(復國)'시켜 동국의 역사를 잇게 한 주체라는 의미가 된다. 바로 이러한 인식이 이승휴의 역사관에 투영된 것이 아닌가 한다.

단군의 '전조선'으로부터 계승되어 온 영광스러운 역사는 당 고종으로 말미암아 단절될 위기에 처하였다. 그러나 그의 사망과 측천무후의 즉위라는 역사적 사건 이후, 멸망한 고구려를 이어 발해가 건국되었다. 이로써 동국의 역사는 고구려 멸망 이후 불과 15년 만에 또다시 그 계승국 발해가 출현하였고, 역사의 명맥은 '전조선'으로부터 '고려'까지 끊어지지 않고 이어져, 그 모든 역사의 정통이 고려에 이르렀음을 주창한 것이 아닐까 한다.

셋째, 발해의 건국지에 대한 인식이다. 『제왕운기』에서는 발해의 건국지를 "태백산 남쪽"으로 기술하였다. 이보다 앞서 편찬된 『삼국유사』 「말갈 발해」 조에서도 『삼국사』와 『신라고기』를 인용하면서 "북쪽으로 태백산 아래" 또는 "태백산 남쪽"에 나라를 세웠다고 하였다.[24] 『제왕운기』의 편자는 한 걸음 더 나아가 당시 이곳을 "남책성"이라 기술하였다. 책성부

••••

24 『三國遺事』, 「紀異」, 「靺鞨(一作勿吉)渤海」, 〈三國史云 儀鳳三年 高宗戊寅 高麗殘孽類聚 北依太伯山下 國號渤海 … 又 新羅古記云 高麗舊將 祚榮姓大氏 聚殘兵 立國於大伯山南 國號渤海 … 按指掌圖 渤海在長城東北角外〉.

가 현재의 길림성 혼춘시 동경용원부로 비정되고 있다는 점은 "남책성"의 위치를 비정하는 데 참고가 된다.[25] 만약 '태백산'을 '대백산' 또는 현재의 '백두산'으로 인식한다면, 책성부를 태백산 남쪽으로 비정하는 것은 방위상으로 일치하지 않는다.[26] 그래서 책성부가 현재 학계의 비정처럼 혼춘시 동경용원부지이고, 고려 시기에 인식한 남책성이 그 남쪽에 있었다라고 한다면, '태백산'은 오늘날의 '백두산'이 아닌 또 다른 상징의 산이 되어야 한다.

『구당서』와 『신당서』에서는 발해의 건국지를 "계루" 또는 "읍루"의 고지인 "동모산"으로 기록하였다.[27] 동모산은 현재의 길림성 돈화시 현유향 성산자촌에 위치한 '성산자고성'으로 비정되고 있다. 이곳에서 발해가 건국하였다는 견해는 학계의 지배적 인식이다.[28] 발해의 건국지 '동모산'이 현재의 '성산자산성'이라는 점을 염두에 두고 그 주변에서 '태백산'을 찾아본다면, 대조영이 건국 전 이해고의 추격병을 대파했던 '천문령'[29]이

••••

25 『新唐書』 卷219, 「渤海」, 〈渤海濊貊故地 爲東京 曰龍原府 亦曰柵城府〉.

26 이에 대해서, 임상선은 "책성부는 예맥의 옛터인데, 발해의 동경용원부가 있던 곳이었다. 이곳은 현재 중국 길림성 혼춘의 팔련성으로 비정되며, 동해 및 두만강이 가까이 있어 교통이 편리한 지역이다. 남책성은 책성 남쪽의 어느 지역에 있었을 것으로 짐작된다"는 견해를 피력하였다(임상선, 2011, 「《帝王韻紀》에 보이는 北方王朝 인식」, 『사학연구』 103, 한국사학회, 49쪽).

27 『舊唐書』 卷199 下, 「渤海靺鞨」, 〈… 祚榮率其衆 東保桂樓之故地 據東牟山 築城以居之〉; 『新唐書』 卷219, 「渤海」, 〈…高麗滅 率衆保挹婁之東牟山〉.

28 劉忠義, 1982, 「東牟山在哪里」, 『學習與探索』 4, 黑龍江省社會科學院; 劉忠義, 1983, 「試論渤海東牟山之所在」, 『延邊文物資料匯編』, 延邊人民出版社; 劉忠義·馮慶余, 1984, 「渤海東牟山考」, 『松遼學刊』 1, 吉林師範大學; 송기호, 1995, 『渤海政治史硏究』, 일조각, 68~69쪽.

29 천문령에 대해서는 譚其驤의 『中國歷史地圖集』(1988, 中国地图出版社, 126~127쪽)을 인용하여, 그 위치는 발해의 영주도가 지나는 곳으로 渾河와 輝發河의 분수령인 吉林省 哈達嶺에 해당하는 곳으로 보는 것이 일반적이라는 견해라고 하였다(송기호, 1995, 『渤海政治史硏究』, 일조각, 68쪽). 이밖에도 張廣才嶺說(丁謙), 承德縣 西境說(『滿洲源流考』), 長嶺子 부근설(松井等), 요하 서쪽인 老

위치한 곳을 꼽아 볼 수 있겠다.

만약 이승휴가 발해의 건국주 대조영을 언급함에 『오대사』를 활용했다면, 또한 『제왕운기』 진상에 앞서 『삼국유사』가 편찬된 점을 인지했다면, 분명 『삼국유사』에 담긴 관련 기록이나 『오대사』 또는 그와 관련된 중국의 역사서를 참고하였을 가능성이 농후하기 때문이다. 발해를 본국사의 일부라는 인식에 근거하여, 그 건국지를 당연히 주목했을 것이다. 다만 이승휴가 『제왕운기』를 집필한 목적과 관련이 있겠지만, 진상 당시 발해의 건국지에는 "해와 달같이 융성한 나라"로 인식된 원이 자리하고 있었으므로 적극적으로 이곳을 건국지로 지칭하기에는 어려움이 있었을지도 모른다. 따라서 '책성' 및 '남책성'을 현재의 길림성 혼춘시 동경용원부 또는 그 남쪽의 어느 지점으로 인식하기 위해서 '태백산'을 현재의 '백두산'으로 인식하는 데는 주의를 요한다.

넷째, "온 나라 사람들이 서로 이끌어 왕경에 찾아드니 누가 변고를 알아 먼저 귀부하였는고"라고 한 부분이다. 이것은 발해가 멸망 즈음 고려로 귀부한 것을 언급한 것이다. 유민 관련 내용은 국내 사료에서는 『제왕운기』에서 처음으로 언급되었다. 발해 유민에 관한 기록은 『삼국유사』에도 없을 뿐만 아니라 그보다 약 100년 전에 편찬된 『삼국사기』에도 기록이 보이지 않아, 『제왕운기』의 관련 기록은 1차 사료로서 그 가치가 매우 높다고 하겠다. 이뿐만 아니라, 유민 관련 기록의 분량도 「발해기」의 여타 기록에 비해 매우 자세하다. 이후 『제왕운기』 유민 관련 기록과 유사한 내용은 『고려사』, 태조 8년 3월 계축 병신일의 기사에서 확인이 가능하다.

••••

哈河 유역설(金毓黻), 요서 일대설(魏國忠·朱國忱) 등이 있다.

가을 9월 병신일에 발해(渤海)의 장군 신덕(申德) 등 5백 명이 귀순하여 왔다.
경자일에 발해의 예부경(禮部卿) 대화균(大和鈞)·균로(均老), 사정(司政) 대원균(大元鈞), 공부경(工部卿) 대복모(大福暮), 좌우위(左右衛) 장군 대심리(大審理) 등이 백성 1백 호와 함께 귀순하여 왔다.

『제왕운기』에 등장하는 발해 유민으로서 『고려사』에도 등장하는 인물은 예부경 대화균과 사정경, 그리고 좌우위 장군 대리저, 신덕 등이며, 『제왕운기』에만 등장하는 인물로는 대덕 지원, 『고려사』에만 등장하는 인물로는 공부경 대복모가 있다. 『제왕운기』에 보이는 좌우장군 대리저는 『고려사』에 좌우위장군 대심리로 기록되어 있어 동일인에 대한 오기로 생각되지만 별개의 인물일 가능성도 배제할 수 없다. 따라서 동일인이라면 '대리저'로 불렸던 이 자가 어느 시점에 '대심리'로 불렸을 가능성을 살펴야 하며, 만약 동일인이 아니라면 그동안 알려지지 않은 발해 유민의 명단을 추가하는 의미를 지니게 된다. 또한 '대덕 지원'은 '대덕'과 '지원'으로 해석하는 경우가 있지만, 대덕 즉 '승려 지원'으로 이해하는 것이 어떨까 한다. 다만 이 사람은 그 어디에서도 관련 기록이 보이지 않으므로, 그가 승려이든 아니든 간에 이 역시 발해사의 새로운 자료를 추가할 수 있게 되었다는 점에서 그 의미를 찾을 수 있겠다. 아울러 『제왕운기』에서는 600호라고 기술한 것을 『고려사』에서는 500명으로 기록하고 있는 점도 주의를 요한다.

그밖에 발해의 존속 기간도 검토가 필요하다. 『제왕운기』에서는 "고려 태조 8년 을유까지 이르렀다"고 하여 그 멸망 시기를 925년으로 기술하였고, 세주에서는 다시 "후당 장종 동광 원년"이라 하여 대문과 3년의 차이를 보인다. 이것은 마지막 부분에서 발해의 존속 기간을 242년이라고 한 것과 차이가 없다는 점에서 세주의 동광 원년은 잘못이라 하겠다. 어쩌면 '三'을 '元'으로 기록했을 가능성도 없지는 않다. 어찌 되었든 셋째 부분의 역년과 비교할 때 "우리 태조 8년 을유"라고 한 것은 『제왕운기』 내에서는 오류가 없다. 존속 기간은 결국 건국부터 멸망까지를 포함하는 기간이므로, 이승휴가 분명 684년부터 925년까지를 발해의 존속 기간으로 이해하고 있다는 점은 발해의 건국기년을 이해하는 데 참고가 될 것이다.

Ⅲ. 『제왕운기』의 "고구려 관련 기록"의 검토

발해에 대한 이승휴의 인식을 살펴보기 위해 다시 「고구려기」의 기록을 살펴보자. 『제왕운기』의 「고구려기」는 52운 총 364자에 걸쳐 관련 내용을 다루고 있다. 「발해기」의 4운 70자에 비하면 거의 5.2배에 달하는 방대한 양이다. 전체적인 내용은 고구려 시조 주몽으로부터 고구려 멸망까지의 기록을 담고 있으나, 고구려 시조에 관한 내용이 중심을 이루고 있다.

> 고구려 시조의 성은 고이고 시호는 동명이라 / 활을 잘 쏘아 주몽이라 불렸다. / 아버지는 해모수이고 어머니는 유화이며 / 황천의 손자, 하백의 외손이다. / 아버지는 천궁으로 가서 돌아오지 않으니 / 어머니

는 우발수 맑은 물가에 살았다. / 부여국 왕의 이름은 금와인데 / 별관을 지어 그녀(유화)를 모셨더니 / 왼쪽 겨드랑이에서 다섯 되들이 알 하나를 낳았다. / 흐린 날에 사내아이가 태어났는데 / 수개월 만에 능히 말을 하고 / 차차 자라면서 재기가 뛰어났다. / 때때로 태자가 투기하여 / (그에게) 말을 키우도록 시켰는데 / 여러 말들이 살쪘다. / 왕이 개사수를 건너려 할 때 / 물고기와 자라들이 다리를 놓아 건넜다. / 한 원제 건소 2년 갑신에 / 마한 왕검성에 나라를 열었더니 / 하늘이 사람을 시켜 궁궐을 지었다. / 천지가 캄캄한데 뚱땅뚱땅 소리 들리고 / 7일 만에 구름, 안개 걷히니 / 금벽의 왕궁이 우뚝 푸른 하늘을 빛내었다. / 오이, 마리와 협보 / 세 신하들이 왕업을 도왔다. / 비류국 왕 송양이라는 자가 / 예로써 나라를 세운 순서로 다투었다. / 큰비가 내려 잠긴 후에야 / 온 나라를 들어 귀순하고 충성을 다하였다. / 하늘나라를 왕래하며 천정에 나아가니 / 조천석 바윗돌에 말발굽 가벼웠다. / 재위 19년 9개월 만에 / 하늘에 올라 자취를 감추니 / 성자 유리가 왕위를 잇고 / 남기신 옥편으로 무덤을 만들었다. / 자손들이 번성하고 대대로 다스리며 / 시시로 강물과 그 맑음을 다투었다. / (연)개소문은 나올 때를 잘도 타서 / 좋은 낯빛과 아첨하는 말로 총애를 받았다. / 안팎으로 힘을 쓰고 나라의 권세를 어지러이 휘둘러 / 좋은 신하를 죽이고 / 백성들이 도탄에 빠지니 나라가 기울었다. / 보장이 임금이 되어 또 법도를 잃으니 / 어찌 나라의 민심이 회복되겠는가. / 당 고종 총장 원년 무진에 / 신라 왕이 군대를 요청하여 정벌하니 / 이적의 출정에 누가 감히 막을 수 있겠는가. / 선봉의 승전보가 들리자 놀라 달아나니 / 도합 28왕 705년 동안 태평을 누렸다. / 그 뒤 231년이 지나 / 그 나

라 땅이 신라에 병합되었다.[30]

1운 "麗祖姓高謚東明"으로부터 6운 "毋在優渤淸江河"까지는 고구려 시조 주몽의 출자에 대한 기술로, 성씨와 이름의 유래, 그리고 부모에 관한 내용을 담고 있다. 7운 "扶餘國王名金蛙"부터 14운 "譖令牧馬驅駉駉"까지는 주몽의 출생과 부여에서의 생활을 다루고 있고, 15운 "王來欲渡盖斯水"부터 24운 "三臣同德聊贊成"까지는 부여를 탈출하여 나라를 세우는 과정, 25운 "沸流國王松讓者"부터 28운 "擧國款附輸忠誠"까지는 영토의 확장, 즉 송양국으로의 세력 확장 과정, 29운 "往來天上詣天政"부터 32운 "升天不復廻雲軿"까지는 주몽의 재위 기간에 대해 읊고 있다. 이후 33운 "聖子類利(在扶餘時 婦所孕者)來嗣位"부터 36운 "時與江水爭澄淸"까지는 2대 유리왕의 치세를 다루었고, 이후 37운 "盖蘇文者乘時進"부터 42운 "民墜塗炭邦基傾"까지는 권신 연개소문의 전횡, 43운 "後君高藏又失道"부터 48운 "先聲纔及

30 『帝王韻紀』, 「東國君王開國年代」, 「高麗紀」, 〈麗祖姓高謚東明(王初誕而擧國高之 因以爲姓) 善射故以朱蒙名(扶餘人名善射爲朱蒙) 文解慕漱毋由花(本紀云 漢神雀三年壬戌 天帝遣太子解慕漱 遊扶餘王古都 乘五龍車 從者百餘人 皆乘白鵠 云云 臺上立君臣之禮 獵於熊心山 河伯三女 出遊優渤之河 長女柳花爲王所止 云云 文順公東明詩云 天孫河伯甥) 皇天之孫河伯甥 父還天宮不復返 毋在優渤淸江河 扶餘國王名金蛙 爲開別舘相邀迎 五升大卵左脇誕 陰雲之日生陽晶 兒生數月能言語 漸至壯大才豪英 時王太子生妬忌 譖令牧馬驅駉駉 王來欲渡盖斯水(今大寧江也) 魚鼈化作橋梁橫 漢元立昭二甲申(羅之二十一年也) 開國馬韓王儉城(今 西京也 以高句麗縣名立國 五代史曰 高句麗扶餘別種也) 天遣人來立宮闕 山昏谷暗聞丁丁 爲七日已雲霧捲 金碧崒屼磨新晴 烏伊摩離與挾父 三臣同德聊贊成 沸流國王松讓者 禮以後先開國爭 尋爲大雨所漂突 擧國款附輸忠誠 往來天上詣天政 朝天石上驎蹄輕 在位十九年九月 升天不復廻雲軿 聖子類利(在扶餘時 婦所孕者)來嗣位 葬遺玉鞭成墳塋(今龍山墓也) 枝繁葉茂承承理 時與江水爭澄淸 盖蘇文者乘時進 令色巧言爲寵卿 姦回掌上弄國柄 臨事方便誅良貞 擅權中外日肆虐 民墜塗炭邦基傾 後君高藏又失道 安能復定輿人情 唐高總章元戊辰 羅王奏乞王師征 李勣行軍誰敢拒 先聲纔及皆奔驚(擒高藏還京) 共計二十有八主 七百五年題大平 爾後二百三十一 地爲羅人之所倂〉.

皆奔驚(擒高藏還京)"까지는 고구려의 멸망, 49운 "共計二十有八主"부터 52운 "地爲羅人之所併"까지는 고구려의 존속 기간에 대해 기술하고 있다. 전체적으로는 고구려의 시작으로부터 멸망까지 전 기간을 다루고 있으나, 내용상으로는 주몽과 유리왕에 그 서술이 집중되어 있다.

『제왕운기』「고구려기」는 그 내용이 『삼국유사』와 유사한 점이 없지 않으나, 이보다는 이규보의 「동명왕편」과 그 맥락을 함께 한다고 하겠다. 특히 『삼국유사』의 고구려 관련 기록은 「북부여」, 「동부여」, 그리고 「고구려」 조에 있는데, 이 내용은 김부식의 『삼국사기』 내용과 몇 문장을 제외하고는 완전 동일하다. 이에 『삼국유사』「고구려」 조는 이보다 약 140년 전에 성책된 『삼국사기』「고구려본기」「시조 동명성왕」 조를 인용하였음을 알 수 있다. 다만 이와 구체적인 내용에서 차이를 보이고 있는 「동명왕편」은 『삼국사기』가 참고한 것과는 다른 서책을 참고하였고, 이 내용은 곧 『제왕운기』로 전승된 것이 아닌가 한다.

『제왕운기』와는 달리, 『삼국유사』는 부여 금와왕과의 조우에 따른 대화로 시작되며 "중매 없이 이루어진 사통 관계"에 대한 부모의 꾸지람 등이 자세히 기술되어 있다. 이후 일광에 의한 잉태와 출산, 그리고 난생한 주몽의 시련을 다루고 있다. 유화가 낳은 알의 크기에 대한 표현에서는 『제왕운기』와 같다. 다만 『제왕운기』에서는 "좌협으로 알을 낳았다"고 하여 석가의 출생과 같은 상황을 강조한 대신, 『삼국유사』에서는 일광으로 인한 배태를 강조한 점이 다를 뿐이다.

부여에서 겪은 형제들의 시기와 질투 및 목마 과정은 유사하지만, 그가 시기와 질투를 피해 도망할 때 건넌 물이 "개사수"와 "엄수"로 차이를 보이며,[31] 주몽을 따르던 세 신하의 이름에서 『삼국유사』에서는 "오이"를 제외한 2명은 드러나 있지 않다. 또한 개국에 관해, 한 원제 건소 2년에 나라를 세운 것은 동일하게 기술하고 있지만, 그 지점이 "왕검성"이라고 하여 고조선과의 관련성을 부각시킨 부분은 『제왕운기』의 특징이라고 하겠다. 이후 궁궐의 축조, 비류의 치세, 멸망 과정에 대해서는 『삼국유사』에는 그 내용이 전혀 기술되어 있지 않다.

「동명왕편」에도 이와 관련된 기록이 보이는데, 『국사』의 내용을 본문, 또는 세주로 기록하여 더욱 풍부한 내용을 담고 있다. 해모수, 유화, 하백 등의 이름을 제외하고, '우발수'에 대한 표현은 세 자료가 동일하나, 한자의 표기에서 『제왕운기』에서 '우발'의 '발'을 '渤'이 아닌 '浡'로 쓰고 있다는 점이 다르다. 또한 『제왕운기』와 『삼국유사』의 두 기록에서는 '우발수'에서 만난 정도로 기술하고 있으나, 「동명왕편」에서는 완전히 의도적으로 "그녀를 그물질하여 얻었고, 이를 맞이하였다"라고 기술하여 유화를 얻는 과정의 행위가 더욱 적극적이라고 하겠다.

「동명왕편」에서는 주몽 탄생과 관련하여 '일광잉태' 및 '좌협난생'의 내용을 모두 담고 있다는 점이 앞의 두 작품과 차이를 보인다. 즉 『삼국유사』에서는 '일광잉태' 요소만, 『제왕운기』에서는 '좌협난생' 모티브만을 취하고 있다. 「동명왕편」 본문에서는 유화가 낳은 알의 크기를 "되만 하다"라고 표현하였으나 세주에서 다시 "닷 되들이"라고 하여, 세 기록이 참고한 자료가 동일한 것이 아닌가 한다. 또한 "활을 잘 쏘는 자를 주몽"이라고 한 것처럼, 「동명왕편」에서는 주몽의 비범한 재주를 더욱 부각하

••••

31 『혜정소장본 광개토대왕비 원석탁본』에서는 "淹利大水"로 표현되어 있다(동북아역사재단, 2014).

여 "파리로 인해 활을 사용하게 되었다"는 일화를 담고 있는 점이 특이하다.

건국의 뜻을 품고 함께 한 세 신하의 이름은 『제왕운기』와 동일하며, 협부라는 자의 이름 한자가 '挾'과 '陜'으로 다를 뿐이다. 그들이 건넌 강의 이름도 "엄체"로 표현하면서, 이 강이 "엄수와 같은데, 이 엄수가 바로 개사수"라는 점을 밝히고 있다. 개국한 상황, 즉 "띠자리 위에 앉아서"의 표현은 『삼국유사』와 동일하나, 비류국 왕 송양과의 다툼에 대해서는 「동명왕편」 기록의 대강 즉 "큰비를 오게 하여 표몰시키는" 사건을 『제왕운기』에서도 그대로 서술함으로써 비류국 왕에게 항복을 받는 과정을 설명하였다. 또한 7일 만에 하늘이 대신 궁궐을 지었다는 소재의 사용, 재위 19년 9개월 만에 신선이 되었다는 소재의 사용은 『제왕운기』와 「동명왕편」이 동일하다. 이어 유리의 즉위 내용도 동일하다.

이상과 같이 보면, 고구려에 관한 기록은 시기를 달리하지만, 제일 먼저 「동명왕편」, 『삼국유사』 그리고 『제왕운기』의 순으로 기록되고 있음을 알 수 있다. 첫 번째인 「동명왕편」은 그 제목의 이름처럼 동명왕을 중심으로 부모의 이야기로부터 2대 유리왕까지의 내용을 다루고 있고, 『제왕운기』에서는 「동국군왕개국연대」 서문에서 언급한 것처럼 『국사』의 「본기」를 인용하여 본문에서 언급하지 못한 내용의 이설을 소개하였다.

『삼국유사』의 「고구려」도 내용상으로는 동명왕, 즉 주몽의 사적을 중심으로 소개하고 있으나, 그 내용을 북부여·동부여·고구려로 나누어 기술하고 있다. 「고구려」의 내용으로는 유화의 잉태와 탄생 및 건국 과정을 그리고 있으나, 그 내용은 「동명왕편」에 비해 상대적으로 소략하다. 또한 「동명왕편」에서 소개한 내용과 유사하지만, 표현에서 완전히 다른 내용을 담고 있는 점도 눈에 띈다고 하겠다. 제일 늦게 성책된 『제왕운기』는 「동명왕편」처럼 형식적인 면에서 서사시의 형태를 띠고 있고, 또한 다른 내용에서도 본질적으로는 「동명왕편」의 내용 흐름을 그대로 따르고 있어서 『제왕운기』가 「동명왕편」을 적극적으로 참고했다는 증거로 볼 수 있겠다. 이것은 곧 「동명왕편」에서 이규보가 "신이한 것으로 사람들을 현혹시킨 것이 아니고, 실로 나라를 창시한 신기한 사적"이라고 언급한 것처럼 고려, 즉 태초부터 고려까지의 우리나라가 본디부터 성인의 나라라는 자긍심에서 기인한 것이라고 생각한다.

Ⅳ. 이승휴의 고구려·발해 인식

이승휴의 『제왕운기』에 대한 지금까지의 연구 평가는 매우 다양하다. 『제왕운기』를 일연의 『삼국유사』와 함께 단군신화의 내용을 담고 있는 가장 오래된 사서[32]로서, 또는 영사시[33] 형태의 권계시라거나 관직을 구하는 염원을 담은 구관시로 규정짓기도 한다. 또한 동국과 중국에서 명멸했던 왕조에 대한 정통론을 제시[34]하여 당대 고려의 역사적 위상을 강

••••

32 채상식, 1987, 「지원 15년(1278) 인흥사 간 《역대년표》와 《삼국유사》」, 『고려사의 제 문제』, 삼영사, 702쪽; 변동명, 1990, 「李承休의 《帝王韻紀》 撰述과 그 史書로서의 性格」, 『진단학보』 70, 진단학회, 19쪽.

33 이우성, 1991, 『한국중세사회연구』, 일조각.

34 정구복, 2010, 「이승휴의 역사관」, 『한국사학사학보』 21, 한국사학사학회, 6쪽. 그는 이승휴는 『제왕운기』에서 우리나라 역사에 대한 정통을 논하지 않았으며, 우리나라 역사의 정통론을 다룬 것은 권근의 『동국사략』에서부터라고 하였다.

조하려는 자주성을 보인다고 한 주장도 있고,[35] 이와는 달리 원에 대한 사대주의적 모습을 강조[36]한 연구도 있다. 『제왕운기』의 전체적인 편찬 목적이 권계의 의미를 담은 서사시라는 것은 『제왕운기』 자서를 통해서 알 수 있다.[37]

『제왕운기』 자체로만 본다면, 분명 이것은 태초로부터 이어진 찬란했던 역사가 충렬왕께 전해지고 있음에 대한 긍지로 이해할 수 있을 것이다. 당시는 개국 이후 여진과 거란에 의한 외침 및 무신정권의 성립과 항몽 30년의 역사적 전환기를 거쳐 끝내 원의 지배하에 들어가는 격동의 시기였다. 이승휴는 고려가 비록 원의 부마국이 되었지만, 동아시아 흥망성쇠의 핵심을 이해한다면, 고려는 능히 이 어려움을 극복할 수 있고 지금의 임금도 성군이 될 수 있다는 메시지를 전달하고자 했던 것은 아닐까 한다. 일연의 『삼국유사』가 충렬왕 연간에 출간되었다는 점도 고려가 처한 시대적 상황이 결코 만만찮았음을 보여 준다고 하겠다.

그는 삼한일통을 한 고려가 세계제국과 어깨를 견주는 이 시대에 함께

••••

35 하현강, 1975, 「고려시대의 역사계승의식」, 『이화사학연구』 8, 이화사학연구소; 하현강, 1978, 『한국의 역사인식: 한국사학사논선』 상, 창작과비평사, 207~208쪽; 정구복, 1981, 「고려후기의 역사인식과 역사서술」, 『한국사론』 6, 국사편찬위원회, 53~54쪽; 유경아, 1987, 「제왕운기에 나타난 이승휴의 역사관」, 『삼척공전논문집』 20, 삼척공업전문대학; 차장섭, 1986, 「이승휴의 생애와 역사인식」, 『고려사의 제 문제』, 삼영사.

36 김철준, 1976, 「蒙古壓制下의 高麗史學의 動向」, 『考古美術』 129·130, 한국미술사학회.

37 김인호, 2005, 「이승휴의 역사인식과 사학사적 위상」, 『진단학보』 99, 진단학회, 168~169쪽. 이에 대해서 정구복은 『제왕운기』의 저술 동기가 권계에 두어졌다는 것은 문헌실증적인 피상적 견해로 규정하고, 현실적으로 그의 저술 동기는 "왕조의 개창과 그 유지에 근거하여 중국사와 한국사에서 홍망을 중시하고 역사의 연속성을 보여 주려고 한 것"이라고 하였다. 정구복, 2010, 「이승휴의 역사관」, 『한국사학사학보』 21, 한국사학사학회, 13쪽.

숨 쉬고 있는 그 자체가 감격이었고 영원히 지속되기를 바랐을지도 모른다. 그래서 오늘의 이러한 영광이 바로 중조 역사의 유구함처럼 우리 역사의 유구함에서 비롯되었다는 자신감을 떠올리지는 않았을까 한다. 그가 하권 첫머리 「지리기」에서 "요동에 별천지가 있으니 중조와 분명하게 구별된다"라고 하여 동국의 역사적 무대가 중조와는 다르다고 인식한 것도 중조와는 구별되는 역사의 유구함을 설명하기 위한 전제였을 것이기 때문이다.[38]

이승휴가 『제왕운기』에 담은 가장 중요한 인식은 정통사관의 입장에서 '발해'를 한국사의 흐름 체계에 명확하게 포함시킨 것이다. 그가 「지리기」에서 언급했던 것처럼 중조와 동국은 지리적으로 엄연히 구별되고, 그곳에서 명멸했던 각 왕조 대의 역사 계승에서도 차이가 있다. 하지만, 중조의 정통왕조 원과 공존 관계를 맺은 동국의 정통왕조 고려가 단군의 전조선으로부터 발해에 이르기까지 모든 역사를 계승하였다는 점은 바로 중조에서 일컬었던 '소중화'의식과 부합된다고 하겠다.

이승휴는 발해의 건국자, 출자, 그리고 건국연대를 비롯하여 얼마나 긴 세월 동안 왕국을 유지했는지, 그리고 그 유민들은 어디로 향하였는지, 본조 즉 고려에서는 그들을 어떻게 대우했는지 등등에 대한 기록을 담아내었다. 그중에서 주목할 만한 것은 바로 발해 건국주를 "전려의 옛

••••

38 『제왕운기』「지리기」에서는 단순히 지리적 강역에 국한하여 서술한 것이 아니라 자연지리와 경제지리, 문화지리 등을 포함하고 있다. 이렇게 우리나라 역사 무대를 요하 이동으로 구분한 것은 곧 중국의 역사 무대를 요하 서쪽으로 국한한 것이라고 할 수 있고, 또한 요하 동쪽은 부여, 고구려, 발해의 강역을 의식한 것이라고 하였다. 정구복, 2010, 「이승휴의 역사관」, 『한국사학사학보』 21, 한국사학사학회, 19쪽.

장수"라고 하여 고구려와의 관련성을 명확히 한 것이다. 그다음은 발해의 건국 시기를 684년 측천무후 원년으로부터 기산하여 "고구려 멸망부터 발해 건국까지의 역사단절기"를 30년에서 15년으로 앞당겨 고구려와 발해의 연결고리를 더욱 견고히 하고, 고구려를 멸망시킨 왕과 발해를 건국시킨 왕을 중첩시킴으로써 역사의 연속성을 강조한 것이다. 또 다른 하나는 242년을 존속했던 왕조의 유민들이 한결같이 고려로 귀순하여 옴으로써 명실상부하게 삼한일통의 위업을 달성하였고, 다시 이 위대한 역사가 현재, 즉 『제왕운기』가 성책되는 충렬왕 대까지 이어졌다고 자긍심을 표출한 것이다. 이 때문에 그는 서문에서 "선한 것은 법이 되겠고, 악한 것은 경계가 될 것이니 오로지 그 일에 따라서는 춘추와 같은 역사서적이 될 것이다"는 권계의 의미를 강조하여 고려의 찬란한 미래를 소원한 것으로 생각한다.

이러한 인식은 「고구려기」에서도 확인된다. 『제왕운기』 「고구려기」의 내용은 『삼국유사』와 유사한 점이 없지 않으나, 이보다는 이규보의 「동명왕편」과 그 맥락을 함께 한다고 하겠다. 특히 『삼국유사』의 고구려 관련 기록은 「북부여」, 「동부여」, 그리고 「고구려」에 기록되어 있고, 그 내용이 김부식의 『삼국사기』 내용과 몇 문장을 제외하고는 완전히 동일한 점으로 볼 때, 『삼국유사』의 「고구려」는 이보다 약 140년 전에 성책된 『삼국사기』 「고구려본기」 「시조 동명성왕」을 인용하였음을 알 수 있다.

『삼국사기』가 광종 대 성책된 것으로 생각되는 『구삼국사』의 "표현이 졸렬하고 빠진 것이 많다"고 인식했음에도 『삼국사기』에서 「시조 동명성왕」을 『구삼국사』의 내용에 근거하여 그대로 전재하였고 이것은 다시 『제왕운기』의 「고구려기」로 계승된 것으로 생각된다. 다만 『제왕운기』

「고구려기」의 내용 가운데 세부적인 표현 등에서 『삼국유사』와 차이를 보이는 점으로 보아, 『제왕운기』의 찬자 이승휴는 『삼국사기』와 『삼국유사』 이외의 관련 자료들을 폭넓게 활용했다고 생각한다.

「발해기」에 대한 인식은 그의 삶의 역경에서도 찾을 수 있다. 1224년 삼척현 두타산에서 태어나, 1252년 과거에 급제한 뒤 경흥부 서기로 관직에 임용되기까지 12년간의 어려움, 삼별초 활동 시기 원칙 없이 함부로 세금을 거두어들이는 행태나 각종 부역에 백성들을 동원하는 폐해를 강력하게 제기하였다가 파직되었던 경험, 다시 문장을 담당하는 서장관으로 원나라 사행을 다녀왔던 국제적 안목의 확대, 감찰어사·우정언 등을 역임하면서 시정을 간쟁하고 뇌물을 받은 관리를 탄핵하다 좌천된 일, 국왕의 실정과 전횡에 대한 상소로의 파직당한 일 등은 그가 학자로서의 역량, 국제인으로서의 감각, 그리고 현실주의자로서의 의기 등등을 모두 지니고 있었음을 보여 주는 것이다.

결국 그는 자신의 이러한 역량을 다해, "해와 달같이 빛나는" 원처럼 고려가 번영하기를 바랐을 것이다. 다만 그가 활동하던 충렬왕 대는 원과의 관계가 개선되었다고 하더라도, 국가적으로는 원의 부마국으로 전락했고, 개인적으로는 여전히 자신의 뜻을 펼칠 기회나 공간도 부족해서 고려가 처한 상황만큼이나 희망적이지 않았을 것이다. 바로 이러한 현실적 장애를 극복하고 자신과 같은 현량들이 그 능력을 발휘하기 위해서는 절대적으로 국왕의 역량, 안목, 신뢰가 선행되어야 했을 것이다. 이에 그는 감계의 의미를 담은 『제왕운기』를 지어 올림으로써, 곧 성군으로서 '현량'을 등용하여 그가 말한 "기쁜 시절"을 이룩하기를 염원한 것이 아닐까 한다. 그래서 중국이 반고의 천지개벽으로부터 원에 이르기까지 수많은 나라가 명멸했던 모습처럼, 동국 즉 고려까지의 역사 속에서도 개국으로부터 고려까지의 역사를 하나하나 되뇌었던 것이라 하겠다.

V. 맺음말

『제왕운기』에서는 태초로부터 고려까지의 흐름을 단군의 「전조선기」에서, 주 무왕 때 망명해 온 기자의 「후조선기」, 「위만조선기」, 「한사군과 열국기」로 이어진 뒤 다시 「신라기」, 「고구려기」, 「후고구려기」, 「백제기」, 「후백제기」, 「발해기」, 「고려기」로 계승된 것으로 인식하였다. 이것은 『삼국사기』의 역사관이 그 이전 『구삼국사』의 역사관으로 환원된 것이다.

이를 알 수 있는 것은 『동국이상국집』부터 『제왕운기』까지 편찬된 3권의 역사서가 모두 『구삼국사』의 관점을 따르고 있는 점이 보이기 때문이다. 특히 상기의 세 역사서에서는 『삼국사기』에서 보이는 유교적 합리주의 사관이 신이사관으로 전환되었음은 물론 신라-고구려-백제의 삼국에 대한 인식을 넘어 고려까지의 기원에 관한 내용을 담고 있는 점이 두드러진다고 하겠다.

한국사의 북방 인식에 관련해서 이규보의 『동국이상국집』 「동명왕편」은 동명왕의 사적에 집중하여 기록을 상세히 기술하고 있는 반면, 이승휴의 『제왕운기』는 단군으로부터 고려 충렬왕 당시까지의 사적을 핵심적으로 간추려 읊고 있다. 두 작품은 『삼국사기』의 기전체나 『삼국유사』의 유사 형태와는 달리 모두 시의 형태를 띠고 있는 점도 공통점이라고 하겠다.

앞서 언급한 것처럼 두 글은 편찬 목적이 다른 느낌이 있다. 하나는 동명왕편의 신이함이 『삼국사기』에서 말한 귀(鬼)나 환(幻)이 아닌 건국의 성스러움과 신이함의 표현이라고 인식하고 "(구삼)국사는 세상을 바로잡는 일이니 크게 이상한 일은 후세에 보여 줌은 옳지 않다고 생각하여" 삭제한 내용을 전하는 것을 목적으로 삼은 반면, 『제왕운기』는 "단군으로부터 당대 고려까지의 흥망성쇠에 대한 학습을 통해 미래로의 발전을 도모하려는 의미"가 더욱 중심이 되었다고 하겠다.

이승휴가 『제왕운기』 에 담은 가장 중요한 인식은 정통사관의 입장에서 '발해'를 현재의 한국사의 흐름 체계에 명확하게 포함시킨 것이다. 그가 「지리기」에서 언급했던 것처럼 중조와 동국은 지리적으로 엄연히 구별되고, 중조의 정통왕조 원처럼 동국의 정통왕조 고려는 단군의 「전조선기」로부터 「발해기」에 이르기까지 모든 역사를 계승하였다는 점을 부각시켰다. 또한 이승휴는 발해의 건국자, 출자, 그리고 건국연대를 비롯하여 얼마나 긴 세월 동안 왕국을 유지했는지, 그리고 그 유민들은 어디로 향하였는지, 고려에서는 그들을 어떻게 대우했는지 등등에 대한 기록을 담아내면서 발해의 건국주를 "전려의 옛 장수"라고 하여 고구려와의 관련성을 명확히 하였다. 또한 발해 건국 시기를 684년 측천무후 원년으로부터 기산하여 "고구려 멸망부터 발해 건국까지의 역사 단절기"를 30년에서 15년으로 앞당겼다. 고구려와 발해의 연결고리를 더욱 견고히 하고 고구려를 멸망시킨 왕과 발해를 건국시킨 왕을 중첩시킴으로써 역사의 연속성을 강조한 것은 그 의도하는 바가 크다고 하겠다. 그것은 바로 이규보의 「동명왕편」 서문에서 『구삼국사』를 언급한 것으로, 이규보 작품의 큰 흐름이 『구삼국사』의 분위기를 계승하였음을 엿볼 수 있게 한다. 『구삼국사』 이전의 원사료 → 『구삼국사』 → 「동명왕편」 → 『삼국유사』 → 『제왕운기』로 이어지는 역사인식은 고려가 처한 시대적 상황이나 지향점과 밀접한 관련이 있을 것으로 생각된다.

참고문헌

1. 史料

李承休,『帝王韻紀』,「序文」.

『舊唐書』,「渤海靺鞨」.

『東文選』,「謝不許北國居上表」.

『三國史記』,「進三國史記表」.

『三國史記』,「崔致遠傳」.

『三國遺事』,「紀異」,「靺鞨(一作勿吉)渤海」.

『新唐書』,「渤海」.

『新五代史』,「渤海」.

『五代會要』,「渤海」.

『類聚國史』,「殊俗部」.

2. 논저·보고서

김남일, 2005,「이승휴의 역사관과 역사서술」,『한국사학사학보』 11, 한국사학사학회.

김상현, 1985,「고려후기의 역사인식」,『한국사학사의 연구』, 을유문화사.

김상현 외, 1996,「역사학」,『한국사』 21, 국사편찬위원회.

김인호, 2005,「이승휴의 역사인식과 사학사적 위상」,『진단학보』 99, 진단학회.

김철준, 1976,「蒙古壓制下의 高麗史學의 動向」,『考古美術』 129·130, 한국미술사학회.

______, 1985,「李奎報 〈東明王篇〉의 史學史的 考察 : 舊三國史記 資料의 分析을 중심으로」,『東方學志』 제46·47·48 합집, 국학연구원.

______, 1990,「李奎報 〈東明王篇〉의 史學史的 考察 : 舊三國史記 資料의 分析을 중심으로」,『한국사학사연구』, 서울대학교출판부, 재수록.

譚其驤, 1988,『中國歷史地圖集』, 中国地图出版社.

동북아역사재단, 2014,『혜정소장본 광개토대왕비 원석탁본』, 동북아역사재단.

박두포, 1966, 「帝王韻紀小考: 其1, 東國郡王開國年代에 대하여」, 『青丘工電論文集』, 청구공업논문간행위원회.

박인호, 2011, 「이승휴의 《제왕운기》에 대한 연구 현황과 쟁점」, 『국학연구』 18, 한국국학진흥원.

변동명, 1990, 「李承休의 《帝王韻紀》 撰述과 그 史書로서의 性格」, 『진단학보』 70, 진단학회.

손정인, 1988, 「李承休의 《帝王韻紀》에 대한 이해」, 『한민족어문학』 15, 한민족어문학회.

송기호, 1995, 『渤海政治史硏究』, 일조각.

신채호, 1925, 「朝鮮歷史上1千年來第1代事件」, 『동아일보』.

유경아, 1987, 「제왕운기에 나타난 이승휴의 역사관」, 『삼척공전논문집』 20, 삼척공업전문대학.

劉忠義, 1982, 「東牟山在哪里」, 『學習與探索』 4, 黑龍江省社會科學院.

______, 1983, 「試論渤海東牟山之所在」, 『延邊文物資料匯編』, 延邊人民出版社.

劉忠義·馮慶余, 1984, 「渤海東牟山考」, 『松遼學刊』 1, 吉林師範大學.

이우성, 1962, 「高麗中期의 民族敍事詩」, 『論文集』 7, 성균관대학교.

______, 1991, 『한국중세사회연구』, 일조각.

임상선, 2011, 「《帝王韻紀》에 보이는 北方王朝 인식」, 『사학연구』 103, 한국사학회.

정구복, 1979, 「고려후기의 역사인식과 서술」, 『한국사의 意識과 敍述』 6, 국사편찬위원회.

______, 1981, 「고려후기의 역사인식과 역사서술」, 『한국사론』 6, 국사편찬위원회.

______, 1993, 「고려 초기 삼국사의 편찬에 대한 일고」, 『국사관논총』 45, 국사편찬위원회.

______, 1975, 「동국사략에 대한 사학사적 고찰」, 『역사학보』 68. 역사학회.

______, 2002, 『한국중세사학사』 II, 경인문화사.

______, 2010, 「이승휴의 역사관」, 『한국사학사학보』 21, 한국사학사학회.

정구복 외, 2012, 『역주 삼국사기』, 한국학중앙연구원.

조동일, 1983, 『한국문학통사』 2, 지식산업사.

차장섭, 1986, 「이승휴의 생애와 역사인식」, 『고려사의 제 문제』, 삼영사.

채상식, 1987, 「지원15년(1278) 인흥사간 《역대년표》와 《삼국유사》」, 『고려사의 제 문제』, 삼영사.

하현강, 1975, 「고려시대의 역사계승의식」, 『이화사학연구』 8, 이화사학연구소.

______, 1978, 「고려시대의 역사계승의식」, 『한국의 역사인식: 한국사학사논선』 상, 창작과비평사, 재수록.
______, 1999, 「이승휴의 사학사상」, 『동방학지』 69, 국학연구원.
한영우, 1994, 「고려시대의 역사의식과 역사서술」, 『한국의 역사가와 역사학』 상, 창작과비평사.

응제시(應製詩)의 관점에서 살펴본 『제왕운기(帝王韻紀)』와 이승휴(李承休)의 역사인식

강석근
성결대학교 객원교수

덧붙임

- 이 논문은 한국사상과문화학회의 『한국사상과문화』 98집에 실린 필자의 다음 글을 수정·보완하여 재수록하였음.
- 강석근, 2017, 「응제시(應製詩)의 관점에서 살펴본 제왕운기와 이승휴의 역사인식」, 『한국사상과문화』 98집, 한국사상과문화학회.

I. 머리말

한국문학사에서 이승휴[李承休, 고려 고종 11년(1224)~충렬왕 26년(1300)]는 『제왕운기』의 시인이자 현존하는 우리나라 최초의 사행록인 『빈왕록(賓王錄)』의 저자이다.[1] 그의 『제왕운기』와 『빈왕록』은 특별한 의미를 갖는 문학적 저작들이다. 『제왕운기』는 중국과 동국의 역대사(歷代史)를 시로 읊은 영사시이며, 『빈왕록』은 여몽(麗蒙) 교류기에 수행된 수많은 사행에도 불구하고 오로지 『빈왕록』만이 그 면모를 제대로 담고 있으며, 또 현존하고 있다.

이승휴는 고려 후기, 몽고의 계속적인 침략에 이어 몽고의 지배가 시작되던 시기를 살았던 사대부였다. 유학적인 교양과 실천의지를 갖춘 사대부로서, 벼슬에 나아가서는 유학적인 신념을 철저하게 실천했던 관리였고, 향리로 물러나서는 잘못된 역사를 바로잡기 위해 책을 저술했던 선비였다. 그의 이런 생각은 "책을 써서 당대를 계도하고, 검소한 마음을 후손에 미치리라[修書訓當世 躬儉貽後昆]"[2]라는 시구에서 구체적으로 확인된

••••

1 강석근, 1987, 「이승휴의 시문학 고찰」, 『동악어문론집』 22집, 동악어문학회.

2 『動安居士集』, 「行錄」 1권, 「病課詩」, 〈否則隱林藪 忠信歌採蘩 忠信歌採蘩 短葛禦寒暑 蔬糲供朝昏

다. 이런 의미에서 볼 때, 『제왕운기』의 저술은 그가 평생의 사업[3]으로 생각했던 작업이었다. 그는 사대부적 의지를 실천하기 위하여, 정치적 파란과 파직으로 이어지던 상황에서도 '수서훈당세'를 위해 노력했고, 『제왕운기』는 이런 그의 사대부적 신념이 화룡점정으로 나타난 작품이다.

『제왕운기』는 이규보의 「동명왕편(東明王篇)」과 「개원천보영사시(開元天寶詠史詩)」처럼 당대사에 대한 성찰에서 시작되었다. 이승휴는 『제왕운기』 창작에 이규보의 「동명왕편」, 「개원천보영사시」의 영향도 많이 받았지만, 중국과 동국의 역대사를 다루었다는 점에서는 오세문(吳世文)의 「역대가(歷代歌)」의 전통을 이은 것으로 추정되고, 이후 후대에 큰 영향을 끼쳤다. 이런 시대적 흐름을 조동일은 '민족사 재인식의 시대'로 명명하였다.[4]

지금까지 『제왕운기』는 역사학계와 국문학계 등에서 수많은 논의가 진척되어 왔다. 특히 『제왕운기』는 동국을 단군(檀君) 일계(一系)로 연계시켜서 한민족의 개념을 정착시키고, 지역적 영역을 중국과 구분하여 한반도로 한정하고, 발해를 우리 역사에 편입시키는 등 수많은 장점을 가진 저작이지만, 충렬왕 때의 「금대기(今代紀)」에 충렬왕이 원 황제의 부마가 된 것을 찬양, 아부한 내용 등으로 인해 『제왕운기』의 평가는 크게 폄하되었고, 아직까지도 이런 비난은 계속되고 있다.

••••

優遊白駒谷 排擊青蠅樊 修書訓當世 躬儉貽後昆〉. 번역은 다음과 같다. "등용되지 못하면 숲속에 숨어서/ 충성과 신념으로 채번을 노래하며/ 짧은 삼베로 추위와 더위를 막네/ 거친 음식으로 조석을 이어도/ 유유히 백구의 계곡에 노닐며/ 파리 같이 간사한 이를 물리치고/ 책을 써서 당대를 계도하고/ 검소한 마음을 후손에 미치려네".

3 『帝王韻紀』, 「進呈引表」, 〈抑念唯玆不腆之文 是我平生之業〉.

4 조동일, 2003, 『한국문학통사』 2, 3판, 지식산업사, 85쪽.

『제왕운기』는 이승휴의 삶과 사고와 깊이 연관된 저작이다. 따라서 필자는 『제왕운기』 연구에 이승휴의 행적과 그의 『동안거사집』, 『고려사』 등의 기본 자료를 적극적으로 활용하여, 그동안 학계에서 『제왕운기』의 가치를 폄하해 왔던 까닭을 찾아보고 그 대안을 제시하고자 한다.

『제왕운기』에 대한 초기 연구자인 장덕순은 「동명왕편」과 『제왕운기』를 12·13세기의 훌륭한 서사시로 평가했고,[5] 이우성은 「동명왕편」과 『제왕운기』를 민족서사시로 규정했으며,[6] 이병기는 「동명왕편」, 『제왕운기』, 「역대가」를 '가사체(歌辭體)의 원형'으로 평가했다.[7] 또 진녕령은 『제왕운기』를 한중 양국의 역대 흥망을 영술(詠述)하는 역사시[8]로 규정하였다. 박두포는 『제왕운기』는 고려 왕실의 우수성과 동족 국가를 자랑하고, 과거의 역사를 거울삼아 권징(勸懲)하는 감계주의[9]를 가진다고 했고, 김영태는 『제왕운기』를 민족의 자주성과 문화의 우수성을 강조한 『삼국유사』와 동궤의 사서로 평가하였다.[10]

필자는 먼저 『제왕운기』의 문학적·역사적 의미를 탐색하여, 『제왕운기』의 가치를 새롭게 도출하고자 한다. 아울러 하권의 「본조군왕세계연대」의 「금대기」와 상권의 원(元)나라 부분이 가진 문학적·역사적 의미를 깊이 있게 논의하고자 한다. 또한 『제왕운기』는 영사시이며, 동시에 고

••••

5 장덕순, 1960, 『국문학통론』, 신구문화사, 138~140쪽.

6 이우성, 1962, 「고려중기의 민족서사시」, 『성균관대학교논문집』 7집, 성균관대학교, 57쪽.

7 백철·이병기, 1970, 『국문학전사』, 신구문화사, 108쪽.

8 진녕령, 1969, 「제왕운기연구」, 『한국어문학연구』 9집, 이화여자대학교, 89쪽.

9 박두포, 1967, 「제왕운기 소고」, 『청구공업전문학교논문집』 4집, 청구공업전문학교, 12쪽.

10 김영태, 1976, 「삼국유사에 보이는 일연의 역사의식에 대하여」, 『한국의 역사인식』 상, 창작과비평사.

려 왕실을 찬양하는 응제시(應製詩)라는 점을 부각시키고, 아울러 그의 역사의식을 탐구하고자 한다. 이승휴는 서장관으로 가서 충렬왕이 원의 부마가 되는데 큰 공을 세웠던 관리였고, 이런 그의 경험은 『제왕운기』의 장르적 특징 형성에도 큰 영향을 준 것 같다.

지금까지 『제왕운기』 연구는 민족서사시, 민족역사시의 측면이 집중적으로 부각되어 왔지만, 사실 『제왕운기』는 관각시, 즉 응제시의 성격도 구체적으로 가지고 있다. 따라서 필자는 본고에서 『제왕운기』에 나타난 문학적·역사적 의미 탐색해 보고, 아울러 『제왕운기』가 가진 장르적 특징과 응제시의 성격을 구체적으로 탐구하고자 한다. 또한 이승휴가 활동했던 당대는 몽고 중심의 천하관이 철저하게 작동하던 시대였던 만큼, 『제왕운기』를 몽고의 지배라는 당시의 정치적 상황에 맞추어서 해석해 보고자 한다.

II. 『제왕운기』의 문학적·역사적 의미 탐색

문학적 관점에서 보면 『제왕운기』는 영사시(詠史詩)에 속한다. 영사시는 역사를 시로 읊은 문학작품이란 뜻이다. 그러나 역사학적 관점에서 보면 『제왕운기』는 역사시인데, 이는 시의 주요 소재가 역사이기 때문이다. 『제왕운기』를 영사시 혹은 역사시로 분류해도 크게 문제되지 않지만, 문학적 관점에서 연구할 때에는 영사시로 명명하는 것이 합당하다. 따라서 본 항에서는 『제왕운기』를 영사시의 측면에서 다루고자 한다. 지금까지 영사시냐 역사시냐, 서사시냐는 개념에 큰 혼란이 있어 왔다. 「동명왕편」은 서사시로 불릴 만한 근거가 크지만, 『제왕운기』는 서사시보다는 영사시로 평가되는 것이 더 합리적이다. 조동일은 어느 특정 인물을 주인공으로 삼아 일관된 줄거리를 갖춘 시는 서사시이고, 역대의 사실을 간추려서 인상 깊게 전달하는 것을 우선 과제로 삼은 시는 영사시로 분류하였다.[11]

『제왕운기』는 시적 형식에서 오세문의 「역대가(歷代歌)」의 직접적 영향을 받은 작품으로 추정된다. 물론 집필 동기와 한중 역사를 다루었다는 점에서는 이규보의 「동명왕편」과 「개원천보영사시」의 영향도 받았지만, 『제왕운기』가 역대사(歷代史)를 주로 다루었다는 점에는 오세문의 「역대가」에 보다 근접한다. 오세문의 「역대가」는 이런 작품의 효시이고, 『제왕운기』는 이런 역대가류의 대표 저작이다.

『삼국유사』에 따르면,

> 본조의 명사 오세문이 지은 「역대가」는 금(金)나라 정우(貞祐)[선종(宣宗)의 연호. 1213~1216] 7년 기묘에서부터 4만 9천 6백여 세(歲)를 역수(逆數)하여 반고[盤古, 상고(上古)의 전설상의 천자]가 개벽(開闢)했던 무인(戊寅)에 이른다.[12]

••••

11 조동일, 2003, 『한국문학통사』 2, 3판, 지식산업사, 86~101쪽. 조동일은 「동명왕편」은 고대의 영웅서사시를 재현한 작품이며, 『제왕운기』는 영사시의 대표작이고, 더 나가서는 교술시라 하였다.

12 『三國遺事』 卷第3, 「塔像」 第4, 「迦葉佛宴坐石」, 〈有本朝名士 吳世文 作歷代歌 從大金 貞祐七年 己卯 逆數至四萬九千六百餘歲 爲盤古 開闢戊寅〉.

위의 문건은 오세문의 「역대가」에 대한 가장 권위 있는 기록이다. 오세문의 「역대가」는 원문의 부전으로 인해 실체가 정확하게 파악될 수는 없지만, 『삼국유사』의 이 기록에 따르면, 중국 역대왕조 4만 9천 6백 년의 역사를 노래한 것으로 추정된다. 『제왕운기』는 「역대가」의 방식을 수용했지만, 제왕을 중심으로 서술했다는 점에서 특별함이 보인다.

이승휴의 『제왕운기』를 객관적으로 고찰하기 위해서는 이규보의 「동명왕편」과 「개원천보영사시」, 오세문의 「역대가」를 함께 살펴보는 것이 필요하다. 오세문의 「역대가」가 전해지지 않기 때문에, 비교할 수 있는 작품은 「동명왕편」과 「개원천보영사시」뿐이다.

고려 중기에 창작된 4편의 영사시를 도식화해서 정리하면 다음 [표 3-1]과 같다.

이규보의 「동명왕편」과 「개원천보영사시」는 이승휴에게 큰 영향을 주었다. 「동명왕편」은 민족의 우수한 문화와 전통을 포양(襃揚)한 것이며, 「개원천보영사시」[13]는 당 현종의 빛나는 정치적 업적을 남긴 '개원의 치(治)'에 대한 포양과 천보 연간에 당 현종이 보여 준 '망국적 정치'에 대한 신랄한 비평을 담고 있다. 당 현종에 대한 신랄한 그 평가는 당나라 정치에 대한 비평일 뿐 아니라 고려의 정치에 대한 회의와 기대에서 시작되었다. 이승휴는 분명히 이규보의 이 두 작품의 영향을 받았고, 집필 동기도 비슷하다.[14] "지금까지 책에 수록되지 아니한 것들은 분명하게 익히

••••

13 『東國李相國全集』 第4卷, 「開元天寶詠史詩 43首 幷序」.

14 이규보의 「東明王篇」, 「開元天寶詠史詩」와 이승휴의 『帝王韻紀』의 창작 목적은 모두 감계주의와 포폄(襃貶)의 정신을 가지고 있다는 점에서 그 영향 관계를 구체적으로 살필 수 있다.

[표 3-1] 「역대가」, 「동명왕편」, 「개원천보영사시」, 『제왕운기』 비교

작가 (생몰연대)	작품명	창작 시기	주요 내용	저술 목적
이규보 (1168~1241)	「동명왕편」	1193년 (명종 23, 26세)	동명왕의 고구려 창건에 대한 이야기	우리나라가 성인의 나라임을 현창
	「개원천보영사시」	1194년 (명종 24, 27세)	당 현종의 정치에 대한 칭송과 비평	선의 현창 악의 경계
오세문 (미상)[15]	「역대가」	1219년	금(金)나라 정우(貞祐) 연간~반고(盤古)의 무인년	미상
이승휴 (1224~1300)	『제왕운기』	1287년 (충렬왕 13, 64세)	상권, 반고~금(원) 하권, 「동국군왕개국연대」~「본조군왕세계연대」	춘추의 필법으로 역사 평가

듣고 본 바에 근거하여, 이것을 시에 실어서 '선하여 법이 될 만하고 악하여 경계가 될 만한 것'이니, 곧 사실대로 춘추의 필법에 따라서 지어서 『제왕운기』라 하였다"[16]라는 주장에서도 이 점을 확인할 수 있다.

이규보는 22세에 사마시에 장원하고, 23세에는 예부시 동진사에 합격하였다. 24세에 부친상을 당해서 천마산에 우거하며, 백운거사로 자호하고, 26세에는 『구삼국사』를 보다가 「동명왕편」을 지었다. 이런 작품이 탄

••••

15 문명이 뛰어난 오세재 삼형제는 오세공(吳世功), 오세문(吳世文), 오세재(吳世才)가 그들이다. 오세재의 출생연도는 1133년으로, 「역대가」의 창작 연도가 정우 기묘년(1219)이라면 오세문의 나이는 최소한 87세가 된다. 이런 이유로 「역대가」의 창작 연대에 대한 의문은 여전히 남는다.

16 『帝王韻紀』, 「上卷 幷序」, 〈… 若夫今之未著方策者 姑以彰彰耳目所熟爲據 播于諷詠 其善可爲法 惡可爲誡者 輒隨其事而春秋焉 名之曰 帝王韻紀〉.

생한 배경에는 "요·금 이래 이민족의 압력이 그대로 지속되고 구 귀족은 타도되었으나 초기 무인들의 횡포한 정치가 암흑기를 이루고 있는 국내외의 혼미한 현실 속에 시인은 자기(自己) 거점(據點)을 '민족'에서 발견하고 '민족'에의 귀의를 통해서 민족의 전통과 유서에 새로운 계시를 받았기"[17]에 가능했다. 그리고 이규보는 다음 해에 「개원천보영사시」를 지었다. 이 두 편은 이규보가 관직에 출사하기 전인 자유로운 상태에서 지어졌다.

하지만 이승휴의 『제왕운기』는 퇴직한 관리가 자신이 모셨던 충렬왕에게 직접 올렸던[進呈] 영사시였다. 그러므로 『제왕운기』의 진정한 독자는 충렬왕과 왕실이었고, 넓게 보면 원나라 황실도 포함되었다. 이런 점에서 『제왕운기』와 이규보의 두 작품은 창작 배경이 많이 달랐다.

Ⅲ. 『제왕운기』의 장르적 특징과 응제시

『제왕운기』는 서사시인가? 응제시인가? 또 『제왕운기』가 민족의식을 훼손했다는 평가는 합당한가? 이 장에서는 『제왕운기』가 가진 장르적 특징과 의미에 대한 이런 질문에서부터 논의를 시작해 보고자 한다.

『제왕운기』는 국조(國肇)로부터 작자의 시대까지의 역사를 종적으로 구성하는 통사계 영사시(通史系詠史詩)[18]로서 큰 공적을 남겼지만 수많은

••••

17 이우성, 1962, 「고려중기의 민족서사시」, 『성균관대학교논문집』 7집, 성균관대학교, 100쪽.
18 손정인, 1988, 「이승휴의 제왕운기에 대한 이해」, 『한민족어문학』 15집, 한민족어문학회, 199쪽.

논란과 폄하도 받아 왔다. 논란을 제기한 대표 연구자는 이우성, 김철준, 이형우, 장을병, 변동명 등이다. 그리고 작품을 폄하한 이유는 민족성을 훼손하였으며, 원나라를 과도하게 찬양하고, 아부했다는 것이다. 이런 평가의 실례를 점검해 보면, 『제왕운기』는 "그 결말에 이르러 벌써 서사시의 혼의 타락을 보여 주었고, 이로부터 고려가 망할 때까지 서사시는 나타나지 못했"[19]으며, "유교사관을 취하여 생명력 있는 전통문화를 외면한 사대적 사서"[20]이고, "고려의 충렬왕이 원나라의 부마가 된 일을 찬양하는 것은 얼굴이 붉어질 일"[21]이라는 것이다. 또한 이형우는 "이승휴가 관직을 떠난 노령에도 불구하고 원나라에 대해 그런 인식을 보인 것은 관직에 대한 미련"[22] 때문이라고 했고, 변동명은 "『제왕운기』가 관찬 사서의 성격도 일부 포함하여, 사찬인 『삼국유사』가 민족의 자주성을 강조한 것과는 대조적으로, 『제왕운기』는 고식적인 의타주의의 한계"[23]를 보인다고 평가해 왔다.

이런 평가에는 두 가지 측면이 충실하게 반영되지 못했다.

그 하나는 『제왕운기』가 일종의 응제시(應製詩), 즉 관각시(館閣詩)라는 관점이다. 이는 비록 『제왕운기』가 왕명으로 지은 응제시는 아니지만,

••••

19 이우성, 1962, 「고려중기의 민족서사시」, 『성균관대학교논문집』 7집, 성균관대학교, 117쪽.

20 김철준, 1976, 「몽고압제하의 고려사학의 동향」, 『고고미술』 129·130 합집, 한국미술사학회, 8쪽.

21 장을병, 2013, 「이승휴의 제왕운기와 중국의 동북공정」, 강원전통문화연구소 편, 『이승휴의 사상과 역사의식』, 역사공간, 477쪽.

22 이형우, 2013, 「13세기 고려지식인 이승휴의 대원인식」, 강원전통문화연구소 편, 『이승휴의 사상과 역사의식』, 역사공간, 308쪽.

23 변동명, 2000, 「이승휴의 제왕운기 찬술과 그 사서로서의 성격」, 『이승휴 연구논총』, 삼척시, 283쪽.

충렬왕에게 역사의식을 일깨우기 위해서 지은 일종의 응제시라고 보는 관점이다. 다른 하나는 이승휴는 원종과 충렬왕의 근신이었고, 그의 『제왕운기』 창작은 민족의 정통성 고취와 함께 몽고의 간섭에 전면적으로 저항하지는 않았지만, 고려국을 존속시키고, 중국 문화에 대한 자국 문화에 대한 독자성과 그 계승[24]을 드러내고자 시도한 작업이었다는 것이다. 따라서 이러한 관점에서 본다면 크게 비난을 받을 일이 아니라고 할 수 있다. 또 『제왕운기』에 대한 비판 논자들은 『제왕운기』가 민족의식을 훼손했다고 주장하면서도 이승휴가 「본조군왕세계연대(本朝君王世系年代)」에서 고려 왕실의 선조를 당(唐) 숙종(肅宗)과 연결시킨 것[25]은 사대주의라고 비난하지는 않았다. 이런 고려 왕실의 왕통 문제는 고려 왕실의 역사적 정체성에 대한 것이므로, 당대에는 감히 언급조차 하기 어려운 내용이었기 때문일 것이다.

『제왕운기』는 영사시·역사시·사사시에도 속하고, 이승휴가 스스로 지은 시문이었지만 직접적인 독자는 충렬왕이었다. 즉 퇴직한 관리가 자신이 모셨던 충렬왕에게 직접 올린 시였다. 따라서 『제왕운기』는 응제시[26]라 해도 문제가 없다. 이 점이 『제왕운기』가 다른 시인들의 역사시·

••••

24 유경아, 2000, 「이승휴의 생애와 역사인식」, 『고려사의 제 문제』, 삼영사, 175쪽.

25 『帝王韻紀』, 「本朝君王世系年代」.

26 응제시는 임금의 명에 의하여 지은 시를 의미한다. 대표 사례는 조선 초에 권근(權近)의 응제시로, 이는 조선이 1396년(태조 5) 명나라에 보낸 표문에 문제가 있어 해명을 위해서 권근이 명나라에 갔다가 명 태조의 명에 의해 지은 시를 의미한다. 이 시들은 3차에 걸쳐 지은 24수의 시로 이루어져 있다. 1396년 9월 15일에 지은 8수, 9월 22일에 지은 10수, 10월 27일에 지은 6수가 그것이다. 권근의 손자 권람(權擥)의 주석한 『응제시주』는 1461년 발간되었다.

영사시와 뚜렷하게 구별되는 점이다. 이규보의 영사시 「동명왕편」과 「개원천보영사시」는 재야에 있던 이규보가 스스로 창작하고, 향유한 작품이고, 독자를 임금으로 삼아 왕실에 진정(進呈)한 시가 아니었다.

이런 의미에서 이규보의 「동명왕편」, 「개원천보영사시」와 이승휴의 『제왕운기』를 영사시 및 서사시적 관점에서만 비교하는 것은 무리가 많다. 이승휴의 『제왕운기』는 왕실과의 직접적인 관련성이 크기 때문이다.

응제시는 임금의 명으로 짓는 시가를 두루 일컫는다. 과거시험의 답안도 일종의 응제시이며, 외교적인 교린(交隣)의 아송(雅頌), 임금을 둘러싼 일체의 시문도 이에 속한다.[27] 응제시는 일종의 관각문학으로 임금의 사명(辭命), 사대교린의 표전(表箋)을 주로 작성하는 홍문관·예문관 등의 문학지관(文學之館)에서 이루어지는 일체의 문자 행위를 의미한다. 사실 엄격한 응제시는 왕의 명령에 따라 지어진 시를 의미하지만, 왕실과 조정과 관련된 공적인 시문을 두루 일컫는 용어로 사용되기도 한다.

> 관각문학이란 관각인들에 의하여 공용(公用)의 목적으로 창작된 관각의 여러 문체를 말하며 어제(御製)의 문(文)을 포함한다. 시문이 동일 관각인들에 의하여 지어졌더라도 공용의 목적으로 지어진 문체가 아니면 관각문학이라 할 수 없다.[28]

위 인용문의 사례처럼 『제왕운기』는 공용의 목적으로 지어진 응제시

27 이병주, 1985, 『고전의 산책』, 민족문화문고간행회, 160쪽.
28 신복호, 2003, 「18세기 관각문학연구」, 고려대학교 대학원 박사학위논문, 22쪽.

의 성격을 갖는다. 특히 고려조를 노래한 「본조군왕세계연대(本朝君王世系年代)」는 고려 왕실의 빛나는 치적을 담아야 했기 때문에, 상권에서 노래한 중국의 반고(盤古)~금대(金代)[실제는 원대(元代)까지 노래한 내용]의 역사와 하권의 「동국군왕개국연대」는 그 성격이 다를 수밖에 없다. 또한 『제왕운기』의 「진정인표」[29]에서 확인할 수 있듯이, 초고에서는 중국의 경우 '반고에서 금대'까지만 서술되었고, 초간본(충렬왕 22년, 1296, 진주)과 중간본(공민왕 9년, 1360, 경주)이 출판되는 과정에서 일부 내용이 보충되었다는 논란이 제기된 것도 이런 이유 때문이다.[30]

다른 부분에 비해, 상권의 원대사(元代史) 부분과 하권 「본조군왕세계연대」는 충렬왕에게 올린 당대사인 까닭으로 고려 왕실에 대한 찬양과 칭송의 내용을 담지 않고서는 진정(進呈)하거나 출판하는 것이 불가능하였을 것이다. 이처럼 고려조를 노래한 「본조군왕세계연대」는 처음부터 논란이 많았다. 상권의 중국편과 「동국군왕개국연대」는 칠언고시로 창작하다가 「본조군왕세계연대」는 오언고시(五言古詩)로 창작한 것도 논란의 대상이었다.[31]

••••

29 『帝王韻紀』, 「進呈引表」, 〈遂乃古往今來皇傳帝受 中朝則從盤古而至於金國 東國則自檀君而洎我本朝 肇起根源 窮搜簡牘 較異同而撮要 仍諷詠以成章 彼相承授受之興立 如指諸掌〉.

30 이종문, 1999, 「제왕운기 원전에 대한 몇 가지 의문점」, 김건곤 외, 『고려시대 역사시 연구』, 한국정신문연구원, pp.79~82.

31 『帝王韻紀』 卷下, 「今代紀」, 「詩注」, 〈此詩 皆以前主之末年 爲後主之元年 或難曰 子之編修帝王韻紀 皆以七言敍事 而至於本朝 則用五言者何也 其有指乎 答且詩之作 始於五言 而終於七言者也 今夫制作之意 始起於本朝 故終之所以起之始 盖夫子修春秋之志也〉. 번역한 내용은 다음과 같다. "이 시는 모두 전 임금의 말년을 뒤 임금의 원년으로 삼았다. 어떤 사람이 힐난하기를, '그대가 편수한 『제왕운기』는 모두 칠언으로써 일을 서술하다가 본조에 와서는 오언으로 한 것은 무슨 까닭이냐? 그것은 뜻이 있느냐?'라고 하였다. 대답하기를 '시작(始作)은 오언에서 시작하여 칠언

다음에서는 「본조군왕세계연대(本朝君王世系年代)」의 「금대기(今代紀)」를 중심으로 『제왕운기』의 주된 논란을 해명하고자 한다.

① 元臨十六年	원종께서는 16년 재위했지만,
林衍中廢置	임연이 폐위하고 새 왕을 세웠네.
是時今陛下	그때 지금의 폐하[충렬왕]께서는,
春宮挺英偉	태자로서 매우 영특하셨네.
往聘於中朝	원나라 조정을 예방하시어,
國美揚遐邇	나라의 아름다움을 드날리셨네.
還及鴨江頭	돌아올 때 압록강가에서,
風表傾天耳	황제의 귀 어지럽히는 풍문 듣고,
遣人遍推求	사람 보내서 두루 찾아 나섰네.
尋得告奏使	곧 고주사(告奏使)를 찾아서,
返旆告天皇	황도로 돌아가 황제께 정변 아뢰었네.
肅肅承兵衛	엄정히 군사의 호위받으며,
徵問亂所由	반란의 까닭을 물어보아서,
元廟復神器	원종께서 왕위에 복귀할 수 있었네.

••••

으로 마치는 것이다. 지금 『제왕운기』를 지은 뜻은 처음에는 본조에서 시작했으므로 일어난 바 시초로서 마친 것이니, 대개 공자가 춘추를 편수한 뜻인 것이다'라고 하였다".

勢似再乾坤　기세는 다시 세상이 탄생한 것 같아,
事未論胥齒　일은 순서를 의논할 수 없었네.

晉覇在巡遊　진(晉)의 패업은 순수(巡狩)에 있었고,
舜功彰歷試　순(舜)임금의 공은 시험에서 드러났네.
② 尋承釐降寵　황녀[제국대장공주]께서 하가(下嫁)하는 은총 입으니,
盛矣賓王利　성대하네! 빈왕(賓王)의 이익이여!

躬行居震孝　몸소 실천하며 효도를 다하여,
膺受當离祉　응당 왕위에 오르는 복을 받으셨네.
密勿啓風雲　정사에 힘쓰며 풍운을 여시고,
憂勤闡經緯　근심과 근면으로 경륜을 펼치셨네.

天妹理宮闈　황제의 누이께서는 내명부를 다스리시고,
帝孫作儲貳　황제의 외손[충선왕]께서는 세자가 되셨네.
祖業更輝光　조상의 업적은 다시 빛나고,
皇恩遠漸漬　황은은 점차 멀리까지 퍼졌네.

靑史頌康哉　청사는 편안함을 찬양했고,
蒼生歌樂只　백성들은 즐거움을 노래했네.
③ 惟願億萬年　오직 원컨대 억만년 동안,
長守富與貴　이 부귀를 길이 지켜 주소서.

梁唐晉漢周　양(梁)·당(唐)·진(晉)·한(漢)·주(周),

宋金皆失鑾　송(宋)·금(金)은 모두 나라를 잃었고,

歷遠御群民　오래도록 많은 백성을 다스린,

仁邦能有幾　어진 나라가 얼마나 있었던가.

自慶逢明時　밝은 때 만난 것 스스로 경축하며,

臣承休謹記　신 이승휴는 삼가 기록하였네.

「本朝君王世系年代」, 「今代紀」 전문

이 「금대기」는 『제왕운기』에서 가장 중요한 부분이다. 역사는 항상 당대사에 대한 해석으로 논란이 많다. 특히 왕조 시대이며, 원나라에 복속되고, 왕실의 정세가 급변하는 시대에 당대사를 쓰고 해석하는 일은 목숨을 건 작업일 수밖에 없었다.

후대에서 『제왕운기』를 폄훼하는 논저들은 대부분 이 「금대기」를 논란의 중심에 두고 있다. 따라서 본고는 이 부분을 집중적으로 논의해 보고자 한다. 이 시는 크게 3부분으로 나누어진다.

①의 내용은 원종이 권신 임연(林衍)에 의해 폐위[32]되었으나 원도(元都)에 머물던 태자(후일 충렬왕)의 재빠른 외교적 대응으로 복위되었다는 것이다. 충렬왕은 태자로서 몽고에 입조했다가, 귀국길에 압록강에서 부왕 원종이 폐위되었다는 소식을 듣고, 원도로 돌아가서 황제에게 이 사실을 고하였고, 그로써 원종은 복위될 수 있었다. 복위된 원종은 이후 고려 왕

32 원종은 재위 10년(1269) 6월에 임연에 의해 폐위되었다가 원의 도움으로 11월에 복위되었다.

실을 유지하기 위해 원에 입조하여, 원의 공주와 세자 심(諶)[33]과의 혼인을 간청했고, 이 일이 실제로 마무리되는 데에는 3년이 소요되었다. 『고려사』는 이 점을 구체적으로 확인시켜 주고 있다.

> 이번에 권신 임연(林衍)이 제멋대로 국왕을 폐립하는 바람에 왕위를 잃고 근심이 가득했는데, 황제 폐하께서는 자애를 베푸시어 여러 차례 사신을 보내 조서로 연유를 따져 물으신 후 친히 입조하라고 부르시니 그 덕분에 다시 왕위에 올라 이렇게 알현하게 되었습니다. 황제 폐하께서 지극히 잘 돌보아 주시는 데다 덧붙여 심심한 위로의 말씀까지 해 주시니 제가 감읍하는 심정은 천지가 잘 알고 있습니다.
> 이제 우리가 상국과 혼인을 맺으려는 것은 이것을 영원한 우호의 기회로 삼으려는 뜻이지만 분수에 넘치는 짓일까 두려워 오랫동안 마음을 털어놓지 못했습니다. 이제 저희들의 소망을 모두 들어주셨고 세자도 마침 입조해 있으니 엎드려 바라옵건대 공주를 세자에게 내려 주셔서 혼례를 성사시켜 주신다면 우리는 만세토록 성실히 제후로서의 의무를 다하겠나이다.[34]

••••

33 고려 왕실의 관제 격하는 충렬왕 2년의 일이므로 엄밀히 본다면 이때의 충렬왕은 '태자'이나, 『고려사』, 원종 11년 2월의 기사에서 원종이 충렬왕을 '세자'라 칭하고 있으므로 여기서는 그에 따른다.

34 『高麗史』 26卷, 元宗 11年 2月條, 〈今者 權臣林衍 擅行廢立 失位憂懣 伏蒙聖慈 累遣王人 詔詰其由 召以親朝 以是復位而進 帝眷優深 倍加唁慰 其爲感泣 天地所知 夫小邦請婚大朝 是爲永好之緣 然恐僭越 久不陳請 今旣悉從所欲 而世子適會來覲 伏望許降公主於世子 克成合巹之禮 則小邦萬世永倚供職惟謹〉.

위의 예문에서 확인하듯이, 임연(林衍)에 의해서 강제로 퇴위되었던 원종은 원 세조(世祖, 쿠빌라이 칸)의 도움으로 왕권을 회복했고, 재위 11년 2월에는 원나라에 입조하여 직접 태자(충렬왕)의 혼사를 부탁하였다. 이는 고려 왕실의 명운을 건 외교사업이었다. 이승휴가 원종의 특별한 배려로 서장관이 되어 1273년에 떠난 1차 사행의 명목상 목적은 황후 찰필(昭睿順聖皇后, 察必)과 황태자 진금(明孝太子, 眞金)의 책보례(冊寶禮)의 경축이었지만 실제 목적은 원 세조에게 태자 심(諶)의 혼인을 실행하게 하는 일이었다는 것이다.[35]

이승휴가 삼별초의 난리 중(원종 11년, 1270)에 강화도를 탈출해 삼별초를 물리칠 방안을 제안했을 때 원종은 그의 이름을 벼루 갑에 써 둔 적이 있었다.[36] 원종은 이때의 일을 거론하며, 특별히 이승휴를 서장관으로 보냈다. 이러한 사정을 통해서 충렬왕이 부마가 된 상황을 정확하게 알고 있던 이승휴가 이후 「금대기」를 저술하면서, 충렬왕이 원의 부마가 되고, 천자의 누이가 왕비가 되었으며, 천자의 외손이 세자가 된 현실을 황은(皇恩), 청사(靑史), 가악(歌樂), 부귀(富貴) 등의 시어로 찬양한 것은 왕실을 중심으로 사고하고 행동하는 사대부 이승휴에게는 지극히 당연한 일이었다. 응제시는 본래 왕실의 권위를 높이고 왕권의 지엄함을 보이기 위하여 시어가 화려하고 웅장하며 부섬한 것이 특징이다.[37] 시에 이런 면모가 구체적으로 드러나지 않으면 제대로 쓰인 응제시가 아닌 것이다.

••••

35 윤은숙, 2013, 「대원사행을 통해 본 이승휴의 현실인식」, 강원전통문화연구소 편, 『이승휴의 사상과 역사의식』, 역사공간, 251~252쪽 참고.

36 『高麗史』 卷106, 列傳 19, 「列傳 李承休」.

37 이종건, 1983, 「서거정의 응제시고」, 『논문집』, 마산대학교, 61쪽.

이승휴는 맹목적 사대주의자가 아니었다. 그는 2차 서장관으로 입조했을 당시에도 고려왕조의 이익과 고려의 주체성을 확립하기 위해서 다음처럼 노력하였다.

> 왕(원종)이 죽자 다시 서장관으로 원나라에 가서 부음을 알린 다음 세자에게 왕의 유언을 전했다. 그는 세자가 황제의 부마로서 융복(戎服) 차림으로 섬긴 지가 이미 오래되었으므로 어떤 상복과 예장(禮章)을 입을지 스스로 판단하기 어려울 것이라 생각하고 세자에게 넌지시 말해 본국의 의관과 전례의 내력을 황제에게 말하도록 했다. 황제가 승상을 시켜, "경은 이미 작위를 이어받아 왕이 되었으니 너희 나라로 가거든 너의 조상들이 정한 제도를 조금도 실추시키지 말고 그대로 행하라"고 지시했다.[38]

위의 내용은 원에 머물던 태자(충렬왕)가 황제의 부마가 되어 연경에 머물 때 융복을 입고 있어서, 이제 태자가 고려로 돌아간 뒤에는 고려의 의관과 전례를 따를 것을 황제에게 건의하여 허락을 받았던 사실을 서술한 것이다. 이런 점은 이승휴가 맹목적인 부원배와는 다른 사대부의식을 가지고 있었음을 보여 준다.

태자는 탁월한 외교 능력으로 부왕을 복위시켰고, 원종은 고려 왕실의

••••

38 『高麗史』 卷106, 列傳 19, 「列傳 李承休」, 〈王薨 又以書狀如元告哀 傳遺命于世子 承休以爲 世子爲駙馬 戎服將事已久 其服禮章 勢難自斷 遂諷世子 上言本國衣冠典禮始末 帝命丞相勅曰 卿旣襲爵爲王 往就國 凡爾祖宗定制 毋或墜失 依舊行之〉.

미래를 위해서 태자가 원 세조(쿠빌라이 칸)의 부마가 되도록 모든 외교적 노력을 경주하였다. ②는 이러한 상황을 시로 쓴 것이다. 원의 황녀(皇女)가 하가(下嫁)하여 태자는 황제의 부마가 되었고, 다음 대의 세자는 황제의 외손이 되었다. 이로 인해 고려 왕실은 태평을 구가할 수 있게 되었다. 그래서 「금대기」에 드러난 '황은', '청사', '가악', '부귀'와 같은 시어는 응제시의 본질을 잘 보여 준다. 이러한 상황에서 「본조군왕세계연대(本朝君王世系年代)」의 「금대기(今代紀)」가 창작되었던 것이다.

그러나 여러 연구자들은 이런 점을 고려하지 않고, 충렬왕이 부마가 된 사실을 칭송한 것을 두고 이승휴의 민족의식이 퇴영된 것으로 간주하였고, 『제왕운기』의 작품성도 심하게 비난하였다.

다음은 응제시의 대가인 권근이 지은 「응제시발문」이다.

> 홍무(洪武) 병자(丙子)년 여름에 명나라 황제가 조선에 사신을 보내어 표문을 지은 사람을 불러들였는데, 신(臣) 근(近)이 그 표(表)의 윤문에 참여했던 까닭으로 우리 임금에게 고하고 명나라 조정으로 달려갔었다. 황제는 용서하여 불문에 부치고 은혜로운 명령을 내리시어 문연각(文淵閣)에 머물며 반열(班列)을 따르게 하셨고, 아울러 광록사(光祿寺)에서 음식을 내리게 하셨고 내부(內府)에서는 옷을 내리게 하셨으며, 3일 동안 유가(遊街)하게 하고 또한 잔치까지 베풀며 명제(命題)하여 시 약간 수를 지어 올리게 한 뒤에 어제(御製)의 장구(長句) 사운시(四韻詩) 3편을 하사하였다. 천광(天光)이 내려 미물(微物)을 분식(賁飾)함은 실로 천추에 만나기 어려운 특별한 은총이 아닐 수 없었다.[39]

위 인용문에서 확인할 수 있듯이, 권근도 응제시와 외교문서를 대할 때에는 이승휴와 비슷한 인식을 하고 있었다. 이런 점을 고려할 때, 응제시의 창작은 왕실을 중심으로 사고하고 행동하는 사대부인 이승휴나 양촌 권근에게는 매우 자연스러운 현상일 수밖에 없다는 것을 알 수 있다.

그러므로 이러한 상황을 고려하지 않은 채, 『제왕운기』를 민족의식의 퇴영과 왜곡으로 비난, 비판하는 것에는 문제점이 있다.

> 양촌(陽村) 권근이 명(明)과 조선 사이의 최대 현안인 표전(表箋) 문제를 문장력으로써 원만히 해결한 것은 조선의 왕권 강화와 국가의 안정에 크게 기여하였으며, 당시 개국공신들에 비해 상대적으로 열세였던 자신의 정치적 입지를 굳건히 하는 계기가 되었다.[40]

위의 인용처럼 권근은 뛰어난 응제시의 창작으로 조선의 상황과 자신의 처지를 개선했던 것처럼 이승휴도 표문과 시문을 통해서, 고려의 처지와 자신의 정치적 위상을 확보할 수 있었다. 이런 공적은 그의 사행록인 『빈왕록』을 통해서도 확인할 수 있다.

> 왕(원종)이 이르기를 "경오년(원종 11, 1270)에 그대 이름을 써 두었던 벼

••••

39 權近, 『陽村集』 卷1, 「應製詩跋文」, 〈洪武丙子夏 帝遣使臣 徵本國撰表者 臣近以與於潤色 白王赴朝 帝赦不問 欽蒙恩命 隨班文淵閣中 光祿賜食 內府賜衣 遊街三日以賜宴 命題賦詩若干首 御製長句四韻詩三篇以賜 昭回天光 下飾微物 誠罕世難逢之異寵也〉.

40 이광소, 2015, 「권근의 시문학 연구, ─관각풍시(館閣諷詩)를 중심으로」, 고려대학교 대학원 박사학위논문, 29쪽.

루 통이 아직도 책상 위에 있으니 그대는 힘써 주게"라 하며 은 세 근을 하사하고 그를 원나라로 보냈다. 몽고 황제가 하례를 받고 난 뒤 잔치를 베풀어 주고 옷을 내려 주자 이승휴가 표문을 올려 사례하였는데 문장이 장중하고 아름다웠다. 체류 중 관반(館伴)인 한림학사(翰林學士) 후우현(侯友賢)과 매일 시를 주고받았는데, 그는 다섯 살 때 벌써 오경(五經)에 능통해 황제가 불러 학사로 삼고, 신동이라 불렀던 인물이었다. 그가 이승휴의 시와 표문을 보고는 마음 깊이 감복해 늘 외우곤 했다. 귀국하자 왕이 크게 기뻐하며 쌀 30석을 하사한 후 그가 지은 시문을 읽어[徵覽] 보고는 더욱 탄복해 마지않았다.[41]

이승휴가 서장관으로서 몽고에 갔을 때, 표문으로 원 황제를 감동시키고 접반관인 한림학사 후우현(侯友賢)의 심복을 받았다. 이러한 일로 인해 원종은 쌀 삼십 석을 이승휴에게 하사하고, 이승휴는 원종이 자신이 지은 표문과 시문을 직접 읽는[徵覽][42] 영광을 입었다.

이는 그 당시 신하에게는 최고의 영광이었다. 권근과 이승휴는 모두 을람(乙覽)[43]의 기쁨을 누렸고, 그로 인해 자신의 문명이 양국에서 크게

••••

41 『高麗史』 卷106, 列傳 19, 「列傳 李承休」, 〈王曰 歲庚午 書汝姓名于硯匣 今猶在案上 汝其勉哉 仍賜白金三斤遣之 帝旣受賀 仍錫宴賜衣 承休進表謝 詞語偉麗 日與館伴翰林學士侯友賢唱和 友賢五.歲通五經 帝徵爲學士稱神童 見承休詩表 心服輒誦之 及還 王大喜 賜米三十石 徵覽所著詩文 嘉嘆之〉.

42 임금의 독서는 '을람(乙覽)', '징람(徵覽)'이라 한다. 황제들은 정무에 바빠서 잠자리에 들기 직전인 을야(밤 9~11시)가 되어서야 독서를 할 수 있었기 때문에 황제가 책을 읽는 것을 '을야지람'이라고 했다. 만기(萬機)를 친람해야 하는 왕들은 여유 시간이 없어서 을야(乙夜)에나 독서를 했다는 뜻이다.

43 을람(乙覽): 唐 蘇鶚, 『杜陽雜編』 卷中, 〈文宗皇帝 … 謂左右曰 '若不甲夜視事 乙夜觀書 何以爲人君耶' 后稱 皇帝閱覽 文書 爲乙覽〉.

빛날 수 있었다.

이규보가 청년 시절 자유로운 상태에서 지었던 「동명왕편」과는 달리 『제왕운기』는 당대의 임금인 충렬왕에게 올린 시이다. 따라서 『제왕운기』는 을람을 바라며 지은 작품이었다. 당시의 고려는 원의 속국이었고, 스스로서도 충렬왕의 혼사에 깊숙하게 간여했던 신하의 처지에서 지은 「금대기」는 이러한 한계를 근원적으로 가질 수밖에 없었다.

③은 「금대기」의 결사로서 원과 결속된 고려왕조의 부귀가 억만년까지 길이 지켜지기를 기원하며, 양(梁), 당(唐), 진(晉), 한(漢), 주(周), 송(宋), 금(金)나라들이 모두 망해 버린 상황에서 원나라와 같은 인방(仁邦)이 많지 않은 것을 칭송하였고, 이승휴 스스로 이때를 성대(聖代)로 인식하고 있다는 사실이, 「금대기」를 바라보는 이승휴의 의식과 밀접하게 관련된다. 이런 정신은 사대부들의 보편적인 의식으로 두보(杜甫)가 말한 자신의 "임금을 요순보다 훌륭한 성군이 되게 하고, 다시 풍속을 순박하게 한다(致君堯舜上 再使風俗淳)"[44]는 생각과 맞닿아 있다. 사대부는 언제나 자신이 모시던 임금을 요·순임금보다 더 대단한 임금으로 칭송해 왔다. 「금대기」는 바로 이러한 사대부의식의 충실한 산물인 것이다. 따라서 「금대기」는 원종이 임연에 의해 폐위되었다가, 태자(충렬왕)의 민첩한 조치 덕분으로 왕위에 복위한 데에 대한 기쁨의 노래로 평가된다.[45]

이런 점은 원대사(元代史) 서술에서도 이어진다. 상권은 중국의 반고(盤古)에서부터 원나라까지 노래하였다.

••••

44 杜甫, 『古文眞寶』, 「贈韋左承」.

45 박두포, 1967, 「제왕운기 소고」, 『청구공업전문학교논문집』 4집, 청구공업전문학교, 11쪽.

日月並昌爭奈何	일월이 함께 빛나니 그 다툼 어떠한가.
汝水煙沈空鼎沸	여수(汝水) 연기 잦아지고 끓는 물도 비워지니,
惟吾上國大元興	우리 상국 원나라가 홍성하여,
遍使黔蒼成亹亹	천하 백성들이 즐겁게 노래하였네.
巍巍蕩蕩無能名	높고 넓은 성덕 어찌 한계가 있으리오.
我君同德揚光彼	우리 임금의 덕도 저들처럼 퍼졌다네.
啼航萬國竟來臣	천하의 나라가 마침내 내조(來朝)하고,
禹貢山川皆執贄	우공(禹貢)의 구주(九州)도 귀부하였네.
土地之廣人民衆	토지는 넓고 인민들은 많고 많으니,
開闢以來無有譬	개벽한 이래로 견줄 나라가 없다네.[46]

위 내용은 원나라가 홍기하여 천하를 통일하고 만국이 귀부한 내용을 칭송한 것이다. 시어 중에 우공(禹貢)의 산천(山川)은 중국 구주(九州)를 의미하고 여수(汝水)는 은나라를 의미한다. 개벽한 이래로 견줄 나라가 없다는 의미는 세계 최대의 국가를 건설한 원나라의 광대한 영토에 대한 찬양이다. 천하의 만국이 원에 내조하여 신하가 되었으니, 원나라의 성덕은 끝이 없다는 뜻이다.

위 내용은 「본조군왕세계연대」의 「금대기」와 표리를 이루는 부분이다. 위와 같은 원(元)의 역사 서술에서는, "몽골족이 세운 원나라를 중국의 정통왕조로 인정하고, 고려가 몽골의 침략을 받아 극심한 피해를 입고 자기 스스로도 직접 피해를 입었던 사람인데 어떻게 이렇게까지 아부

46 초고본 『제왕운기』에는 원대사(元代史)를 서술한 「금대기(今代紀)」 부분은 없었다.

한 것은 의아"[47]하다는 혹독한 평가를 받았다.

그러나 『제왕운기』, 「진정인표」에 따르면 그 이유를 가늠할 수 있다.

> 삼가 생각건대, 우리 주상 전하께는 주(周)나라에 견주어도 성대하고 탕(湯) 임금에 비길 만한 덕이 있습니다. 천제(天帝)의 누이를 왕비로 삼으셨으니 일찍이 이처럼 삼한에서 인재가 모인 것을 본 적이 있으십니까? 실로 백대에 듣기 어려움이며 만대에 나오기 어려운 인재가 한 시대에 모였습니다.[48]

위의 구절은 이 시가 바로 응제시임을 밝혀 주는 내용이다. 자신의 임금을 요순보다 높이고, 우리 임금의 시대가 성대(聖代)라고 칭송하는 것이 바로 응제시의 논리인 것이다. 초고본 『제왕운기』에서는 앞에서 인용한 원대사(元代史) 부분은 빠져 있었던 것 같다. 처음 충렬왕에게 이 원고를 올릴 때에는 없었던 위의 원대사 부분이, 책으로 출판되는 과정에서 추가로 삽입 보완되었던 것 같다. 아마 왕명으로 보완·산삭되었을 개연성이 크다고 하겠다. 하지만 이 부분이 처음부터 기술되었더라도 응제시의 관점에서 보면 큰 문제는 없다.

••••

47 장을병, 2013, 「이승휴의 제왕운기와 중국의 동북공정」, 『이승휴의 사상과 역사의식』, 강원전통문화연구소 편, 역사공간, 477쪽.

48 『帝王韻紀』, 「進呈引表」, 〈…臣承休誠惶誠恐頓首頓首 恭惟我主上殿下 於周爲盛 于湯有光 天妹爲妃 夫豈三韓曾見龍樓成集 實惟百代難聞 萬世奇逢 一時鍾在〉.

IV. 맺음말

지금까지 『제왕운기』 연구는 역사적 측면, 민족사적 측면에 논의가 집중되었던 반면에 순수문학적 가치의 해명에서는 상대적으로 부족했다. 아울러 몇 권의 『제왕운기』에 대한 번역서 및 주석서가 출간되었으나 보다 상세한 주석과 정치한 번역이 필요한 것도 사실이다.

지금까지 필자가 응제시(應製詩)의 관점에서 본 이승휴의 『제왕운기』와 그의 역사인식에 대해 논의했던 내용을 정리하면 다음과 같다.

이승휴는 『제왕운기』의 집필 동기와 취지에서는 이규보의 「동명왕편」, 「개원천보영사시」의 영향도 받았지만, 형식적 측면에서는 오세문의 「역대가」의 영향을 주로 받았다. 이 「역대가」의 창작 연대는 1219년으로 추정되며 이후 무수히 집필되는 역대가류 시가의 효시가 되었다. 『제왕운기』는 이규보의 「동명왕편」, 「개원천보영사시」와 오세문의 「역대가」의 영향과 저자 이승휴의 원(元)나라 사행 체험 등으로 인해 자연스럽게 역대가류의 대표작으로 탄생할 수 있었다.

『제왕운기』는 많은 공적에도 불구하고 연구 초기부터 민족서사시의 관점에서 연구가 집중되면서, 민족의식의 훼손, 민족의식의 퇴영 등의 비난과 폄하를 집중적으로 받아 왔다. 그러나 이제 『제왕운기』는 새로운 관점에서도 연구되어야 한다.

지금까지는 『제왕운기』가 충렬왕에게 올린 일종의 응제시라는 점이 철저하게 간과되었다. 응제시 즉 관각문학은 왕실을 주제로 노래한 시문을 의미하고, 이는 이후 조선의 사대부들에게는 일상적인 상식이 되었다. 특히 권근이 명 태조의 명에 따라 지은 「응제시」는 이런 상황을 구체적으로 확인시켜 주었다.

「본조군왕세계연대」와 충렬왕 대를 노래한 「금대기(今代紀)」는 전형적인 응제시이다. 응제시는 왕의 하명(下命)에 의해 지어진 시와 왕실을 주제로 노래한 시문이므로 시어가 황은, 청사, 가악, 부귀처럼 화려하고 장엄하고 부섬한 것이 특징이며, 왕실에 대한 찬양과 칭찬이 그 주조(主調)이다.

또 이승휴는 복위된 고려 원종(元宗)이 주도하던 결혼정책, 즉 태자[충렬왕]가 원나라 공주와 혼인하는 일을 막후에서 직접 도왔고, 이 국혼은 고려 왕실의 유지에 절체절명인 정치적 현안이었던 만큼, 그가 「금대기」에서 원(元) 공주의 하가(下嫁)와 부마, 외손의 탄생 등을 칭송하고 찬송한 것을 두고 민족의식의 폄훼로 보는 것은 합리적이지 못하다. 『제왕운기』는 단군 중심의 민족의 정통성, 중국 문화에 대한 자국 문화에 대한 독자성을 분명하게 제시하였고, 원(元) 공주의 하가와 부마, 외손의 탄생 등의 칭송은 세계 대제국 몽고에 적극적으로 대항하지 않음으로써 고려를 존속시키기 위한 문학적, 정치적 표현으로 보아야 할 것이다.

『제왕운기』를 민족서사시라는 관점에서만 보면 적극적인 비판도 가능하지만, 이승휴는 고려 왕실에 충성하던 당대의 대표적인 사대부였다는 점도 충분히 고려되어야 한다. 당시 고려는 원나라의 속국이었다. 아울러 『제왕운기』는 「동명왕편」처럼 스스로 짓고 향유한 시가 아니라 충렬왕에게 직접 올린 시였던 만큼, 서사시적 특성 외에도 응제시의 성격도 충분히 가지고 있음이 고려되어야 할 것이다. 이런 점들은 이승휴와 권근은 물론 조선시대의 여러 문사들의 응제시 및 관각시가 공유하는 부분이다.

또한 「진정인표」 등에서 확인할 수 있듯이 초고본 『제왕운기』가 초간, 중간되는 과정에서 상권의 원대사(元代史) 등이 삽입되었다는 주장처럼, 출판 도중에 초간본 내용이 외부적인 힘에 의해 변이되었을 가능성도 충분히 고려해야 할 것이다.

이런 점에서 필자는 『제왕운기』가 민족의식을 훼손했다는 기존의 평가들은 재고되어야 한다고 생각한다. 『제왕운기』의 「동국군왕개국연대」 등에서는 민족의식을 집중적으로 읽어 낼 수 있지만, 「본조군왕세계연대」는 응제시의 성격이 분명한 글이다. 따라서 『제왕운기』는 민족서사시, 영사시라는 일방적 평가를 넘어서서 뛰어난 응제시(應製詩)로도 평가되고 이해되어야 할 것이다.

참고문헌

1. 史料

李圭景, 『五洲衍文長箋散稿』.

李奎報, 『東國李相國全集』.

李德懋, 『靑莊館全書』.

李承休, 『賓王錄』.

李承休 著, 李衍宗 編輯, 『動安居士文集』.

『高麗史』.

『高麗史節要』.

『古文眞寶』.

『三國遺事』.

2. 논저·보고서

강석근, 1987, 「이승휴의 시문학 고찰」, 『동악어문론집』 22집, 동악어문학회.

______, 2002, 「이승휴의 시문학」, 『한국불교시연구』, 이회문화사.

______, 「고려시대 역사시의 전통과 이승휴의 제왕운기」, 《이승휴의 문학과 역사, 어떻게 계승할 것인가?》, (사)동안이승휴사상선양회, 2016년 11월 4일, 삼척문화원 대강당.

______, 2017, 「응제시(應製詩)의 관점에서 살펴본 제왕운기와 이승휴의 역사인식」, 『한국사상과문화』 98집, 한국사상과문화학회.

강원전통문화연구소 편, 2013, 『이승휴의 사상과 역사의식』, 역사공간.

김건곤, 1999, 『고려시대 역사시 연구』, 한국정신문화연구원.

김경수, 1999, 『제왕운기』, 역락.

김성언, 1989, 「한국 관각시 연구」, 서울대학교 대학원 박사학위논문.

김영태, 1976, 「삼국유사에 보이는 일연의 역사의식에 대하여」, 『한국의 역사인식』 상, 창작과비평사.

김철준, 1976, 「몽고압제하의 고려사학의 동향」, 『고고미술』 129·130 합집, 한국미술사학회.
박두포, 1967, 「제왕운기 소고」, 『청구공업전문학교논문집』 4집, 청구공업전문학교.
박천규, 1983, 「권양촌(權陽村)의 응제시와 대명외교」, 『한문학논집』 1권, 근역한문학회.
백철·이병기, 1979, 『국문학전사』, 신구문화사.
변동명, 2000, 「이승휴의 제왕운기 찬술과 그 사서로서의 성격」, 『이승휴 연구논총』, 삼척시.
손정인, 1988, 「이승휴의 제왕운기에 대한 이해」, 『한민족어문학』 15집, 한민족어문학회.
신복호, 2003, 「18세기 관각문학연구」, 고려대학교 대학원 박사학위논문.
유경아, 1986, 「이승휴의 생애와 역사인식」, 『고려사의 제 문제』, 삼영사.
윤은숙, 2013, 「대원사행을 통해 본 이승휴의 현실인식」, 강원전통문화연구소 편, 『이승휴의 사상과 역사의식』, 역사공간.
이병주, 1985, 『고전의 산책』, 민족문화문고간행회.
이승휴 저, 2010, 『제왕운기』, 배재홍 역, 강원전통문화연구소·(사)동안이승휴사상선양회, 역사공간.
이우성, 1962, 「고려중기의 민족서사시」, 『성균관대학교논문집』 7집, 성균관대학교.
이종건, 1983, 「서거정의 응제시고」, 『논문집』, 마산대학교.
이종문, 1999, 「제왕운기 원전에 대한 몇 가지 의문점」, 김건곤·이종문 외, 『고려시대 역사시 연구』, 한국정신문화연구원.
이형우, 2013, 「13세기 고려지식인 이승휴의 대원인식」, 강원전통문화연구소 편, 『이승휴의 사상과 역사의식』, 역사공간.
장덕순, 1960, 『국문학통론』, 신구문화사.
장을병, 2008, 『이승휴의 삶과 정치활동』, 경인문화사.
조동일, 2003, 『한국문학통사』 2, 3판, 지식산업사.
차장섭 외, 2010, 『민족의 역사가 이승휴 제왕운기를 쓰다』, 강원전통문화연구소·(사)동안이승휴사상선양회, 역사공간.

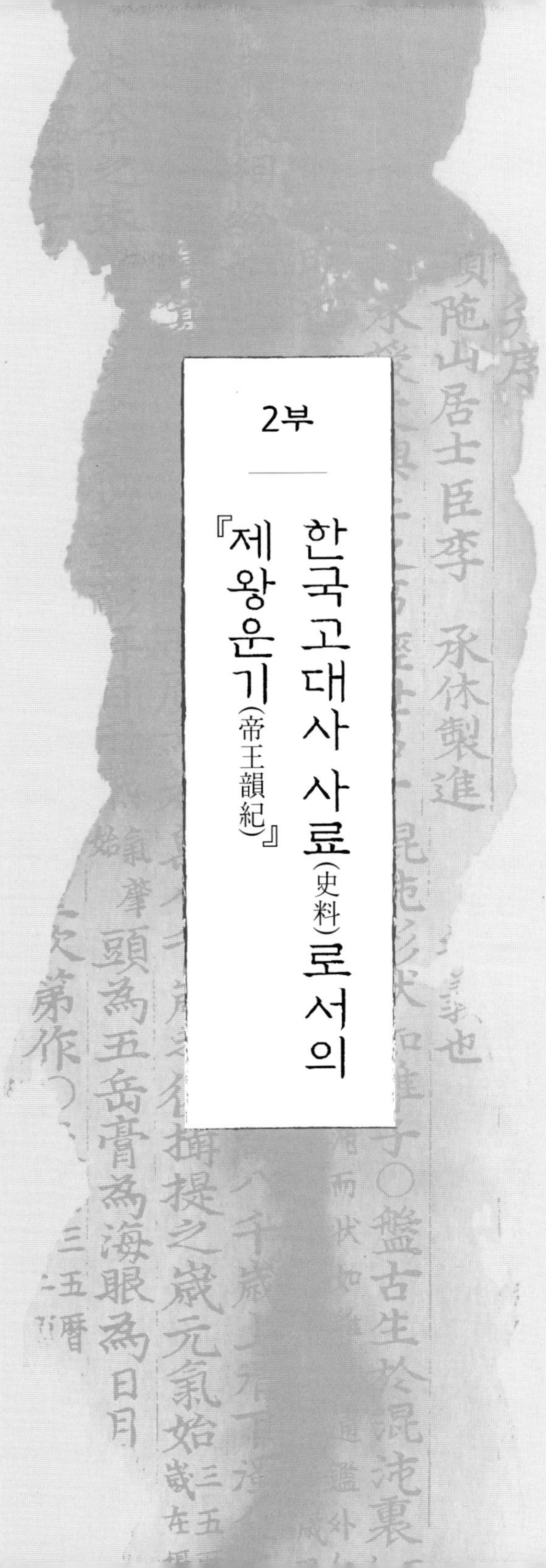

2부

한국고대사 사료(史料)로서의 『제왕운기(帝王韻紀)』

한국고대사 사료(史料)로서의 『제왕운기(帝王韻紀)』

신종원
한국학중앙연구원
명예교수

덧붙임

- 이 논문은 『한국사학사학보』 34호(2016년 12월)에 실린 필자의 다음 글을 수정·보완하여 재수록하였음.
- 신종원, 2016, 「고대사 사료로서의 《제왕운기》」, 『한국사학사학보』 34호, 한국사학사학회.
- 『제왕운기』·『삼국유사』 등 사서의 원주는 별도 표기 없이 본문보다 글자크기를 작게하여 구별할 수 있도록 하였음.

I. 머리말

이승휴(1224~1300)와 『제왕운기』에 대한 사론이나 사학사적 연구는 선배학자들이 많이 해 놓았다. 하지만 기왕의 주제에 대해서도 의견을 달리할 수 있으며, 기존 학설에 공감하더라도 새로운 자료를 찾을 수 있고, 더 깊이 있게 고찰할 수 있다. 이 글은 필자가 『제왕운기』 하권(下卷)을 읽으면서 마주친 몇 가지 낱말이나 글월에 대해 그 사료적 가치를 조명해 보려는 것이다.[1] 요컨대 이승휴와 『제왕운기』에 대한 미시적 연구가 필요한 시점이 되었다.

『제왕운기』 하권은 우리나라 역대 왕조의 정통성을 시문(詩文)으로 엮어 놓았기 때문에 고증적 측면에서는 『삼국유사』보다 자세하지 못한[2] 것이 사실이다. 분량 면에서도 『제왕운기』는 『삼국유사』에 훨씬 못 미친다. 그렇지만 개별 항목이나 사단(事端)에 따라서는 그 반대의 경우도 없지 않다. 무엇보다 단기[檀君紀元]가 중국의 요(堯)임금과 같은 무진년 즉 기원

••••

1 이후 달리 출전을 써 놓지 않은 것은 『제왕운기』 하권을 말한다.

2 박인호, 2009, 「제왕운기에 나타난 이승휴의 역사지리인식」, 『조선사연구』 18, 조선사연구회, 2013(재수록), 『이승휴의 사상과 역사인식』, 강원전통문화연구소, 역사공간, 337쪽.

전 2333년이라고 명시한 최초의 서적이다.

이 글은 선구 업적들에 비하면 이삭줍기에 지나지 않겠지만, 이런 연구가 거듭 쌓여 『제왕운기』에 대한 더 풍부하고 자세한 주석서(註釋書)가 나온다면 글쓴이의 자그마한 보람이 될 것이다.

II. 이승휴가 적어 놓은 사료들

1. 환인(桓因)=상제(上帝)

지금 유통되고 있는 『삼국유사』 원본은 중종임신본(中宗壬申本: 正德本, 1512)이다. 이 책의 「고조선」 조에는 다음과 같이 나온다.

「고기」에 이르되, 옛날에 桓国제석(帝釋)을 말한다. 이 있었다.[3]

'国'이 '國'의 속자(俗字)이므로 이를 환국(桓國)으로 인쇄하여[4] 일부 조선시대 학자들은 물론, 오늘날에도 단군 이전에 나라가 있었다는 식으로 주장을 하는 이들이 있다.[5] 제석(帝釋)은 불교의 호법신으로서 수미산 꼭대기의 도리천에 좌정하고 있다. 『묘법연화경』 등에 나오는 석제환인(釋

••••

3 『三國遺事』, 「古朝鮮」, 〈古記云 昔有桓国(謂帝釋也)〉.

4 활자책으로는 1904년의 東京帝大本이 처음이다.

5 国·因이라 인쇄한 여러 판본 및 이 글자를 두고 벌인 논쟁에 대해서는 서영대, 2016, 「삼국유사 고조선조의 '昔有桓国' 문제」, 『한국문화』, 서울대학교에 자세하게 실려 있다.

帝桓因: 釋迦帝桓因陀羅)의 다른 이름이다. 설령 '桓○'의 뒷글자를 모른다 해도 "제석을 말한다"는 주석에서 힌트를 얻어, 이 글자는 환인(桓因)일 것이라고 이해할 수 있으며, 실제 근대의 활자로는 그렇게 출판되어 있다. 다만, 환인 단독으로 제석을 가리키는 경우는 없으므로, 안정복이 『동사강목』에서[6] 지적했던 것처럼, 이러한 주석은 지나치게 불교에 기울어진 해석이다.

'桓' 뒤에 적힌 문제의 글자가 '因'이라는 방증은 이 외에도 여럿 있다. 먼저 중종임신본보다 앞서 조선 초기에 간행된 『삼국유사』에는 '囯'으로 적혀 있었던 것인지, 일찍부터 그렇게 필사한 석남(石南, 송석하의 아호)본이 있다. 그런데 2015년에 파른(손보기의 아호)본이 공개되면서, 거기에 쓰인 '囯'은 '因'을 달리 쓴 글자[異體字]임이 밝혀졌다.[7] 즉, '桓国'의 '国'은 '囯(因)'을 잘못 쓴 것이다. 이후 고려대장경을 통해서도 고려시대에 '因' 자를 '囯'으로 쓰기도 했음이 확인되었다.[8] 이렇게 선조들이 원래 분명히 '환국'이 아니라 '환인'이라고 썼다는 것은 『삼국유사』[9]보다 먼저 1295~1296년 사이에 간행된 이승휴의 『제왕운기』[10]에서 볼 수 있다.

••••

6 『東史綱目』, 按說, 〈其所稱桓因帝釋 出於法華經 其他所稱 皆是僧談 羅麗之代 尊崇異敎 故其弊至此矣〉.

7 네모 테두리 속의 '士'에 가까운 글자는 '大'를 흘려 쓸 때 나타나는 글꼴이다. 하일식, 2013, 「삼국유사 파른본과 임신본의 비교 연구」, 『동방학지』 162, 국학연구원.

8 조경철, 2016, 「단군신화의 환인 환국 논쟁과 판본 검토」, 『한국고대사탐구』 23, 한국고대사탐구학회.

9 全卷을 일연이 썼다고 보면 집필을 마친 연도는 그가 國尊이 된 충렬왕 9년(1284)에서 입적한 해인 1289년 사이가 된다. 하지만 간행은 나중의 일이다.

10 1287년에 충렬왕에게 바침. 현존 판본은 1360년, 1417년의 것으로서 둘 다 경주에서 판각되었다. 誠巖學人, 1989, 「제왕운기 최고본에 대하여」, 『한국학연구』 36, 한국학연구소, 21~24쪽.

처음에 누가 천지를 열어 나라를 세웠던고,

석제의 손자 이름은 단군일세. 상제환인에게 서자가 있는데 '웅'이라고 한다.[11]

…

그 조화는 환인이 전한 일 아니랴.[12]

『제왕운기』는 환인의 글자 문제를 해결해 주었을 뿐 아니라 환인이란 불교의 제석천이 아니라 '上帝'로서 우리말[고유어]의 어떤 것임을 유권해석해 주었다.[13] 상제와 환인을 같이 놓는[等値] 것을 볼 때 이 상제는 중국인들 관념의 그것은 아니다. 중국의 상제는 '덕 있는 이[有德者]'에게 천명을 내려 천자로 옹립하지만 단군신화처럼 상제와 천자(王儉. 신종원 註)가 혈연적으로 연결되지는 않는다고 한다.[14]

환인이 제석천이 아니라면 무슨 뜻일까? '환'은 환하고 밝다는 의미, '인'은 존칭의 님이나 신 정도로 풀이하기도 한다.[15] 그러나 "환인은 하늘 혹은 하느님의 근원이 되는 무슨 언어형태(語形)의 소리적음(寫音)"이라는 해설이[16] 더 설득력 있어 보인다. 불교/한자 용어를 빌려 자신들의 고유

••••

11 『帝王韻紀』, 〈初誰開國啓風雲 釋帝之孫名檀君(上帝桓因有庶子曰雄云云)〉.

12 『帝王韻紀』, 〈無奈變化傳桓因〉.

13 權擥의 『應制詩註』(1462)에도 "古記云 上帝桓因有庶子曰雄"이라 하였다. 이것은 "제석신앙이 이렇게 유행하게 된 배경에는 제석천이 불교수용 이전 원래 갖고 있었던 天의 개념과 일맥상통하는 면이 있기 때문"이다(조경철, 2005, 「단군신화의 불교적 세계관」, 『삼국유사 기이편의 연구』, 한국학중앙연구원, 105쪽).

14 서영대, 2000, 「신화 속의 단군」, 『한국사시민강좌』 27, 일조각, 29쪽.

15 서영대, 2016, 「삼국유사 고조선조의 '昔有桓囯' 문제」, 『한국문화』, 서울대학교.

16 최남선, 檀君古記箋釋, 『사상계』, 1954년 2월호, 국민사상연구원; 김택규 외, 1982, 『한국민속연구논문선』 2, 일조각, 160쪽. 조경철의 「단군신화의 불교적 세계관」도 같은 견해다.

어 하느(하늘, 한울)님을 제석·석제라고 썼지만, 불교의 그것으로 오해/혼동되는 것을 사전에 막으려고 주석을 달아 준 것이다. 그것은 오늘날 민속의 '제석'신앙이 각종 천신을 뜻하는 이름에 지나지 않는[17] 것과 마찬가지다. 우리 문자[한글]가 없던 시절에 선조들은 한자 용어를 빌려 쓸 수밖에 없었는데, 이와 유사하게 『삼국유사』「가락국기」에서는 천신을 '皇天'이라 하였다.

환인에 대한 관념이나 제의(祭儀)의 실제를 우리는 일연이나 이승휴 시대의 참성단 제사에서 유추할 수 있다. 아래 논평을 보도록 하자.

> 나라의 고사(故事)에서는 궐정(闕庭)에서 왕왕 천지와 경내의 산천을 두루 제사 지내는 것을 초(醮)라고 하는 『고려사』의 규정에도 불구하고 그 중심 대상이 별을 위주로 하는 천신이라고 할 때, 『삼국유사』에서 환인을 제석으로 주석하고 있음은 고려시대의 제석신앙과 관련하여 검토할 만하다.[18]

2. 환인(桓因)과 환웅(桓雄)·단웅(檀雄)

하늘·한울을 소리적기[音寫]하여 '桓因'이라 했다고 풀이할 때 걸리는 문제는 '환웅'의 뜻과 소리를 어떻게 보느냐이다. 고대의 정확한 소릿값[音價]은 알 수 없지만, 필자가 보기에는 '환웅'도 발음상 '환인'에 못지않게

17 민병근, 2012(갱신), 「제석주머니」, 『한국민속신앙사전』(누리망), 국립민속박물관.
18 김성환, 2015, 「고려 원종의 마리산참성 親醮와 단군」, 『민족문화논총』 59, 영남대학교, 28쪽.

'하늘'에 가깝다. 그렇다면 단군의 아버지, 할아버지 모두 하늘(님)=천신이 되므로 그들 사이의 부자(父子) 관계가 불안정해진다. 비로소 발상의 전환이 요구되는 시점인데, 혹시 탄생의 씨앗/원인이 되는 이에게 '因' 자(字)를 씌운 것은 아닐까?[19]

환인[상제(上帝)]이 몸소 생명의 탄생에 주인공 역할을 하는 것은 체신에 어울리지 않는다. 애초 같은 하늘이었지만 두 번째 신격(神格)에게 수컷 '雄' 자가 붙여진 이유다. 그가 생명을 만들려면 점지/창조를 해야 하는데 그것은 아버지 환인이 행사하신 것이다. 그래서인지 생식 원리에 의한 인간 탄생의 절차가 베풀어졌고, 그 배역(配役)은 남신(男神) 환웅이 맡았다. 이렇게 태어난 인간 세상의 왕(검)[王(儉)]이 단군이라는 세 세대의 수직적 서사 구조는 그대로 완결형같이 보인다. 그렇지만 환인과 환웅의 경계가 모호한 것은 그들의 이름 자체가 애초 하늘/한울이었기 때문은 아닐까? 단군신화에 이런 취약점이 있음은 현대의 역사가도 토로하는 바이다.

> 제석인 환인이나 사천왕인 환웅이나 인간 세계의 임금인 단군도 모두 기본적으로 산신(山神)의 성격을 갖고 있다고 볼 수 있다. 환웅이 태백산 신단수에 내려온 것이나 단군이 아사달에 들어가 산신이 되었다고 한 것은 모두 그러한 맥락으로 볼 수 있다.[20]

••••

19 '因' 자도 소리적기의 한 유형에 지나지 않는다는 견해는 雪巖秋鵬의 妙香山誌(1988, 『한국불교전서』 3, 동국대학교, 261쪽)에서는 환인을 '桓仁'이라고 했다는 것에서도 확인할 수 있다.

20 조경철, 2005, 「단군신화의 불교적 세계관」, 『삼국유사 기이편의 연구』, 한국학중앙연구원, 111쪽.

이렇게 된 원초적 원인은 높은 산과 하늘 사이의 경계가 모호하기 때문이며, 천신에 대한 제사도 산에 올라가 지낼 수밖에 없는 이치다. 그래서 "재천(在天)에 천왕이오, 하산(下山)에 산왕(山王)"이라는[21] 말이 있다. 우리 겨레는 천신에게 달리 이름을 붙이거나 인격화하지 않았기 때문에 천신은 산신과 그리 이질적이지 않다. 산신이 곧 천신이라는 것은 지금 살펴보고 있는 『제왕운기』만 보더라도 하늘에서 내려온 환웅[단웅]천왕뿐 아니라, '구룡산 천왕', '지리산 천왕' 등도 모두 산에 사는 천왕이라는 것에서 알 수 있다. 기실 두 신격(神格)이란 것도 인간들의 생각과 편의에 따라 만들어진 것이기 때문에 이들 사이의 같고 다름 또한 헤아리기 나름이다. 단군은 환인의 손자이기도 하지만 『제왕운기』에 따르면 '(환인/단웅의) 손녀'의 아들이므로 환인의 4대손(代孫)이라든가 5대손이라든가 하는 논의도[22] 실재하지 않는 세대 계산에서 나온 혼란이므로 그리 큰 의미는 없다.

환웅을 『제왕운기』에서는 '단웅(檀雄)'이라 하였다. 아마도 환인·환웅의 '환(桓)'이 달리 의미가 없기 때문에 나무를 뜻하는 '단(檀)'으로 바꾸었다고 생각되는데, 이러한 예야말로 '환인'·'환웅'은 우리말의 소리적기일 것이라는 앞의 추정이 더욱 힘을 받는다. 한자로 표기한 이들 두 신(인)명[神(人)名]은 실은 발음도 같고 내용도 차이가 없기 때문에 환웅을 '단웅'

••••

21 김영수, 1939, 「智異山 聖母祠에 대하여」, 『진단학보』 11, 진단학회; 김영수, 1984, 「智異山 聖母祠에 대하여」, 『包光全集 한국불교사상논고』, 원광대학교출판부, 재수록, 466쪽.

22 딱히 누구의 손녀라고 못 박지 않았으므로 환인 또는 단웅의 손녀 둘 다 가능하다. 이에 대해서는 신종원, 2004a, 「단군신화에 보이는 나무신앙 및 역사인식」, 『삼국유사 새로 읽기』 1, 일지사, 58~60쪽에서 자세하게 다루었다.

으로 고침으로써 부자(父子)를 차별화하는 데 보탬이 되었다고 할 것이다. '환(桓)'보다 '단(檀)'을 선호하는 경향은 급기야 단웅의 선대(先代)까지 미쳐 환인도 단인(檀因)이 되기도 했다.[23] 단(檀)이 마치 성(姓)같이 쓰인 것이다. 『제왕운기』는 글자 '환(桓)'에 대하여 처음 고민한 책이다.

『제왕운기』와 『삼국유사』의 단군 기사는 차이가 나는데, 각기 다른 계통에 의거했기 때문일 것이다. 『제왕운기』가 「단군본기」를 인용한 데 반해 『삼국유사』 「고조선」 조는 「고기(古記)」를 소개하였다. 이승휴와 일연 두 역사가의 고려 전통사상에 대한 이해가 대조적이라는 것은 뒤에서 좀 더 논하겠다.

3. 호랑이의 복권(復權)

고려 태조 왕건의 가계를 『제왕운기』는 다음과 같이 노래한다.

> 성골장군의 손자는
> 똑똑하고 예쁜 따님과 혼인하여
> 경강(景康)을 낳았으니[24]

이어, 성골장군의 후손 호경(虎景)과 혼인한 사람은 호랑이가 변신한

••••

23 『世宗實錄』 卷40, 世宗 10年 6月 己未, 〈北壁檀雄天王 東壁檀因天王〉.

24 『帝王韻紀』, 〈聖骨將軍孫, 有女賢而美, 遂合生景康〉. 위 원문에 대한 기존의 번역은 문제가 있다. "성골 장군 손자 집에 / 아리따운 딸 있더니 / 서로 맺어 경강 낳다"(박두포 역, 1974), "성골 장군의 손자 집에 / 어질고 아리따운 딸 있었네"(김경수 역, 1999).

여인이라고 주석한다.

> 호랑이는 여자가 되어 말하기를, "나는 이 산에 혼자 살고 있는데, 그대와 더불어 신정(神政)하기를 원한다"라 하고 신(神)이 되었다.

이 이야기는 『고려사』에도 나온다.

> 먼저 산신에게 제사 지냈더니, 산신이 나타나 말하였다. "나는 과부로서 이 산의 주인이다. 다행히 장군[호경]을 만나 서로 부부의 인연을 맺고 함께 신정(神政)을 펼치고자, 그대를 이 산의 대왕으로 봉(封)하려 한다.[25]

다만, 산신이 어떻게 여인이 되었는지에 대한 설명이 없다. 이에 비해 『제왕운기』에는 호랑이가 변하여 여자로 되었다(虎變爲女曰)고 하여, 그 사이의 변화 과정을 밝히고 있다. 호랑이가 여인이 되어 혼인한 뒤 신성한 정치를 펼치는 대목은 시대와 짐승만 다를 뿐 『삼국유사』의 환웅과 곰 여인[熊女] 이야기나 진배없다. 이승휴, 더 정확히는 그가 인용한 「본기」에서는 단웅이 환인 손녀와 짝을 맺고 있는데 정작 손녀에 대한 설명은 없다. 『제왕운기』 (단군)「본기」의 서사(敍事)는 자신(自身) 환인과 아들 단웅이 펼치는 천지/나라 여는 마당에서 이 대목을 얼버무렸다. 하지만 눈 밝은 독자라면 오히려 고려왕조의 개국에서 여인 창조와 신성한 정치의 기제(機制, 메커니즘)를 읽어 낼 것이다.

••••

25 『高麗史』 卷1, 「高麗世系」.

『삼국유사』「고조선」 조에 인용된 신화에서는 사람이 되고자 하는 후보자로 곰과 호랑이 둘이 있었으나 곰만 뜻을 이루었다. 실은 '곰'과 '범'은 언어학적으로 둘 다 신(神)이었는데[26] 『삼국유사』에서는 탈락자[loser]였던 호랑이가 다행히 『제왕운기』에서는 의연히 뜻을 이루었음을 보여주고 있다. 『삼국유사』를 읽으면 곰과 호랑이는 영원한 적수[라이벌]인 듯하다. 그런데 우리 역사와 문화에서 곰=산신이 없는 것은 아니지만[27] 호랑이에 비해 곰은 열성(劣性)이자 소수(少數)에 지나지 않음은 그 흔한 산신도가 잘 말해 준다.[28] 따라서 곰이 아닌 호랑이를 신성화하고 고려 왕실의 계통과 결합시킨 『제왕운기』의 내용은 『삼국유사』 못지않은 중요성을 지닌다. 또 위에서 나오는 여성 산신에 대해서는 공주(公州) 계룡산의 중악단(中嶽壇) 산신제에서[29] 볼 수 있듯이 예전에는 여성 산신(山神)도 적지 않았음을 상기할 일이다. 드물기는 하지만 지금도 의정부시 쌍암사에서 호랑이를 깔고 앉은 할머니 돌상[石像]을 볼 수 있다.[30] 그 대상 시기가 상고시대와 고려시대라는 적지 않은 거리가 있음에도 사람되기

••••

26 박은용, 1980, 「계림유사의 '虎曰監'에 대하여」, 『자유』 8월호, 자유사; 신종원, 2004b, 「단군신화에 보이는 곰[熊]의 실체」, 『삼국유사 새로 읽기』 1, 일지사.

27 곰이 산신인 듯 보이는 기사로는 토함산(『삼국유사』, 「효선」, 〈大城孝二世父母 神文代〉)·기장산(『삼국유사』, 「신주」, 「혜통항룡」 조)이 그러하다. 신라에서 先農 제사터 熊殺谷(『삼국사기』 권32, 제사지)도 무언가 곰 숭배와 관련이 있어 보인다.

28 흔히 곰을 말할 때는 '미련함의 대명사'요, 이따금 재주도 잘 넘는다고 한다. 이에 비하여 호랑이의 거동은 '난다[飛虎]'고 한다. 범이 보이는 변화와 作爲는 운명(神)의 '造化'라고 한다. 김강산, 1988, 『虎食葬』, 태백문화원. 산신의 전반에 대해서는 다음 참조. 데이비드 메이슨, 2003, 『산신, 한국의 산신과 산악숭배의 전통』, 신동욱 역, 한림출판사; 신종원, 2016, 「한국의 산악숭배와 고대의 북한산」, 『北漢山城 연구 논문집』, 경기학연구센터.

29 공주시, 1997, 『계룡산 산신제 복원 조사보고서』.

30 신종원, 2016, 『삼국유사 깊이 읽기』, 주류성, 39쪽에 사진 실림.

[anthropomorphism]나 인류의 발생에 대한 한국인의 철학을 말해 주는 사료로서 두 역사책은 대등한 가치가 있다. 이 점에서 지금까지 『제왕운기』는 과소평가된 면이 없지 않다. 고려 왕실의 산신/호랑이기원설은 용손의식(龍孫意識)과[31] 함께 왕의 권위를 지탱해 주는 두 기둥이었다.

4. 고대적(古代的) 사유(思惟)와 수신(樹神)

환인을 '上帝'라 주석한 이승휴는 환인이 아들[庶子] 단웅(檀雄)을 태백산 꼭대기의 신단수(神檀樹) 아래로 내려보내어 인간들을 이롭게 하라 하였다고 적었다. 천지를 창조하는 즈음이므로 논리적으로 말하면 이때의 '인간'은 지상계(地上界)를 말한다. 아직 인간, 구체적으로는 단군을 낳아 줄 여인조차 없던 시절이다. 이 땅에는 환인의 아들도 있고, 곧이어 등장하는 손녀도 있다. 암수[남녀] 교접(交接) 즉 생식(生殖)을 통해 번식하는 세상이 아닌 천상의 세계에서는 세대(世代)의 차례도 큰 의미는 없다. 상제 환인/환웅은 아들과 맺어질 여인을 점지함에 '손녀'에게 약을 먹여 성사시켰다. 인류 최초의 혼인은 숙질(叔姪) 또는 조손간(祖孫間)에 맺어졌고, 거기서 낳은 아들 단군은 석제의 손자[釋帝之孫名檀君]라고 하였다. 글대로 읽으면 세대 사이의 뒤섞임이나 근친혼(近親婚)이라는 말썽이 생길 법하다.[32] 하지만 신화를 읽는 방법은 신계(神界)와 인간계(人間界)를 따로 볼 것

••••

31 이정란, 2014, 「고려 왕가의 龍孫意識과 왕권의 변동」, 『한국사학보』 55, 고려사학회.

32 신종원, 2004b, 「단군신화 연구의 여러 문제」, 『동북아시아 선사 및 고대사 연구의 방향』, 학연문화사, 74~77쪽에서 논한 바 있다.

이며, 서자(庶子)·손녀라는 것도 정확한 가족관계나 세대 간의 서차(序次)라기보다는 '그 집 아들' 내지는 '후손들' 정도로 보인다. 여기서 우리는 유가적(儒家的) 친족 윤리 같은 데 매이지 않았던 고대적 사유를 볼 일이다.

또 하나의 고대적 사유를 꼽으라면 나무신앙이다. 어느 가문의 조상이 특정 나무 내지는 그 정령이라는 믿음을 말한다. 마을의 친족공동체에서 이런 나무를 '당나무'라고 하여 섬기고 보살피는 풍습은 오늘날까지 이어지고 있다. 단군도 본래는 단수(신)[檀樹(神)]로부터 태어났다. 쉽게 말하면 나무신(神)이 조화(造化)를 부린 것이다. 하지만 이런 (근)본에 대한 설명[풀이] 즉 '본풀이'가 충분치 않았는지 여인을 단웅의 배우자로 다시 설정하게 된다.

드디어 인간 세상에 처음 탄생한 단군은 일천여 년을 다스리다가 아사달이라는 산에 들어가 신이 되었으니 곧 산신이다. 아버지와 아들이 신(神)인 마당에 그 중간의 아들/아버지도 신(神)으로서 단웅천왕이라고 했다. 그는 단수신(檀樹神)이므로 단웅(檀雄)이며, 자신의 아들 단군(檀君)처럼 이름 앞글자는 '단(檀)'이다. 『삼국유사』의 「고기(古記)」에서는 단웅을 환웅(桓雄)이라 하였으니 세대를 거슬러 올라가서 환인에 비추어 보면 환(桓)이 성(姓)같이 보인다. 결국 이 신화에 등장하는 두 번째 세대의 이름은 그 아버지나 아들 이름을 참작하여 나온 것이다. 하지만 앞에서 논했듯이 그 존재의 당위성이 의심스럽다. 상제(上帝)에서 바로 인간 세상의 단군이 생겨났다고 말하면 그 격차와 충격이 듣는 이에게 만만치 않을 것이다. 이 때문에 탄생 메커니즘 속에서 생식설을 채용하여 3대를 꾸몄다고 이해된다.

다음 문제는 '神檀樹'·'檀君' 또는 '神壇樹'·'壇君'으로도 쓰는 '단'이라는 글자다. 신수(神樹, 당나무)가 있는 곳에는 어떤 형태로든 제단(祭壇)이 있다. 그러므로 '신성한 제단의 나무' '神壇樹'는 그 직역(直譯)으로서 필요충분조건을 갖추었다. 그런데도 나무를 의식해서인지 『제왕운기』나 『세종실록지리지』를 비롯하여 지금도 단군/단기를 쓸 때 나무 '木' 변을 쓰고 있다. 그런데 고려 후기에도 그랬겠지만 상고시대로 올라갈수록 겹말[同語反覆]은 쓰지 않았다. 즉, '(神)檀'에 '樹'는 군더더기다. 소나무를 '松樹', 잣나무를 '栢樹'라고 쓰지 않는 것과 같은 이치다. 하나 더 강조할 사항은 우리 역사와 문화에서 박달나무가 신성시된 적은 없다.[33]

단군신화 제의(祭儀)의 무대가 나무 밑[壇樹下]/수풀[神市]일[34] 뿐만 아니라 제단[神壇]이기도 함은 강화도의 참성단(塹城壇)에서도 엿볼 수 있다. 이승휴나 일연이 우리 역사의 시작을 단군에서부터 비롯된 것으로 보게 된 계기는, 고려 원종(元宗)이 강화도 마니산 참성단에서 친히 제사 지낸 초제(醮祭)를 견문한 데 있다고 한다. 이를 계기로 원종의 참성단 친제(親祭)는 곧 단군이 신단(神壇)에서 행한 신정(神政)을 재현한 것으로 보았다.[35]

신정은 혼자 하는 것이 아니다. 환인이 우주의 주재신(主宰神)임에 반해 그 아들 단웅은 태백산 신[太白山神]이다. 이들 천상의 신 상제(上帝)와 지상의 신 천왕 사이에는 위계상으로 엄정한 구별이 있다. 또 그 아래

••••

33 신종원, 2003, 「단군신화에 보이는 수목신앙」, 『한국사학사학보』 8, 한국사학사학회. 虎神 및 나무신앙에 대해서는 신종원, 2007, 「제왕운기와 단군신화」, 『이승휴의 제왕운기와 동북공정』, 강원대학교 삼척캠퍼스 심포지움에서 재론한 바 있다.

34 '神市'는 '신시' 즉 저잣거리[市場]나 市井이 아니라 '신불'로 읽어 '신성한 수풀' 즉 '祭堂의 情景'이라고 필자는 주장한 바 있다. 신종원, 2004a, 「단군신화에 보이는 나무신앙 및 역사인식」, 『삼국유사 새로 읽기』 1, 일지사, 55~56쪽.

35 김성환, 2015, 「고려 원종의 마리산참성 親醮와 단군」, 『민속문화논총』 59, 영남대학교.

3천여 신(神)은 '귀(鬼)'라 하였다.[36] 『삼국유사』에서는 이들을 풍백(風伯)·우사(雨師)·운사(雲師)라 하여 적당히 존호를 붙였지만, 이들이 천왕보다 아래 단계의 신(神)임은 말할 나위 없다.

5. 준왕 금마군으로 옮겨 살다

기자조선의 마지막 임금 준왕이 위만(衛滿)의 침공을 받아 한강 이남으로 도읍을 옮긴 지역이 금마군이라는 말은 『제왕운기』에 처음 보인다.

> 41대 손자는 이름이 '준'으로서
> …
> 준왕은 금마군으로 옮기시어[37]

『고려사』에서 이를 이어받고, 조선시대의 지리지는 물론, 많은 지식인들이 이를 더욱 발전시켜서 삼한정통론(三韓正統論)으로 굳어졌다.[38] 기실 준왕의 망명처에 대한 언급은 고조선 멸망 뒤 350년이나 지나 편찬된 『잠부론』에서 '바다 가운데(海中)'라 했던 것이 얼마 뒤 『삼국지』에서는 '한 땅(韓地)'으로 변하였다. 이를 다시 5세기 전반의 『후한서』에서는 '마한(馬韓)'이라 한 것이 13세기 말에 지어진 『제왕운기』에 이르러 마침내

••••

36 〈率鬼三千而降太白山頂〉.

37 『帝王韻紀』, 〈四十一代孫名準 … 準乃移居金馬郡〉.

38 김정배, 1976, 「준왕 및 진국과 '삼한정통론'의 제 문제」, 『한국사연구』 13, 한국사연구회.

‘금마군’이라는 구체적 땅이름으로 등장하였다. 이런 연고로 위 사료의 신빙성에 대해서는 유감스럽게도 그리 긍정적이지 않다. 기원전 1세기 초를 전후한 시기에는 아직 한반도 중·남부의 종족이나 지역 이름 ‘한(韓)’이 그렇게 뚜렷이 부각되지 않았다. 『위략』이나 『삼국지』의 한(韓) 관련 기사는 2~3세기 무렵에 추가한 내용이며, 준왕의 남천 기사 또한 나중에 추가한 내용이라는 것이 그 이유다.[39]

이와 상반되는 주장은 이러하다. 첫 번째 이유로, 익산 지역에서 출토, 발견되는 청동기가 고조선 유물과 상당히 근접한다. 둘째, 마한을 계승한 백제의 땅이름 가운데 ‘조선(朝鮮, 太守)’가 있어 문헌적으로도 이곳이 조선(준왕)의 역사를 계승하고 있다는 점이다.[40]

이승휴가 어떤 근거로 위의 준왕남천설을 단언했는지 현재로서는 알 수 없다. 다만 그것이 사실이라면, 고려 후기의 문인 관료가 ‘누설’한 천고(千古)의 기별치고는 놀랍다. 이승휴와 어울리던 인물 가운데 우리가 모르는 사람이 더 있는지, 혹시 이승휴가 금마군 쪽으로 여행이라도 간 사실이 알려진다면 무언가 실마리를 얻을지 모른다.

6. 낙화암(落花巖)

‘낙화암’이라 부르는 충청남도 부여 사적지의 원래 이름은 ‘타사암(墮

39 박대재, 2006, 『고대 한국 초기국가의 왕과 전쟁』, 경인문화사, 90쪽; 노태돈, 2015, 「준왕 남천설에 관한 문헌자료 검토」, 노태돈 편저, 『고조선과 익산』, 한국고대사학회.

40 조법종, 2015, 「준왕조선의 남래와 ‘일본’ 명칭의 기원」, 노태돈 편저, 『고조선과 익산』, 한국고대사학회.

死巖)'이다.[41] "떨어져 죽다"라는 처연하고도 직선적 표현보다는 "꽃이 떨어지다"라는 표현이 더 문학적이어서 그런지, 지금은 나중에 생긴 이름만이 행세한다. 이렇게 이름을 바꾼, 또는 바뀐 이름으로 처음 올라 있는 저작(著作)이 바로 『제왕운기』다.[42]

> 수많은 궁녀 맑은 물에 떨어지고
> 낙화암만 대왕포에 우뚝이 솟아 있다. 포(浦)는 왕이 늘 놀았기 때문에 얻은 이름이고, 바위는 궁녀들이 떨어져 죽어 생긴 이름이다. 신(臣)이 벼슬 나갔을 때 실제 거기서 놀았다.[43]

원문의 포(浦)는 곧 대왕포를 말하는데, 역사상의 대왕은 『삼국사기』 「백제본기」 5에서는 제30대 무왕이라 하였고, 『삼국유사』 「기이」, 「남부여·전백제」 조에서는 특정 왕을 지칭하지 않았다.[44] 세간에는 아직 이곡(李穀, 1298~1351)이 처음 '낙화암'이라고 썼다거나,[45] "낙화암은 이색의 부

••••

41 『三國遺事』, 「紀異」 第一, 「太宗春秋公」, "전하는 말에 의자왕과 후궁들이 떨어져 죽었다는 타사암이 있지만 왕은 당에서 죽었다".

42 다음 글에서 지적한 바 있다. 신종원, 2008, 「사료에 보이는 대왕신」, 『한국 대왕신앙의 역사와 현장』, 일지사, 20쪽.

43 『帝王韻紀』, 「紀異」 第一, 「太宗春秋公」, 〈幾多紅粉墮淸流 落花巖聳大王浦(浦以王常遊得名 岩以宮女墮死得名 臣因出按親遊其處)〉.

44 신종원, 2008, 「사료에 보이는 대왕신」, 『한국 대왕신앙의 역사와 현장』, 일지사, 17~20쪽.

45 이곡의 시에 "견고한 성곽이 하루아침에 와해되고, 천척 높은 바위 落花로 이름 짓다"라고 노래하였다(『한국지명유래집 충청편 지명』, 2010, 국토지리정보원). 『東文選』 卷7에 실린 「夫餘懷古」를 인용하였는데 원문은 "一旦金城如解瓦 千尺翠岩名落花"이다. 『연합뉴스』, 「세계유산 등재 앞둔 백제의 자취를 찾아서」, 2015년 06월 29일 자. "백마강이 내려다보이는 바위는 고려시대에 '떨어져 죽은 암석'이라는 뜻의 타사암으로 일컬어졌고, 고려 후기에 목은 이색의 아버

친인 이곡이 처음 낙화(落花)라 시를 쓴 기록이 있고, 낙화암이라고 바위 '암(岩)'자가 붙은 명칭은 이존오(1341~1371)의 시에서 처음 사용된다"[46]고 잘못 알고 있다.[47] 어떻든 (백마)강신[(白馬)江神]과 그 성소(聖所)를 일러 대왕(포)이라 하는데, 현재까지 추적한 바로는 이를 처음으로 백제 멸망 때의 사적과 연결하여 '스토리텔링' 한 작자는 바로 이승휴다.

7. 제(穄)=왕(王)

『제왕운기』에는 지리산 성모와 관련하여 눈에 띄는 사료가 있다.

> 성모 지리산 천왕이다.가 도선 스님을 시켰다더니
> 여기를 명당이라 일컫는구나.
> 이곳은 기장 심을 땅이라더니,
> 그래서 '왕(王)'으로 성씨 삼았네.항간에서 기장을 일러 왕이라 하니 왕조가 홍함을 말한 것이다.[48]

••••

지인 이곡에 의해 처음으로 낙화암으로 명명됐다."

46 청랑, "낙화암 & 詩 한 수", http://blog.naver.com/jan835/(검색일 : 2016년 11월 13일).

47 이곡의 『稼亭集』 卷5, 舟行記를 보면 "明日 至扶餘城落花岩下"라고도 하였다.

48 『帝王韻紀』, 〈聖母命詵師 (智異山天王也) / 指此明堂謂 / 斯謂種稊田 / 因以爲王氏 (俗號穄爲王 盖言興王業也)〉. 기존의 번역도 실어 둔다. "성지성모 도선 시켜 / 명당이라 일러 주며 / 제왕 기지 분명타니 / 이로써 왕성 삼다"(박두포 역, 1974, 193쪽); "穄의 소리가 임금 帝와 같으니까 하는 이야기가 아닌가 한다"(박두포 역, 1974, 195쪽); "성모가 도선 스님 시켜 /이를 가르쳐 명당이라 일렀네 / 이것이 제왕의 터전되니 / 인하여 왕으로 성을 삼았네"(김경수 역, 1999, 184쪽).

해석의 관건은 곡식 기장[피]과 왕의 관계다. 옛 백제 지역에서 간행한 『천자문』에는 왕(王)의 새김[訓]이 곧 기장이다. 『제왕운기』를 통해서 우리는 비로소 '기자조선'이 고대 중국의 성인 기자(箕子)와 무관함을 알게 된다.

王 긔ᄌᆞ왕 (光州刊本)

王 기ᄌᆞ왕(大東急記念文庫本)

백두산으로부터 곡영(鵠嶺)에 도착한 도선 스님이 고려 태조 왕건의 집터를 보더니 "기장을 심을 땅에 왜 삼[麻]을 심소?"라고 물었다. 시키는 대로 기장[穄]을 심었더니 기장[王]이 나왔다는 고사(故事)로서,[49] 이로써 '왕'을 고려 왕실의 성씨로 삼았다고 한다. 왕을 뜻하는 백제 말 '기장'은 고려 초기까지도 의연히 남아 있다가 점차 신라 말 '임금[尼師今]'에 밀려났다.[50]

8. 백두산에서 지리산까지

원래 고려 중기의 학자 김관의(金寬毅)의 『편년통록(編年通錄)』에 나오는 이야기지만 이승휴는 호경 장군에 대하여 다음과 같이 쓰고 있다.

••••

49 『高麗史』, 「高麗世系」.

50 이기문, 1982, 「백제어 연구와 관련된 몇 문제」, 『백제연구』, 충남대학교 백제연구소.

처음 백두산으로부터 아홉 사람을 거느리고 사냥놀이를 왔다가 마치고는 산굴 속에서 자는데 호랑이가 와서 울부짖으며 떠나지 않았다.

이후 고려 건국에까지 이어지는 이야기의 줄거리는 『편년통록』과 그리 차이가 없다. 이 점에서 『제왕운기』에서 주장하는 '신령한 국토 기운'은 『편년통록』과[51] 일맥상통한다. 백두산은 주변 산들의 시원(始源)이자 어른으로 나타난다. 고려시대에 백두산은 고려의 영토 바깥에 있지만, 서경 천도를 주장한 묘청(~ 1135)이 자신의 팔성당(八聖堂)에 '호국백두악태백선인실덕문수사리보살(護國白頭嶽太白仙人實德文殊舍利菩薩)'을 모신 이래 이인로(1152~1220)가 고려 산천의 백두산 연원설[52]을 말한 바 있다. 이승휴는 다시 백두산을 고려왕조의 발흥지로 부각시키고, 앞에서 보았듯이 지리산을 등장시켰다. 이렇게 이해한 산맥의 연결이 바로 후대의 백두대간이라 할 수 있다.[53] 단군을 우리 역사의 맨 앞에 놓고, 북방의 여러 나라와 삼한·삼국을 노래한 이승휴에게 고구려 영토는 더 이상 남의 땅이 아니며, 그 정기와 맥을 이어 온 고려 땅은 신성한 영토다. 그는 풍수지리설과 산신을 믿고 의지하였다. 이승휴는 유(儒)·불(佛)·도(道)의 삼교일치(三敎一致)를 추구하는 사상가라고 한다.[54] 맞는 말이지만 그것으로 충분하지 않다. 그에 더하여 이승휴는 화랑·풍류(風流)로 대표되는 문화

••••

51 이기동, 1992, 「김관의」, 『한국사시민강좌』 10, 일조각, 132쪽.

52 『破閑集』 卷上, "지리산은 백두산에서 시작하여 …".

53 申景濬(1712~1781)이 편찬한 것으로 알려진 『산경표』는 조선의 산맥[山經] 체계를 도표로 정리한 책이다. 표의 기재 양식은 상단에 白頭大幹, 14正脈을 표시하고 아래에 山·峰·嶺·峙 등의 위치와 分岐 관계를 기록하였다. 그리고 난외 상단에 註記로 소속 군현을 명기하였다.

54 변동명, 2000, 「이승휴」, 『한국사시민강좌』 27, 일조각, 137쪽.

전통 및 우리 땅 사랑[國土愛]이 남달랐다.

지리산 신을 성모(聖母)·천왕이라 처음 적은 사람도 이승휴인 모양이다. 아래 인용글은 방대·자세하고 정확하기로 이름난 관찬 지리지 『신증동국여지승람』 내용이다.

> 성모사(聖母祠). 사당 건물이 둘이다. 하나는 지리산 천왕봉 위에 있고, (또) 하나는 군(郡) 남쪽 엄천리에 있다. 고려 이승휴의 『제왕운기』에, 태조의 어머니는 위숙왕후라 하였다.[55]

앞 절에서 보았듯이 『제왕운기』에는 성모(聖母)=지리산 천왕이라고 명시하였다. 물론 지리산 주변에는 이전부터 그렇게 믿고 말하는 이가 많았겠지만, 기록에 보이기는 『제왕운기』가 처음이었을 것이므로 『신증동국여지승람』은 지리산 신의 '근본'을 『제왕운기』를 들어 등록하였다. 문제는 고려 건국을 노래하는 데 지리산 성모를 등장시킨 점이다. 여기서 왕을 낳은 '신성한 어머니' 즉 성모(聖母)는 태조의 어머니[母后]다. 『제왕운기』만 보면 '성모=지리산 천왕'은 '산신=자연신'으로 읽힌다. 그런데 왕을 점지한/심어 준 어머니는 곧 왕건의 어머니로서 『신증동국여지승람』에서 비로소 지리산 천왕의 실제 이름을 위숙왕후라고 해설해 주었다. 물론 출처만 적어 주었지 정확한 인용은 아니므로 그 근거를 찾는 일이 남았다. 자연신에서 인격신으로 발전하는 변화와 내용은 이렇게 두 고전을 아울러 보아야 한다.

••••

55 『新增東國輿地勝覽』 31, 「咸陽郡」, 「祠廟」.

9. 고구려의 건국연대

『제왕운기』는 삼국의 건국연대에 대해 『삼국사기』의 기년을 따르고 있다. 「고구려기」에 "세어 보니 모두 28 임금 / 705년 동안 태평성세 누리다가 / 그 뒤 231년 만에 / 나라 땅이 신라에 병합되었네"[56]라고 하여 고구려의 역사를 705년이라고 했는데, 고구려가 멸망한 668년을 기준으로 역산하면 기원전 37년에 해당된다. 그런데 「백제기」에 보면, "(온조왕이 건국한 해가 — 필자 註) 한나라 성제 홍가 3년 계묘년이다. 신라가 나라를 연지 40년, 고구려보다 19/90년 뒤다."[57]라고 하여 백제의 건국 시기를 기원전 18년으로 잡고 신라 건국 뒤 40년, 고구려 건국 뒤 19년으로 읽으면 달리 문제가 없다. 그런데 원문의 '十九' 위에 덧칠을 하여(그림 4-1) '九十'으로 읽힐 수도 있는데 실제로 국사편찬위원회의 한국사데이터베이스에서는 그렇게 읽었다(그림 4-2).

만약 90년으로 환산하면 고구려의 건국은 기원전 108년이 된다. 기원전 108년은 잘 알다시피 위만조선이 멸망한 해이다. 실제로 이를 '90년'으로 읽은 뒤,[58] 주몽의 고구려 이전에 원(proper)고구려 세력[句驪]이 있었다고 보는 학계 일각의 설을[59] 증명하는 자료로 보기도 한다. 원래 19/90

••••

56 『帝王韻紀』, 〈共計二十有八主, 七百五年題大平, 爾後二百三十一, 地爲羅人之所幷〉.

57 『帝王韻紀』, 〈漢成鴻嘉三癸卯(羅之四十年, 麗之九十年也)〉.

58 권은주, 2016, 「(김진광) '이승휴의 고구려·발해 인식'에 대한 토론문」, 『이승휴의 문학과 역사, 어떻게 계승할 것인가?』, (사)동안이승휴사상선양회, 69쪽.

59 이병도, 1976, 「玄菟郡考」, 『한국고대사연구』, 박영사, 161~168쪽; 지병목, 1987, 「고구려 성립과정고」, 『백산학보』 34, 66~70쪽; 여호규, 2014, 『고구려 초기 정치사 연구』, 신서원, 84~87쪽 및 140~141쪽.

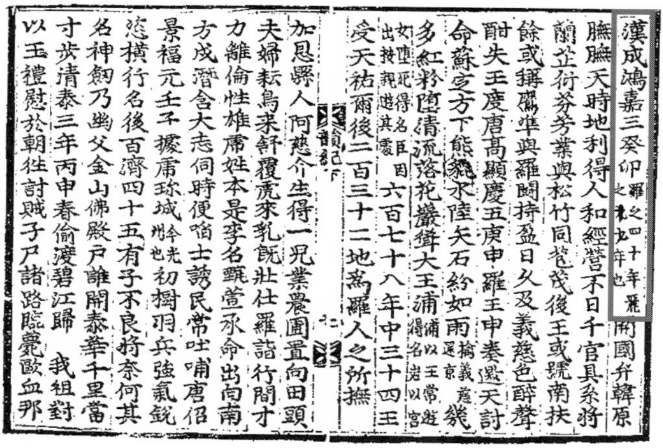

漢成鴻嘉三癸卯羅之四十年麗之九十年也開國弁韓原
膴膴天時地利得人和經營不日千官具系將
蘭芷衍芬芳業與松竹同苞茂後王或號南扶
餘或稱鷹準與羅鬪持盈日久及義慈色酔聲
酣失王度唐高顯慶五庚申羅王申奏邀天討
命蘇定方下熊貔水陸矢石紛如雨擒義慈還京幾
多紅粉墮清流落花巖聳大王浦浦以王常遊得名岩以宮
女墮死得名臣因出按親遊其處六百七十八年中三十四王
受天祐爾後二百三十二地爲羅人之所撫

加恩縣人阿慈介生得一兒業農圍置向田頭
夫婦耘鳥來飼覆虎來乳既壯仕羅詣行間才
力雖倫性雄廓姓本是李名甄萱承命出向南
方戍潛含大志伺時便陷士誘民常吐哺唐侶
景福元壬子據廓珎城今光州也初擲羽兵強氣銳
恣横行名後百濟四十五有子不良將奈何其
名神劍乃幽父金山佛殿户誰開泰華千里當
寸步清泰三年丙申春偷渡碧江歸 我祖對
以玉禮慰於朝往討賊子尸諸路臨龕歐血邪

[그림 4-1] 『제왕운기』 백제기

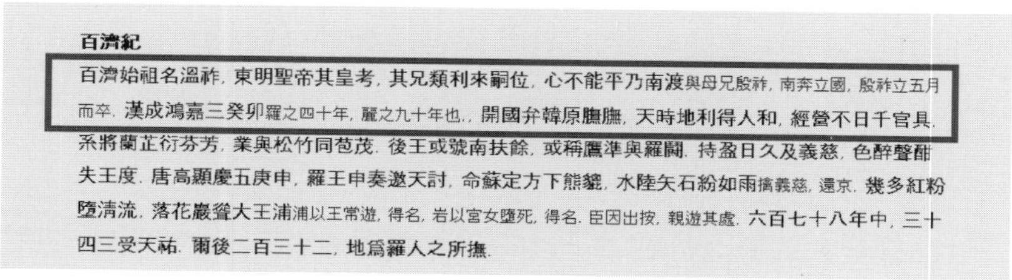

百濟紀

百濟始祖名溫祚, 東明聖帝其皇考, 其兄類利來嗣位, 心不能平乃南渡與母兄殷祚, 南奔立國, 殷祚立五月而卒. 漢成鴻嘉三癸卯羅之四十年, 麗之九十年也., 開國弁韓原膴膴, 天時地利得人和, 經營不日千官具, 系將蘭芷衍芬芳, 業與松竹同苞茂. 後王或號南扶餘, 或稱鷹準與羅鬪. 持盈日久及義慈, 色酔聲酣失王度. 唐高顯慶五庚申, 羅王申奏邀天討, 命蘇定方下熊貔, 水陸矢石紛如雨擒義慈, 還京, 幾多紅粉墮清流, 落花巖聳大王浦浦以王常遊, 得名, 岩以宮女墮死, 得名. 臣因出按, 親遊其處. 六百七十八年中, 三十四三受天祐. 爾後二百三十二, 地爲羅人之所撫.

[그림 4-2] 국사편찬위원회 한국사데이터베이스 고려사료 『제왕운기』

가운데 어느 쪽으로 새겼는지, 덧칠을 한 의도는 무엇인지 궁금하지만, 더 이상은 알 수 없다. 만약 '90년'이 맞다면 『제왕운기』는 고려시대에 이미 고구려의 건국기년에 대한 두 가지 설이 있었음을 보여 주는 자료가 된다. 그런데 『제왕운기』가 『삼국사기』의 기년을 따르고 있는 만큼 90년설이 저자 이승휴의 인식이라고 보기는 어렵다. 어떻든 이는 '고구려의 고조선 계승' 인식이다.[60]

10. 설총과 이두문자

『삼국사기』나 『삼국유사』에는 신라의 설총이 유교 경전을 국어로 해석하여 후배를 지도했다는 기록만 있으므로, 그는 이두를 집대성하였지만 창시(創始)한 것은 아니라는 견해가 종래 정설로 통용되었다. 그런데 비슷한 시기에 나온 저술 『제왕운기』를 보면 이두는 설총이 창시했다고 분명히 적고 있다.

> 큰 선비 설총이 이두를 만들어서, 세속 말과 우리말이 법조문과 문서 행정에 통하게 되었도다.[61]

설총의 이두 창시에 대하여 이승휴보다 300년 정도 앞선 인물 최행귀(崔行歸)는 —비록 부정적이지만— 다음과 같이 말하고 있다.

> 이 어찌 설 한림(薛 翰林, 설총)이 사문(斯文, 한문)을 억지로 바꾸어 번거롭게도 쥐꼬리로 만든 탓이 아닌가.[62]

위의 설총 이두 창시에 대해서는 약간의 보충설명이 필요하다. 경주의 남산신성비나 임신서기석 등 설총 이전에도 약간의 이두는 등장한다.

••••

60 김현숙이 다음 글에서 이 점을 거론하였다. 김현숙, 2005, 「삼국유사 내 주몽의 出自 기사를 통해 본 국가계승의식」, 『삼국유사연구』 창간호, 일연학연구원, 63쪽.

61 〈弘儒薛侯製吏書, 俗言鄉語通科隸〉.

62 균여의 『보현십원가』를 한시로 번역하고 쓴 서문.

그러므로 설총의 이두 창시가 완전히 새로운 창작이었다고 보기는 어렵다. 다만, 설총 이전의 이두를 '초기 이두'라고 한다면 설총의 이두 창시는 표기의 차원을 한 단계 높여 완성하였음을 말한다고 할 수 있다. 이로써 초기 이두의 불완전한 표기였던 것이 비로소 한자를 빌려 쓰는 국어의 표기로 완성되었다.[63]

11. 발해를 세운 사람

『제왕운기』는 발해 건국자에 대하여 대조영의 이름만 나오고, 그를 '전고려'의 '옛 장수'라 했다.[64] 나라의 터전은 태백산(백두산)의 남쪽 언덕이라 한다. 발해의 주민 구성을 두 갈래로[65] 본 중국의 역사책이나 발해를 '말갈 발해'라 하고 속말말갈의 후예로 본 『삼국유사』의 기록과 다른 점이다. 이렇게 발해의 주민 구성에 대해 두 견해가 대립되는 까닭은 발해의 첫 수도인 동모산이나 거기에서 300여 리 떨어진 상경용천부(지금의 동경성)가 원래 속말말갈의 거주지임을 들어 중국인들이 사실을 왜곡한 것이라고 한다.[66] 발해 사람들은 언제나 자신을 '고구려 사람'이라고 했다. 이 문제는 주민 구성과 아울러 역사계승의식과 직결되는데 종족 연구와 함께 문화적으로는 무엇이 고구려적이고 무엇이 말갈적인가에 대

63 안병희, 2001, 「설총과 국어」, 『새국어생활』 11-3, 국립국어원.

64 이에 대한 근거로는 『신라고기』를 지목하고 있다. 박시형, 1979, 『발해사』, 이론과실천, 59쪽.

65 『舊唐書』, 「北狄列傳」, 「渤海靺鞨」, "발해말갈의 대조영은 본래 고[구]려의 별종이다(渤海靺鞨大祚榮者, 本高麗別種也)"; 『新唐書』, 「北狄列傳」, 「渤海」, "발해는 본래 속말말갈로서 고[구]려에 부속되었으며 성은 대씨다(渤海, 本粟末靺鞨附高麗者, 姓大氏)".

66 박시형, 1979, 『발해사』, 이론과실천, 52쪽.

한 더욱 정밀한 연구가 요망된다.

전고려의 옛 장수 대조영 / 태백산 남쪽 언덕에다 뿌리내렸네.[67]

이처럼 대조영을 '전고려'의 '옛 장수'라 함은 곧 발해가 고구려를 계승했음을 나타내는 것으로 발해를 민족사에 포함시킨 이승휴의 역사의식을 살필 수 있다.

Ⅲ. 맺음말

『제왕운기』는 우리의 유구한 역사를 자랑하는 자주적 역사관 때문에 널리 알려져 왔다. 이 책에는 한국고대사 사료로서도 중요한 것이 적지 않다. 이들 사료끼리는 서로 이어지는 것이 아니므로 본문에서 고찰한 번호 순서대로 요약해 둠으로써 맺음말에 가름하고자 한다.

(1) 우리 역사의 첫 나라 고조선을 세운 환인을 이승휴는 상제(上帝)라 하였다. 이는 환인이 불교 용어가 아니라 하늘·하느님을 뜻하는 고유어임을 증명해 준다. 이 점은 『삼국유사』「고조선」조 판본의 환인(桓因)인가 환국(桓國)인가 하는 논란도 쉽게 해결해 준다.

(2) 환인의 아들 환웅도 발음상으로는 하늘·하느님을 적은 한자 말로

----

67 『帝王韻紀』, 〈前麗舊將大祚榮 得據太白山南坡〉. 기존의 번역을 아래 실어 둔다. "전고구려 남은 장수 이름은 대조영 / 태백산 남녘 성에 씩씩하게 근거삼아"(박두포 역, 1974, 187쪽).

보인다. 전자 환인은 천신이고 후자는 산신이라고 하지만 천신과 산신의 구별은 관념적·의도적인 면이 강하다. 이렇게 보면 환웅은 첫 임금 단군의 탄생을 설명하려고 설정된 인물이다.

(3) 고려 태조 왕건의 조상 호경은 여산신 호랑이와 혼인하여 자식을 낳았다고 한다. 『삼국유사』「고기」에서, 곰과 호랑이 가운데 호랑이는 사람되기에 실패했다는 각 편[version]과 대조적이다. 호랑이가 곧 산신이라고 함은 우리 문화의 특징인데 『제왕운기』는 놓칠 뻔한 사료를 잘 간직하고 있다.

(4) 환웅이 자신의 손녀와 혼인하여 단군을 낳았다는 스토리는 유교 예법에 많이 어긋난다. 또 환웅이 나무신[tree spirit]이라는 것도 모두 고대적 사유에서만 이해할 수 있다.

(5) 기자조선의 마지막 임금 준왕이 위만의 침공을 받아 오늘날의 전라북도 익산시[금마군]로 천도했다는 사료는 『제왕운기』에 처음 보인다. 이승휴의 해박한 역사 지식으로 보아 무언가 근거가 있었을 것이나 현재로서는 알 수 없다.

(6) 충청남도 부여군 금강 기슭은 백제 왕조의 패망 장소로 유명하다. 이곳에서 수많은 궁녀가 강으로 떨어져 죽었다 하여 원래 이름은 타사암(墮死巖)이라 한다. 이를 문학적으로 표현하여 '낙화암'이라고 써 놓은 책은 『제왕운기』가 처음이다.

(7) 고려 태조 왕건의 조상은 기장을 심어서 그 후손이 왕이 되었다고 한다. 그것은 기장이 곧 왕의 뜻이기 때문이라고 주석하였다. '王' 자(字)의 풀이 '임금'은 신라 말이고, 다른 하나의 풀이는 '기장'으로 이 말은 고조선 이래 백제의 말로서 고려시대에도 남아 있었다.

(8) 고려 산천의 시원을 백두산으로 규정하여 모든 국토가 백두산의 정기를 이어받았다고 썼다. 잃어버린 고구려 영토를 찾고 제국을 이루려는 의지이다.

(9) 고구려의 건국연대를 기원전 108년으로도 읽을 수 있는 백제 기년 기사가 있다. 이 설을 받아들이면 원[proper]고구려의 존재가 인정된다.

(10) 원효의 아들 설총은 이두를 완성하여 신라의 경주 말(표준어)을 보급하는 데 큰 기여를 했다고 추정하고 있다. 이렇게 민족의 공통어가 형성되어, 그것이 나중에 송도 말 나아가 서울말이 되었을진대 설총이 국어사에 남긴 공적은 위대하다 하지 않을 수 없다. 설총을 정당하게 평가한 점에서도 이승휴의 안목은 높이 사야 한다.

(11) 발해왕조의 종족 구성이나 문화 등 정체성에 대해서는 고구려와 동일선상에서 논하느냐 아니면 새로운 요소인 말갈을 인정하느냐에 따라 주장이 엇갈린다. 이승휴는 이 점에 대하여 의심 없이 '전고려의 옛 장수 대조영'이라고만 밝혔다.

참고문헌

김강산, 1988, 『虎食葬』, 태백문화원.

김경수, 1999, 『제왕운기』, 역락.

김성환, 2015, 「고려 원종의 마리산참성 親醮와 단군」, 『민족문화논총』 59, 영남대학교.

김정배, 1976, 「준왕 및 진국과 '삼한정통론'의 제문제」, 『한국사연구』 13, 한국사연구회.

김택규 외, 1982, 『한국민속연구논문선』 2, 일조각.

김현숙, 2005, 「삼국유사 내 주몽의 出自 기사를 통해 본 국가계승의식」, 『삼국유사연구』 창간호, 일연학연구원.

공주시, 1997, 『계룡산 산신제 복원 조사보고서』.

국토지리정보원, 2010, 『한국지명유래집 충청편 지명』.

노태돈, 2015, 「준왕 남천설에 관한 문헌자료 검토」, 노태돈 편저, 『고조선과 익산』, 한국고대사학회.

데이비드 메이슨, 2003, 『산신, 한국의 산신과 산악숭배의 전통』, 신동욱 역, 한림출판사.

민병근, 2012(갱신), 「제석주머니」, 『한국민속신앙사전』, 누리망, 국립민속박물관.

박대재, 2006, 『고대 한국 초기국가의 왕과 전쟁』, 경인문화사.

박은용, 1980, 「계림유사의 '虎曰監'에 대하여」, 『자유』 8월호, 자유사.

이승휴, 1974, 『동명왕편·제왕운기』, 박두포 역, 을유문화사.

박시형, 1979, 『발해사』, 이론과실천.

박인호, 2009, 「제왕운기에 나타난 이승휴의 역사지리인식」, 『조선사연구』 18, 조선사연구회.

______, 2013, 「제왕운기에 나타난 이승휴의 역사지리인식」, 『이승휴의 사상과 역사인식』, 강원전통문화연구소, 역사공간, 재수록.

변동명, 2000, 「이승휴」, 『한국사시민강좌』 27, 일조각.

서영대, 2000, 「신화 속의 단군」, 『한국사시민강좌』 27, 일조각.

______, 2016, 「삼국유사 고조선조의 '昔有桓因' 문제」, 『한국문화』, 서울대학교 규장각한국학연구원.

설암추붕, 1988, 「香山誌」, 『한국불교전서』 3, 동국대학교.

성암학인, 1989, 「제왕운기 최고본에 대하여」, 『한국학연구』 36, 한국학연구소.

신종원, 2003, 「단군신화에 보이는 수목신앙」, 『한국사학사학보』 8, 한국사학사학회.

______, 2004a, 「단군신화에 보이는 나무신앙 및 역사인식」, 『삼국유사 새로 읽기』 1, 일지사.

______, 2004b, 「단군신화에 보이는 곰[熊]의 실체」, 『삼국유사 새로 읽기』 1, 일지사.

______, 2004c, 「단군신화 연구의 여러 문제」, 『동북아시아 선사 및 고대사 연구의 방향』, 학연문화사.

______, 2007, 「제왕운기와 단군신화」, 『이승휴의 제왕운기와 동북공정』, 강원대학교 삼척캠퍼스 심포지움.

______, 2008, 「사료에 보이는 대왕신」, 『한국 대왕신앙의 역사와 현장』, 일지사.

______, 2016, 「한국의 산악숭배와 고대의 북한산」, 『北漢山城 연구 논문집』, 경기문화재단.

안병희, 2001, 「설총과 국어」, 『새국어생활』 11-3, 국립국어원.

윤이흠 외, 2001, 『단군 그 이해와 자료』, 서울대학교출판부.

이기동, 1992, 「김관의」, 『한국사시민강좌』 10, 일조각.

이기문, 1982, 「백제어 연구와 관련된 몇 문제」, 『백제연구』, 충남대학교 백제연구소.

이정란, 2014, 「고려 왕가의 龍孫意識과 왕권의 변동」, 『한국사학보』 55, 고려사학회.

조경철, 2005, 「단군신화의 불교적 세계관」, 『삼국유사 기이편의 연구』, 한국학중앙연구원.

______, 2016, 「단군신화의 환인 환국 논쟁과 판본 검토」, 『한국고대사탐구』 23, 한국고대사탐구학회.

조법종, 2015, 「준왕조선의 남래와 '일본' 명칭의 기원」, 노태돈 편저, 『고조선과 익산』, 한국고대사학회.

최남선, 「檀君古記箋釋」, 『사상계』, 1954년 2월호, 김택규 외, 1982, 『한국민속연구논문선』 2, 일조각.

『제왕운기(帝王韻紀)』에 수록된 '천왕(天王)'의 성격

김도현
문화재청
문화재전문위원

덧붙임

- 이 논문은 필자의 다음 글을 결합하여 수정·보완하였음.
- 김도현, 2018a, 「환웅신화에 보이는 天王의 성격」, 최광식 외, 『삼국유사의 세계』(최광식 교수 정년기념 논총), 세창출판사; 김도현, 2018b, 「《帝王韻紀》에 수록된 '天王' 기사 분석－〈檀雄神話〉에 보이는 天王의 성격을 중심으로」, 『2018년 동안 이승휴 학술 대회 발표 자료집』, (사)동안이승휴사상선양회.
- 『제왕운기』·「동명왕편」 등 사료의 원주는 별도 표기 없이 본문보다 글자크기를 작게하여 구별할 수 있도록 하였음.

I. 머리말

이승휴가 쓴 『제왕운기』에서는 본문이 아닌 주석에 「본기(本紀)」를 인용하여 단웅(檀雄) 관련한 이야기를 소개하였으며, 『삼국유사(三國遺事)』 「고조선(古朝鮮)」 조(條)에는 「위서」와 「고기」를 인용하여 고조선의 성립과 관련한 신화, 즉 환인(檀因)·환웅(桓雄)·단군(檀君)이 등장하여 고조선의 건국에 이르는 과정을 소개한 신화가 실려 있다. 이후 쓰인 『응제시주(應制詩註)』를 비롯한 많은 사서(史書)에도 환웅신화[단웅신화][1]가 실려 있지만, 세부 내용은 부분적으로 차이가 있다. 그러나 대부분의 기록에는 기본적으로 천신(天神)으로 인식되는 환인, 지상 세계에 내려와 신시(神市)를 열고 고조선 건국 시조인 단군을 탄생시킨 환웅, 그리고 인간적 존재로 고조선을 처음 연 단군왕검이 신화를 이끌어 가는 주인공으로 소개되

••••

1 지금까지 고조선 건국신화를 '단군신화'라 하여 단군에 의한 건국에 주목하였으나, 하늘의 아들로서 인간 세상을 연 신화상의 존재는 환웅[단웅]이다. 그리고 고조선이라는 국가를 연 역사상의 시조는 단군이다. 그러므로 필자는 이 글에서 고조선 건국과 관련하여 다양한 역할을 한 신화상의 존재가 환웅[단웅]이므로 '단군신화'가 아닌 '환웅신화'로 표현한다. 이와 관련하여 다음 논문에서 역시 환웅천왕의 신화적 성격에 주목하여 '환웅신화'라 하였다. 최광식, 2015, 「桓雄天王과 檀君王儉에 대한 역사민속학적 고찰」, 『한국사학보』 60집, 고려사학회.

어 있다.

고조선의 건국 과정을 소개한 신화 관련 기존의 연구는 주로 환인과 단군에 주목한 연구가 대부분이었으나, 최근 고조선 건국을 실질적으로 가능하게 한 환웅천왕의 신화적 성격에 주목한 연구[2]가 있어 '단군신화'가 아닌 '환웅신화'로 새롭게 인식하여야 함을 제시하여 고조선 성립 관련 신화를 좀 더 다양한 시각으로 인식할 수 있는 토대를 제공하였다.

그리고 고조선 건국신화를 단군신화라 하여 단군에 의한 건국을 주목하였으나, 세 분의 신령이 존재한다는 인식과 함께 환인·단웅·단군을 모신 삼성사(三聖祠)를 소개한 『고려사(高麗史)』「지리지(地理志)」「유주(儒州)」조 기록,[3] 구월산 삼성사에서 환인·환웅·단군을 각각 모셨다는 『조선왕조실록(朝鮮王朝實錄)』 기록 등은 환인·단군과 함께 또 다른 성격을 지닌 신령으로서의 환웅에 주목하여야 함을 잘 보여 준다.

고조선 건국을 실질적으로 가능하게 한 존재인 웅(雄)은 『제왕운기』에서 단웅천왕(檀雄天王), 『삼국유사』에서 환웅천왕(桓雄天王)으로 소개되어 있다. 구월산 삼성사에 모신 단웅[환웅] 또한 단웅[환웅]천왕이다. 즉, 웅(雄)은 천신(天神)으로 여겨지는 환인[단인(檀因)], 장당경(藏唐京)으로 옮겼다가 후에 아사달(阿斯達)에 돌아와 숨어서 산신(山神)이 된 단군과 구분되는 신령인 천왕(天王)으로 인식되었다고 볼 수 있다.

이에, 『삼국유사』를 비롯한 각종 기록과 민속 현장에 현재까지 등장하

2 최광식, 2015, 「桓雄天王과 檀君王儉에 대한 역사민속학적 고찰」, 『한국사학보』 60집, 고려사학회.

3 『高麗史』, 「地理志」, 「儒州」, 〈… 三聖祠 有檀因檀雄檀君祠〉.

는 천왕이 지닌 성격과 관련하여 천신(天神)·산신(山神)과 구분되는 신령으로서의 천왕을 설정할 필요가 있음이 제기되었다.[4]

그러나, 천왕과 관련한 대부분의 연구는 천신 또는 산신이 천왕으로 이행한 것으로 규정하는 등 별도의 성격을 지닌 신령으로 여기지 않는다. 즉, 기존의 연구는 웅의 다양한 역할을 인정하나, 환인과 구분하지 않고, 천신의 아들 또는 승려 일연이 쓴 『삼국유사』, 불교에 심취하였던 이승휴가 쓴 『제왕운기』이기에 불교에서의 천왕 역할을 수행하는 존재로 인식하였다. 그리고 고조선 건국신화에 삼신이 존재함은 대부분의 환웅신화 관련 연구에서 언급하며, 천신으로서의 환인과 단군의 산신화에는 주목하나, 환웅이 독자성을 띤 신령인 천왕으로 존재한다는 사실에는 주목하지 않았다. 그 이유는 환인의 아들로서 당연히 천신, 또는 신단수(神檀樹)가 마련된 산에 좌정하였기에 산신이라는 관념이 작용한 것으로 보인다.

분명한 것은 환인·환웅·단군이 등장하는 환웅신화에서 이들 존재를 각각의 역할을 수행하는 삼신으로 여기며, 구월산 삼성사에서 환인[단인]천왕·단웅[환웅]천왕·단군천왕(檀君天王)이라 불린 신상 또는 위패를 각각 모시는 등 고려·조선시대를 지나 현재에 이르기까지 천왕을 모신 다양한 사례들이 있다는 사실이다. 이는 환웅신화를 이해하는 데 있어 천신·산신과 구분되는 별도의 기능을 수행하는 신령으로서의 천왕에 주목할 필요가 있음을 잘 보여 준다.

4 김도현, 2017, 「한말~일제강점기 태백산에서의 祭儀 전승과 변동」, 『역사민속학』 53호, 한국역사민속학회.

이 글은 각종 사료(史料)와 민속 현장에서 수집된 자료들을 분석·정리하여 『제왕운기』를 비롯하여 다양한 사료에 실린 환웅신화 속에 언급된 천왕이 지닌 신령으로서의 의미와 성격을 규명하기 위한 시론(試論)이다.

II. '천왕(天王)'으로서의 단웅(檀雄)

환웅신화를 수록한 사서(史書) 중 천왕이 소개된 것은 『제왕운기』·『삼국유사』를 비롯하여 권람(權擥)이 1461년에 주석한 『응제시주』, 홍만종이 1666년 편찬한 『해동이적(海東異蹟)』, 이종휘(1731~1797)가 쓴 『동사(東史)』, 홍경모(洪敬模, 1774~1851)가 저술한 『총사(叢史)』 중 「단군계파(檀君系派)」 등 다양한 사서에서 확인할 수 있다. 몇 가지 사례를 소개하면 다음과 같다.

먼저 천왕으로서의 웅과 관련한 이야기는 이승휴가 쓴 『제왕운기』에서 확인할 수 있다. 이승휴는 『제왕운기』에서 본문이 아닌 주석으로 「본기」를 인용하여 다음과 같이 단웅 관련 내용을 소개하였다.

> 「본기」에 이르기를, "상제환인에게 서자가 있었으니 이름이 웅이라 불리었는데, 환인이 웅에게 말하기를 '지상의 삼위태백에 내려가 인간을 이롭게 할지어다'라고 하였다. 이리하여 웅이 천부인 세 개를 받고, 귀신 3천을 거느려 태백산 꼭대기에 있는 신단수 아래에 내려왔으니 이 분을 단웅천왕이라 한다"라고 하였다. 손녀에게 약을 먹여 사람이 되게 하여 단수신(檀樹神)과 결혼하여 아들을 낳으니 단군이라 하였으며, 조선의 땅을 차지하여 왕이 되었다.[5]

비록 주석으로 처리한 내용이지만, 이승휴가 『제왕운기』에서 천신인 환인의 아들 단웅을 인간 세계를 새롭게 연 신화상의 존재인 단웅천왕으로 여겼음을 알 수 있다. 그리고 사람이 된 손녀와 단수신이 혼인하여 낳은 아들이 고조선을 건국한 단군이다. 여기서 단수신이 단웅, 또는 단웅이 상제환인의 서자(庶子)이므로 환인의 또 다른 아들을 이르는 것으로 보는 견해가 있고,[6] 별개의 존재로 여기는 견해도 있다. 중요한 것은 『제왕운기』에서도 천왕으로 여겨지는 단웅이라는 존재가 있으며, 이 신격은 인간이 살아가는 세상을 처음 연 신화상의 시조로 인식되었다는 점이다.

『삼국유사』「고조선」 조에도 「고기(古記)」에 실린 내용이라 하여 환웅 관련 내용을 다음과 같이 소개하였다.

> …「고기」에 이르기를, "옛날에 환인[桓因, 제석(帝釋)을 이름]의 서자 환웅이 있어, 자주 천하(天下)에 뜻을 두고 인간 세상을 구하고자 하였다. 아버지가 아들의 뜻을 알고 삼위태백(三危太白)을 내려다보니 인간을 널리 이롭게 할 만하기에 천부인(天符印) 3개를 주어, 인간 세상에 가서 다스리게 하였다. 웅이 무리 3천 명을 거느리고 태백산(太白山) 꼭대기[태백은 지금의 묘향산] 신단수 아래에 내려와 여기를 신시(神市)라 하고, 그를 환웅천왕이라 하였다. 그는 풍백(風伯)·우사(雨師)·운사(雲師)

••••

5 『帝王韻紀』 卷下, 「初誰開國啓風雲」, 「釋帝之孫名檀君」, 〈本紀曰, "上帝桓因, 有庶子, 曰雄云云. 謂曰, '下至三危太白, 弘益人間歟.' 故雄, 受天符印三箇, 率鬼三千, 而降太白山頂神檀樹下, 是謂檀雄天王也云云." 令孫女飮藥, 成人身, 與檀樹神婚而生男, 名檀君. 據朝鮮之域, 爲王 …〉.

6 신종원, 2004, 「단군신화에 보이는 나무신앙 및 역사인식」, 『삼국유사 새로 읽기』 1, 일지사.

> 를 거느리고 곡(穀)·명(命)·병(病)·형(刑)·선(善)·악(惡) 등 무릇 인간의 360여 가지 일을 맡아서 세상을 다스리고 교화하였다. 이때 곰과 호랑이 한 마리가 같은 굴에 살면서 항상 신웅(神雄)에게 사람이 되게 해 달라고 빌었다. 신[神: 환웅으로 여겨짐]이 신령스러운 쑥 한 타래와 마늘 20쪽을 주면서 이르기를 '너희들이 이것을 먹고 백 일 동안 햇빛을 보지 않으면 곧 사람이 되리라'라고 하였다. 곰과 호랑이가 이것을 먹고 삼칠일(三七日) 동안 금기하였는데, 곰은 여자의 몸이 되었으나, 호랑이는 금기를 지키지 못하여 사람이 되지 못하였다. 웅녀(熊女)는 그녀와 혼인해 주는 이가 없으므로 항상 단수(壇樹) 아래에서 아이를 갖게 해 달라고 빌었다. 웅이 이에 잠시 변하여 웅녀와 결혼한 후 임신하여 아들을 낳으니 이름을 단군왕검(壇君王儉)이라고 하였다. …"[7]

웅과 관련하여 『삼국유사』에 실린 위의 신화 내용을 정리하면, 첫째, 웅은 천신인 환인의 아들이므로 천신 계통으로 이해할 수 있다. 둘째, 인간 세상에 내려와 신단수 아래에 신시(神市)를 열어 독자적인 위상을 지니게 된 '환웅천왕' 즉 천왕으로 자리매김한 존재이다. 셋째, 고조선을 건국하여 우리 민족의 역사를 처음 연 단군왕검이 웅과 웅녀가 결혼하여 낳은 아들이라는 점을 보여 주고 있다.

····

7 『三國遺事』 卷第一, 「紀異」 第一, 「古朝鮮王儉朝鮮」, 〈古記云, "昔有桓國 謂帝釋也.庶子桓雄數意天下貪求人世. 父知子意下視三危太伯可以弘益人間, 乃授天符印三箇遣往理之. 雄率徒三千降於太伯山頂 即太伯今妙香山.神壇樹下謂之神市, 是謂桓雄天王也. 將風伯·雨師·雲師, 而主穀·主命·主病·主刑·主善惡凡主人間三百六十餘事在世理化 時有一熊一虎同穴而居, 常祈, 于神雄願化爲人. 時神遺靈艾一炷蒜二十枚曰, '爾輩食之不見日光百日, 便得人形.' 熊虎得而食之忌三七日熊得女身, 虎不能忌而不得人身. 熊女者無與爲婚故每於壇樹下呪願有孕. 雄乃假化而婚之. 孕生子號曰壇君王倹…"〉.

그러므로 웅은 천왕의 지위를 지닌 존재로서, 우리 민족사의 시작인 고조선 이전의 세상을 처음 열었고, 고조선을 건국한 단군왕검의 아버지, 즉 역사상의 시조를 있게 한 신화상의 시조였음을 알 수 있다.

권람이 엮고 주석을 단 『응제시주』에는 환웅과 관련하여 다음과 같은 기록이 보인다.

> … 「고기」에 상제(上帝)환인의 서자 웅이 풍백, 우사, 운사 3인을 하늘에서 거느리고, … 태백산 신단수 아래로 내려와서, 이를 환웅천왕이라 한다. '환(桓)'은 혹 '단(檀)'이라고도 한다.

권근이 쓴 『응제시(應制詩)』에는 단군이 신단수에 직접 하강하여 국인(國人)의 추대를 받아 왕이 되어 대대로 왕위를 세습하였다는 내용을 소개하였다. 후손인 권람이 『응제시주』 주석에 「고기」를 인용하여 쓴 위의 내용에는 환웅 역시 세상을 열고, 단군을 탄생시킨 존재로서 환웅천왕, 즉, 천왕의 신격으로 불리는 존재였음을 알 수 있고, 웅을 환웅 또는 단웅이라 한 것으로 보아 『삼국유사』와 『제왕운기』의 내용을 적절하게 이해한 상황에서 서술한 것으로 보인다.

홍만종이 1666년 편찬한 『해동이적』에서도 천신 환인, 신시를 열고 웅녀와 결혼하여 단군을 낳은 환웅천왕, 역사상의 인물로 고조선을 건국한 단군 관련 내용을 소개하였다.

특히 다른 사료와는 달리 환인을 상제 또는 석제로 표현하지 않고, 천신으로 규정한 것은 환인의 성격을 좀 더 명확하게 보여 주는 사서로 볼 수 있다.

홍경모가 쓴 『총사』 중 「단군계파」에 실린 환웅신화의 내용 또한 『삼국유사』에 실린 환웅 이야기를 전재하여 서술하였다. 차이점은 이름인 웅을 거명하지 않고, 천왕이 주체가 되어 수행한 일들을 적시하였다는 점이다. 즉, 천왕이 태백산 신단수 아래로 천부인 3개와 무리 3천을 이끌고 내려왔으며, 신시라 불리는 곳에서 신령인 천왕이 설교(說敎)하고, 풍백·우사·운사를 거느렸음을 적었다. 그리고 사람이 된 곰과 결혼하여 건국시조인 단군의 아버지가 되었음을 기록하였다. 다른 사료와는 달리 단군의 아버지를 신시 천왕(神市天王)으로 설정하고, 어머니는 태백산의 웅(熊)으로 적었다. 즉, 보편성을 띤 천왕이 아닌 특정 지역을 관장하는 천왕으로 기록하였다는 점은 현재의 태백산 천왕사, 지리산 천왕 등 특정 지역을 관장하는 천왕을 연상시킨다.

『규원사화(揆園史話)』에 소개된 환웅신화에서는 환인과 환웅을 상하 관계로 묘사하여 환웅의 지위가 낮아졌으나, 천지와 인간을 창조하는 등 한편으로는 그 역할이 크게 강조되었다. 뿐만 아니라 『삼국유사』에서 웅이 지배한 영역으로 표현되었던 신시를 신시씨(神市氏)라 이르는 것으로 보아 처음 개창한 신시라 불린 지역을 매우 중시하였음을 알 수 있다.

『규원사화』와 홍경모가 쓴 『총사』에는 환웅신화와 관련하여 다른 기록과는 달리 신시를 천왕과 직접 관련시킴으로써, 천왕이 관장하는 범주를 구체적으로 설정하기 시작하였음을 알 수 있다.

고조선 건국과 관련하여 위에서 소개한 신화는 『삼국유사』 유형, 『제왕운기』 유형, 『응제시』 유형, 『규원사화』 유형으로 구분할 수 있다.[8] 천

8 서영대, 2001, 「단군 관계 문헌자료 연구」, 『단군, 그 이해와 자료』, 서울대학교출판부.

왕의 위상을 지닌 웅과 관련한 기록은 이들 네 가지 유형 중 『제왕운기』 유형, 『응제시』 유형에서 환웅의 존재가 보이지 않고, 하늘의 후손인 단군이 역사상의 국가인 고조선을 건국한 시조로서 정치 지도자 역할을 수행하다가 말년에 산신이 되었다는 이야기가 주를 이룬다. 그러나 이들 두 가지 유형의 사서에서도 「본기」 또는 「고기」 등을 인용하여 환인의 서자 웅에 대한 이야기를 소개하였기에 본질적으로 『삼국유사』 유형에서 크게 벗어나지 않은 모습을 보여 주고 있다.

위에서 소개한 사서에 실린 웅 관련 내용을 정리하면 다음과 같다.

첫째, 그 연원은 천신인 환인의 후손으로 소개되어 있다. 환인은 상제 또는 석제라고 부연 설명이 되어 있기에 천신으로 볼 수 있다.

둘째, 세상을 다스림에 있어 필요한 요소를 가지고 내려와 신시를 열어 인간 세상을 교화한 존재이다.

셋째, 그 신격을 천왕이라 하였다.

넷째, 신화상의 시조인 웅의 아들 단군이 우리의 역사를 처음 연 고조선을 건국한 시조로 설정되어 있다.

다섯째, 웅을 부르는 명칭이 환웅 또는 단웅이라는 사실이다. 즉 천신의 아들임을 강조하고자 할 때는 환웅, 신시에 설치된 신단수에서의 제의를 관장하는 역할을 강조할 때는 단웅으로 불린 것으로 보인다.

이처럼 환웅신화에 환인·환웅·단군이 등장한 것은 삼신 또는 삼성이 신화의 주역이라는 것을 잘 보여 준다. 여기서 환웅 또는 단웅은 '천왕'이라는 별도의 신령으로 인식될 수 있기에, 불교적으로 변이된 것으로 여기거나, 천신 또는 산신으로 여기는 인식을 바탕으로 그 기능이나 의미에 대한 다양한 논의가 다음과 같이 있었다.

첫째, 「고기」의 기록 단계에서부터 환웅신화가 불교적으로 변이된 것으로 인식하여 천왕은 제석이 수미산의 정상에 머무는 데 반하여 그 수미산의 중턱에 머물러 제석의 통솔을 받으면서 사방을 진호하는 신령으로 숭배된다고 보는 견해가 있다.[9] 이와 같은 주장의 내면에는 환인의 서자로서 천상에서 지상으로 내려와 반신반인의 모습으로 인간계를 지배하는 환웅을 천왕으로 표현한 것은 불교적 세계관으로서는 자연스러울 수 있다는 생각이 있다.

그러나 『제왕운기』나 『삼국유사』에 실린 환웅신화가 불교적 색채를 많이 지닌 것으로 볼 수는 있다 해도, 과연 제석 이외에 다른 불교적 요소가 있는가 하는 의문을 제기하는 학자들이 많다. 즉, 고려에 이어 조선시대 유학자들에 의해 쓰인 환웅신화에도 천왕은 계속 등장한다. 그러나 이때 쓰인 천왕 관련 사료를 보면 불교적 의미를 지닌 천왕으로 볼 수 없는 사례가 매우 많다. 그러므로 환웅신화에 소개된 '천왕'을 불교적 세계관이 반영된 것으로 불 수 있는지에 대한 좀 더 치밀한 논의가 필요해 보인다.

둘째, 『제왕운기』와 『삼국유사』에 실려 있는 신단수가 환웅 또는 단웅

9 최병헌, 2001, 「단군 인식의 역사적 변천」, 『단군, 그 이해와 자료』, 서울대학교출판부.

의 신체이자 태백산 산신의 신체로 볼 수 있기에, 다른 사료에 등장하는 환웅 또한 산신의 성격을 지닌 신령으로 여기는 견해가 있다. 이와 함께 천신인 환인의 아들이기에 천신으로 이해하여야 한다는 의견도 있다.

그런데, 위에서 소개한 대부분의 환웅신화에 '환인[단인]·환웅[단웅]·단군'이 등장한다. 나름의 독립적인 역할을 수행하는 존재들이기에 신화를 이끌어 가는 존재로 구분하여 서술된 것이다. 그리고 『고려사』와 『조선왕조실록』을 보면 황해도 구월산 삼성사에 단인[환인]천왕, 단웅[환웅]천왕, 단군천왕을 각각 모셨음이 기록되어 있다. 이 기록은 성격을 달리하는 신령 3위를 모신 것으로 볼 수 있다. 이들 신령과 관련된 기존의 연구성과에 따르면 단인[환인]은 천신, 단군은 아사달산에 들어가 산신이 되었기에 단웅[환웅]은 천왕이라는 별도의 신령으로 설정하여 그 의미와 기능을 살펴볼 필요가 있다.

이에 환웅신화를 수록한 네 가지 유형의 사서를 보면 환웅[단웅]은 천왕이라 불리는 신령으로서 신시를 열고, 역사 시대를 처음 연 고조선의 시조로 인식되는 단군을 낳은 신화상의 시조로 볼 수 있다. 이와 같은 기능들은 천신이나 산신과 구분하여 이해되어야 할 신령임을 잘 보여준다.

그러므로 환웅[단웅]천왕, 즉 천왕의 성격을 천신, 산신, 또는 불교적 연원으로 이해하기보다는 별도 성격을 지닌 신령으로서의 천왕을 설정하여 그 기능과 의미를 정리할 필요가 있다. 이에 필자는 환웅신화에 등장하는 천왕을 다음과 같이 정리할 수 있다고 본다.

『제왕운기』, 『삼국유사』를 비롯하여 환웅신화를 수록한 각종 사서에 소개된 '천왕'이라 불린 신령을 이르는 세부 명칭은 '환웅천왕 → 단웅천왕 → 신시 천왕'으로 변동되어 왔음을 알 수 있다. 환웅천왕은 신시를 열고, 역사상의 국가인 고조선을 처음 개창한 시조인 단군을 탄생시킨 신화상의 시조라는 의미로 이해된다. 환웅[단웅]천왕은 신시를 구성하는 핵심 요소인 신단수에서의 제의를 관장하는 존재인 웅을 이르는 것으로 여겨진다. 신시 천왕은 고조선 건국 이전에 존재하였던 '신시'라는 일정한 영역으로 볼 수 있는 신성 구역을 관장하였던 신령으로 이해할 수 있다.

환웅신화에 등장하는 '천왕'이라 불리운 신령을 이르는 세부 명칭이 위와 같이 다양하나, 실제 수행하는 기능은 신시를 열어 세상을 교화하고, 최초의 국가 즉, 고조선을 건국한 시조인 단군을 탄생시킨 신화상의 시조로 볼 수 있다.

III. 신령(神靈)으로서의 '천왕(天王)'

환웅신화를 소개한 각종 사서와 함께 환인[단인]·환웅[단웅]·단군을 모신 사례를 소개한 사료 또는 유적이 다양하게 나타난다.

삼성사를 소개한 『고려사』「지리지」「유주」 조 기록, 구월산 삼성사에서 단인[환인]·단웅[환웅]·단군을 각각 모셨다는 『조선왕조실록』 기록, 단군성조(檀君聖祖)를 중심으로 환인과 환웅, 즉 삼신을 모신 것을 기록한 『무당내력(巫堂來歷)』, 조선 후기에 이만운이 편찬한 역사책 『기년아람(紀年兒覽)』 권(卷)5 「단군조선(檀君朝鮮)」, 최민열(1896~1980)의 글을 모은 『종양집』 등에서 그 사례들을 확인할 수 있다.

『고려사』「지리지」「유주」 조에는 삼성사에 환인·환웅·단군을 모셨다고 소개하였는데, 『조선왕조실록』에도 환웅신화에 등장하는 삼신을 구월산 삼성사에서 각각 모셨음을 기록하였다. 이와 관련하여 『조선왕조실록』에서 확인할 수 있는 사료를 소개하면 다음과 같다.

[자료 1] 『세종실록』 40권, 세종 10년 6월 14일 을미

구월산(九月山)은 이 현의 주산(主山)입니다. 단군조선 때에 있어서는 이름을 아사달산이라고 하였고, … 재의 중허리에 신당(神堂)이 있는데 어느 시대에 처음 세웠는지 알지 못합니다. 북쪽 벽에는 단웅천왕, 동쪽 벽에는 단인천왕, 서쪽 벽에는 단군천왕을 문화현 사람들은 삼성당(三聖堂)이라고 항상 부르며, 그 산 아래에 있는 동리를 또한 성당리(聖堂里)라고 일컫습니다.[10]

[자료 2] 『단종실록』 1권, 단종 즉위년 6월 28일 기축

부로(父老)들이 말하기를, "구월산은 이 고을의 주산인데 단군 때에는 아사달산이라 이름하였다" 하였습니다. 산의 동쪽 재[嶺]가 높고 커서 연접하였는데 그 산허리에는 신당이 있습니다. 어느 시대에 창건하였는지 알지 못하나, 북쪽 벽에 단인천왕이 있고 동쪽 벽에는 단웅천왕이 있고 서쪽 벽에는 단군천왕이 있는데, 고을 사람들이 삼성당이라고 칭하고 그 산 아래에 사람이 사는 곳도 또한 성당리라 칭합니다.[11]

••••

10 『世宗實錄』 40卷, 世宗 10年 6月 14日條, 〈… 北壁檀雄天王, 東壁檀因天王, 西壁檀君天王, 文化之人常稱三聖堂, 其山下居人, 亦稱曰聖堂里…〉.

11 『端宗實錄』 1卷, 端宗 卽位年 6月 28日條, 〈…父老云 '九月山, 是縣之主山, 在檀君時, 名阿斯達山.' 山之東嶺高大邐迤, 其山之腰, 有神堂, 不知創於何代. 北壁有檀因天王, 東壁有檀雄天王, 西壁有檀君

[자료 3] 『성종실록』 13권, 성종 2년 11월 28일 병인

사람들의 말에는 "단군의 천왕당(天王堂)은 본래 구월산의 상봉(上峯)에 있었는데, 뒤에 패엽사(貝葉寺)가 그 아래에 있다 하여, 당(堂)이 불찰(佛刹)의 위에 있음은 마땅하지 아니하여, 절[寺]의 앞 봉우리에 옮겼다가 뒤에 또 산기슭에 옮겨, 천왕 삼위(三位)를 설치하였으며…"고 하니,[12]

[자료 4] 『성종실록』 15권, 성종 3년 2월 6일 계유

삼성당에 환인천왕은 남향(南向)하고, 환웅천왕은 서향(西向)하고, 단군천왕은 동향(東向)하여 다 위패가 있습니다. 속설에 전하기를, 옛날에는 모두 목상(木像)이 있었는데, 태종조(太宗朝)에 하륜(河崙)이 제사(諸祠)의 목상을 혁파할 것을 건의하여 삼성(三聖)의 목상도 또한 예(例)에 따라 파하였다 하며, 의물(儀物)의 설치 여부는 알 수 없습니다.[13]

위의 사료와 함께 『선조실록』 89권, 선조 30년 6월 11일 경오·『현종실록』 3권, 현종 1년 9월 5일 정사·『영조실록』 106권, 영조 41년 12월 8일 기유·『정조실록』 12권, 정조 5년 11월 28일 병인·『정조실록』 27권, 정조 13년 6월 6일 경신 조에서도 구월산 삼성사 관련 내용들을 기록하였다.

••••

天王, 縣人稱之曰 '三聖堂.' 其山下人居, 亦稱曰 '聖堂里'. …〉.

12 『成宗實錄』 13卷, 成宗 2年 11月 28日條, 〈… 人言 "檀君天王堂, 本在九月山上峯, 後以貝葉寺在其下, 堂不宜在佛刹上, 移於寺之前峯. 後又移於山麓, 設天王三位, 又設使者配享廳及典祀廳, 降香致祭行之已久. 其後廢不祀, 又築祈雨壇於其側, 宰殺雞豚, 爲神所厭, 惡病遂起." 所謂天王堂及使者配享廳, 典祀廳古基, …〉.

13 『成宗實錄』 15卷, 成宗 3年 2月 6日條, 〈… 三聖堂 桓因天王南向, 檀雄天王西向, 檀君天王東向, 幷板位. 俗傳古皆木像, 我太宗朝河崙建議, 革諸祠木像, 三聖木像亦例罷, 儀物設置與否未可知…〉.

이들 기록을 통해 삼성사에 모신 신령 명칭이 단인·단웅·단군 또는 환인·환웅·단군이었음을 알 수 있으나 명칭의 차이가 신령들이 지닌 의미의 차이로 볼 수는 없다. 그리고 신령의 배치가 세종 대에는 환웅을 중심으로 좌우에 환인과 단군을 배치하는 형태였으나, 이후에는 환인을 중심으로 환웅과 단군을 배치하는 형태로 변동되었음을 알 수 있다. 신령의 배치는 매우 중요한 문제인데, 이와 관련하여 『조선왕조실록』에는 별다른 언급이 없으며, 다른 기록에도 이 문제를 자세하게 언급하지 않았다. 『세종실록』에 관련 내용을 잘못 기록한 것으로 여겨지나, 다른 이유가 있는지에 대한 추가 조사가 필요하다. 『단종실록』과 그 이후에 작성된 실록에 환인을 중심으로 좌우에 환웅과 단군을 배치하였다는 기록으로 보아 환인을 상당신(上堂神)으로 모신 삼성사 운영이 지속되었음을 알 수 있다. 또한 신령 배치 순서는 삼성사에서 행해지는 제의에서 중요하게 여긴 신령이 누구였는지를 잘 보여 주는 기록이다.

그리고 『성종실록』의 기록을 통해 삼성사에 모신 신령들이 모두 목상이었으나, 태종조에 하륜이 제사(諸祠)의 목상을 혁파할 것을 건의함에 따라 구월산 삼성사의 목상도 예에 따라 파하였다고 한 것으로 보아 태종 이후 위패 형태로 신령들을 모셨음을 알 수 있다.

그런데, 각각 다른 의미를 지닌 세 분 신령을 이르는 명칭은 모두 천왕이다. 환웅신화를 소개한 각종 기록에 천왕은 웅이었다고 하였으며, 구월산 삼성사에서 환인·단군도 천왕으로 호칭하였다는 것은 천신으로서의 환인, 고조선을 건국한 시조로서의 단군이 지닌 위상보다는 이들 모두를 천왕, 즉 신시를 열어 인간이 살 수 있는 세계를 만들고 신화상의 시조 역할을 한 신령으로 인식하였음을 보여 준다. 즉, 고려시대와 조선시대에 쓰인 환웅신화에는 환인·환웅·단군이 지닌 역할과 의미를 구분하여 소개하였으나, 구월산 삼성사 기록을 통해 민속 현장에서는 환인·환웅·단군이 지닌 신격과 다양한 의미를 인정하면서도 이들 삼신(三神)이 공통적으로 각각의 영역에서 시조신 역할을 수행하기에 '천왕'이란 명칭을 공통적으로 사용하였다고 볼 수 있다.

위에서 소개한 『조선왕조실록』 구월산 삼성사 관련 기록과는 달리 조선 말기에 편찬된 것으로 여겨지는 『무당내력』에서는 환인과 환웅을 언급하지 않고 단군을 제석(帝釋)으로 설정하여 단군을 삼신제석(三神帝釋)이라고 하였다. 자료를 소개하면 다음과 같다.

[자료 5] 『무당내력(巫堂來歷)』 고도서본(규장각 古1430-18)

• 감응청배(感應請陪)

속칭 산바라기라고 한다. 치성을 들릴 때, 무녀가 태백산을 바라보고 성령이 감응할 때까지 세 번 부른다. 근래에 풍덕과 덕물산을 바라보며 최 장군을 불러 모시기도 하는 것은 진실로 (그 뜻을) 크게 잃은 것이다(俗稱 산바라기 致誠時 巫女望太白山 口呼聖靈憾應三遍 近日望豊德德物山 崔將軍請陪云 失眞大矣).

• 제석거리(帝釋巨里)

단군을 일러 말하길 삼신제석이라 한다. 고구려 산상왕은 자식이 없자 삼신에게 빌었다. 과연 자식을 얻었는데 예로부터 세인들은 자식 낳기를 발원하면 이룰 수 있다고 한다(檀君稱曰三神帝釋 高句麗山上王無子 禱于三神 果得貴子 故生子發願成俗耳).

• **별성거리**(別星巨里)

단군의 근신 고시례는 백성에게 농사를 가르쳤으므로, 예로부터 백성들이 그 은혜를 잊지 않았다. 근래에 무녀들이 최 장군을 불러 모신다고 이를 때나 사도세자를 모신다고 하는 것은 아주 횡설수설하는 것이다(檀君侍臣高矢禮 敎民稼穡 故人民不忘其恩 近日巫女謂之崔將軍請陪時 思悼世子陪行云 尤極橫說竪說).

[자료 6] 『무당내력』 가람본(규장각 가람 古398.3M883)

• 부정거리(不精巨里)

시작할 때에 혹 부정한 것을 생각함이나 이름 없는 잡귀들이 있으면, 이로 하여금 안정되도록 한다. 이 법도는 이미 오래전부터 전해 오는 것이라 한다(始作或有不精之慮 無名雜鬼 使之安定 此巨 里年久傳來云耳).

• 감응청배

치성을 드릴 때, 무녀가 손에 백지를 쥐고, 태백산을 바라보며 신령을 불러 감응하기를 세 번 한다. 이를 일러 단군 불러 모시기[단군청배]라고 한다. 근래에는 최 장군을 불러 모신다고 이르니, 진실을 크게 잃은 것이다(致誠時 巫女手執白紙 望太白山 口呼聖靈 咸應三遍 謂之檀君請陪 近日謂之崔將軍請陪 失眞大矣).

• 제석거리

제석은 즉 단군성조이다. 삼신제석이라고 칭하기도 한다. 10세 이내의 어린아이가 혹 위험한 처지에 있으면 삼신은 반드시 (그를) 보호한다고 한다. 옛 고구려의 산상왕은 아들이 없어 삼신에게 빌었는데, 꿈에서 (삼신을) 만나고 귀공자를 낳아, 그 후부터 (사람들이) 아들 낳기를 기원하니, 이로 말미암아 풍속이 되었다(帝釋卽檀君聖祖 稱曰三神帝釋 小兒十歲之內 或有危險之地 三神必爲保護云 故高句麗上山王無子 禱于三神 見夢而生貴子後生子發願 因爲成俗).

• 별성거리

단군을 불러 모실 때, 그 근신인 고시례가 여러 곡식을 퍼뜨려, 백성에게 농사를 가르쳤으므로, 옛 백성이 그 은혜를 잊지 못하였다. 근래에 사도세자를 운운하는 것은 아주 횡설수설하는 것이다(檀君請陪時 侍臣高矢禮 始播百穀 教民稼穡 故百姓不忘其恩矣 近日謂之思悼世子云 尤極横說竪說).

『제왕운기』·『삼국유사』를 비롯하여 단웅[환웅]신화를 소개한 많은 사서에서 환인을 제석으로 여기는데, 위에서 소개한 『무당내력』 제석거리에서는 단군을 제석으로 소개하면서 삼신제석을 칭하였다. 여기서 삼신제석은 환인·환웅·단군 삼신을 이르는 것으로 볼 수 있다.

이는 구한말에도 단군의 출생과 건국, 재위 연수에 대하여 조선시대의 것이 그대로 통용되었기에, 신인(神人) 단군이 직접 태백산으로 하강하여 고조선을 건국하고 평양에 도읍했다 한 것이다. 즉, 구한말에 단군은 민족의 공통시조이고, 우리 민족은 단군의 후손이며, 따라서 단일민족이란 인식이 나타난다.[14]

그러므로 조선 후기에서 일제강점기를 지나면서 환인보다는 단군을 중시함에 따라 단군 중심의 환웅신화 서술 체계가 많이 나타나면서 단군이 제석으로 여겨지고, 환인·환웅·단군을 삼신으로 인식하면서 단군이

14 서영대, 2008, 「근대 한국의 단군 인식과 민족주의」, 『동북아역사논총』 20호, 동북아역사재단.

이들 신령을 모두 아우르는 형태로 표현된 것으로 볼 수 있다.

그러므로 천왕의 역할을 중요시한 구월산 삼성사 사례와 확연히 구분되는 모습을 보이는 『무당내력』이 쓰인 시기에는 산신이 된 최고의 조상신으로서의 단군을 중요하게 여겼기에 환인과 환웅이 지닌 위상과 종교적 기능을 단군이 수행하였다는 인식이 보편화되었음을 알 수 있다.

단군을 중심으로 건국신화를 인식하려는 위의 인식과는 달리 구한말에 환인·환웅·단군이 지닌 종교적 성격을 구분하여 이해하려는 경향도 표면적으로 드러나게 된다. 『대한매일신보』에서는 1778년에 이만운이 편찬한 역사책 『기년아람』 권5 「단군조선」 내용을 참고하여 다음과 같이 환인·환웅·단군을 소개하였다.

> 환웅천왕이 인간의 길흉화복을 주재하며 아들인 단군을 낳았다 하였으나, 『기년아람』에는 말하기를 환인은 하늘이요 환웅은 신(시)이라 하였으니, 환인·환웅·단군은 즉, 소위 삼신(또는 삼성)이요, 삼신은 즉, 선교창위의 시조라, 그렇다면 환인과 환웅은 실재의 사람이 아니요, 즉, 추상의 신이니 그 뜻이 대략 기독교의 삼위일체와 불교의 삼불여래와 같은 것이거늘, 후세 역사를 쓴 이들이 왕왕 단군의 할아버지가 환인이요, 아버지가 환웅이라 하니, 어찌 가소롭지 않은가.[15]

••••

15 『대한매일신보』, 「東國 古代 仙教考」(1910.3.11), 〈桓雄天王이 人間 吉凶禍福을 주재하며 子 檀君을 生하였다 하였으나, 《紀年兒覽》에는 왈 桓因은 天이요, 桓雄은 神(市)이라 하였으니, 桓因·桓雄·檀君은 즉, 소위 三神(又日 三聖)이요, 三神은 즉, 仙教創立의 祖라, 然則 桓因·桓雄은 실재의 人이 아니오, 즉, 추상의 神이니, 其 義가 대략 耶蘇教의 三位一體와 佛教의 三佛如來와 如한 者어늘, 後世 編史者가 往往 檀君의 祖가 桓因이요, 父가 桓雄이라 하니 어찌 可笑치 아니뇨〉.

즉, 환웅신화에 등장하는 환인·환웅·단군을 위계질서에 의한 존재가 아닌 각각 독립된 존재로 인식하여야 할 신령으로 여겨야 한다고 말하고 있다. 이러한 인식은 천왕을 환인·단군과 별개의 신령으로 설정해야 함을 잘 보여 주는 사례로 볼 수 있다.

천왕이 지닌 성격과 관련하여 환웅신화의 내용을 통해 신시를 개창하여 교화하고, 신화에서의 시조 역할을 수행하는 존재로 설정하였는데, 좀 더 구체적으로 그 성격을 규명하기 위한 노력이 필요하다. 이와 관련하여 이규보의 「동명왕편(東明王篇)」, 이승휴의 『제왕운기』 내용은 천왕의 성격을 좀 더 구체적으로 보여 주고 있다.

먼저 이규보의 「동명왕편」 내용 중 해모수 관련 기록을 소개하면 다음과 같다.

[자료 7] 「동명왕편(東明王篇)」, 「본시(本詩)」

한나라 신작(神雀) 3년,

한 신작 3년 4월 갑인(甲寅)이다.

첫여름에 홀쩍 온 분.

해동(海東)의 해모수(解慕漱)니,

참으로 천제의 아들(天帝子)이라.

「본기(本紀)」(『구삼국사』의 「동명왕본기」)에 다음과 같이 적혀 있다. 부여 왕 해부루는 늙바탕에 아들이 없어 산천에 제사를 지내고, 뒤를 이어 주기를 빌었더니, … 그 옛 도읍 터에는 해모수(解慕漱)가 천제(天帝)의 아들로서 와 도읍을 정하였다.

공중에서 내릴 적에,

오룡거에 몸을 싣고,
따른 이 백여 인은,
고니 타고 날개옷(羽衣) 날려,
맑은 풍악 퍼져 가고,
채운은 뭉게뭉게.

한 신작 3년 임술년에 천제가 태자를 보내, 부여 왕의 고도에 내려가 놀게 하였는데, 해모수라고 이름했다. 하늘에서 내려오는데, 다섯 용이 끄는 수레를 탔고, 종자 백여 인은 모두가 흰 고니를 탔다. 채운이 그들 위에 떴고 음악 소리가 구름 속에서 울려 나왔다. 웅심산에 머물렀다가 십여 일이 지나서야 비로소 내려왔다. 머리에는 오우의 관을 쓰고 허리에는 용광의 칼을 찼다.

자고로 수명군은,
모두가 천인이나,
대낮에 하늘 내림,
예부터 드물었다.
아침에는 인간 세상,
저녁에는 하늘나라.

아침이면 정사를 보살피고, 저녁이면 하늘에 올랐으니, 세상에서 그를 천왕랑(天王郎)이라고 일렀다.

…

위 자료를 통해 해모수가 『삼국유사』·『제왕운기』에 등장하는 환웅[단웅]과 같이 하늘의 아들로서 인간 세상을 연 신화상의 존재로 묘사되었음을 알 수 있다. 특히 해모수의 구체적인 역할을 '아침이면 정사를 보살피고, 저녁이면 하늘에 올랐으니'라 하였으며, 그 이름을 '천왕랑(天王郎)'이라 한 것은 천왕의 위상과 역할이 무엇이었는지를 좀 더 명확하게 보여준다.

이승휴의 『제왕운기』에 천왕과 관련하여 '단웅천왕' 기록과 함께 다음 내용이 실려 있다.

[자료 8] 『제왕운기』 권하, 「본조군왕세계연대(本朝君王世系年代)」

…성골장군(聖骨將軍)의 휘(諱)는 호경(虎景)이며, 지금의 구룡산 천왕(九龍山天王)이다. 처음에 백두산(白頭山)에서 9명을 데리고 사냥하러 (송악에) 왔다. 이로 인하여 사냥을 하다가 산혈(山穴)에서 유숙하게 되었는데, 호랑이가 (동굴에) 와서 울부짖고는 가지 않았다. 10인이 의논하여 말하기를, "이는 반드시 이유가 있을 것이다"라고 하고는 각자 가지고 있는 의물(衣物)을 던지니, 호랑이가 장군의 옷을 받았다. 장군이 나오니 동굴이 무너져 9인이 모두 파묻혔다. 호랑이가 변신하여 여인이 되어 말하기를, "나는 과부로 이 산에 살고 있는데, 원컨대 당신과 함께 신정(神政)을 다스리고자 한다"라고 하였다. 이로 인하여 혼인하여 신(神)이 되었다. 이 때문에 호경이라 이름하였고, (그) 산은 구룡이라 이름한 것이다. …[16]

…. 이곳에서 성인의 지혜를 가진 아이를 낳았으며, 성모(聖母)가 지리

16 『帝王韻紀』 卷下, 「本朝君王世系年代」, 〈…聖骨將軍諱虎景, 今九龍山天王也. 初自白頭山率九人, 遊獵而來. 因獵而宿於山穴, 有虎來吼而不去. 十人議曰, "此必有由." 各持衣物投之, 則虎受將軍之衣. 將軍出, 而穴陷, 九人同沒. 虎變爲女曰, "我寡居此山, 願與君同理神政." 因婚而爲神. 由是, 名虎景, 而山名九龍.…〉.

산 천왕(智異山天王)이다. 도선국사(道詵國師)에게 명하여, 이곳을 명당이라 이르게 하고는, 이곳을 기장을 심은 땅(種穄之地)으로 삼았으니, 이로 인하여 왕(王)을 성으로 삼았다. 세간에 기장[穄]을 왕이라 일렀으니, 대저 왕업(王業)을 일으키는 것을 말한 것이다. …[17]

위의 구룡산 천왕 관련 기록은 호랑이가 변신하여 여인이 된 존재와 결혼하여 신정(神政)을 펼친 고려 태조 왕건의 조상인 호경에 대한 이야기이다. 즉, 태조 왕건의 조상을 천왕으로 설정하여 고려를 개창한 왕으로서의 정당성을 강조한 것으로 볼 수 있다.

이에 더하여 '성모 명선사[聖母命詵師: 지리산 천왕(智異山天王)]'라고 소개한 기록은 성모를 지리산 천왕으로 여겼음을 알 수 있다. 이와 관련하여 『신증동국여지승람』에 실려 있는 성모·천왕 관련 기록을 소개하면 다음과 같다.

[자료 9] 『신증동국여지승람』 경상도 진주목(晋州牧) 사묘(祠廟)

성모사: 지리산 천왕봉 꼭대기에 있다. 성모상이 있는데, 이마에 칼 흔적이 있다. 속설에는 "왜구가 우리 태조에게 격파당해서 궁하게 되자 천왕이 돕지 않은 탓이라 하며 분함을 이기지 못하여 칼로 찍고 갔다" 한다.

••••

17 『帝王韻紀』 卷下, 「本朝君王世系年代」, 〈…於焉誕聖智, 聖母智異山天王也 命詵師, 指此明堂謂, 斯爲種穄田, 因以爲王氏. 俗呼穄爲王, 蓋言興王業也.…〉.

지리산 천왕사 내 성모상

[자료 10] 『신증동국여지승람』 경상도 함양군(咸陽郡) 사묘(祠廟)

성모사: 사당이 둘이다. 하나는 지리산 천왕봉의 위에 있고, 하나는 군 남쪽 엄천리에 있다. 고려 이승휴의 『제왕운기』에 "성모는 태조의 모친 위숙왕후라 한다" 하였다.

『신증동국여지승람』은 고려를 창건한 왕건을 낳은 위숙왕후를 지리산 성모로 여겼고, 『제왕운기』에서 이를 천왕이라 하였으므로 위숙왕후는 환웅신화에 등장하는 웅(雄)의 역할을 한 것으로 볼 수 있다.

이처럼 인간 세상을 열거나 새로운 왕조를 개창한 인물을 탄생시킨 시조를 '성모(聖母)'라 하였으며, 이를 '천왕'이라 한 기록들은 환웅신화에 소개된 '천왕'에 대한 이해를 좀 더 분명하게 할 수 있게 한다.

그리고 경상도 대구, 현풍, 창녕 등에서 마을 제사를 지낼 때 천왕을 모신 사례들을 발견할 수 있다. 대구 논공 천왕당 사례를 보면 '천왕당'이라 쓴 편액을 건 제당을 만들어 매년 정월 대보름에 마을 제사를 지낸다. 천왕당이 위치한 곳 위에 장방형으로 2~3단 석축을 쌓아 조성한 산신당이 있다. 먼저 산신당에서 산신을 위한 후 천왕당에서 마을 제사를 지낸다. 마을 주민들이 천왕의 성격을 구체적으로 알지 못하나, 내면적으로는 마을을 개창한 조상신을 탄생시킨 신화상의 시조신으로 여겨 마을의 안녕과 풍요를 관장하는 신령으로 여긴다.

천왕의 성격과 관련하여 천왕을 천신으로 볼 것인지 산신으로 볼 것인지에 대한 논란이 있을 수 있다.

이와 관련하여 18세기부터 단종이 사후 태백산의 신으로 좌정하였다는 믿음이 태백산 주변 및 영월 지역 주민과 무당들 사이에 뿌리내렸으나, 단종대왕을 천왕으로 여기는 사례가 없다는 사실은 태백산 산신과 천왕을 별개로 여겨야 함을 보여 준다. 이와 함께 태백산 사길령 산령각 등 태백산 자락에 있는 산령각에서 태백산 산신을 모실 때를 봐도 '천왕'이라 표현한 사례가 없다. 1735년부터 1737년 사이에 기록된 이인상(李麟祥)의 「유태백산기(遊太白山記)」에 다음과 같은 천왕 관련 기록이 전한다.

[자료 11] 「유태백산기」

… 천왕당(天王堂)에 도착했다. 통금시간까지 도착하기로 약정했는데 드디어 60리 길을 걸어온 것이다. 천왕당 서쪽당에는 석불(石佛)이 있고 동쪽 당에는 목상이 있는데 이것을 이른바 천왕(天王)이라고 한다. …[18]

대구 논공 천왕당에서 마을 천왕제에 앞서 지내는 산신제 진설(2019)

대구 논공 천왕당에서 마을 대표가 천왕(天王)을 위함(2019)

이처럼 당시 태백산 천왕당[태백당]에서 모신 신령을 태백산 산신 또는 단종대왕으로 여기지 않고, 천왕으로 여긴 것은 천왕을 산신으로 비정하기 어렵다는 것을 보여 준다.

그리고 고구려 '천왕지신총(天王地神塚)' 고분벽화에는 천왕과 지신(地神)을 묵서(墨書)한 도상이 등장한다.[19] 천왕은 상투를 올린 가인(佳人)이 봉황을 타고 날아다니는 모습인데, 영원히 죽지 않는 신선이 된 모습을 표현한 것으로 이해된다. 국내의 주요 산에서도 '천왕'이 등장한다. 지리산 성모 천왕을 비롯하여 구월산 삼성사에서 모신 환인천왕·환웅천왕·단군천왕, 속리산 천왕사 사례 등이 있다. 이와 같은 사례들을 통해 천왕을 천신으로 비정하는 것 또한 무리가 따름을 알 수 있다.

천왕의 성격과 관련하여 지리산 성모천왕, 속리산 '대자재천왕(大自在天王)굿'에서 하위 놀이로 남근 큰 것을 봉헌하는 사례, '태백(太伯) 천왕당(天王堂)', 이승휴의 『제왕운기』에 "지리산 성모는 지리산 천왕이다'라고 한 표현 등을 통해 천왕은 천신과도 다른 성격의 신령으로 구분할 필요가 있다.

왜냐하면 '지리산(智異山) 천왕'이라 표현한 것은 지리산이라는 특정 지역을 지칭한 것으로 한정된 지역을 의미하는데, 이와 같이 특정 지역을 한정한 것은 '천왕'을 '천신'으로 인식할 수 없음을 보여 주기 때문이다. '천신'은 특정 지역으로 한정하여 모시는 신령이 아니다.

••••

18 李麟祥, 1736, 「遊太白山記」, 〈…至天王堂. 約人定時而纔行六十里. 西堂有石佛. 東堂有木偶. 所謂天王也…〉.

19 이태호, 1981, 「고구려벽화고분 23: 인물풍속, 사신도—천왕지신총」, 『북한』 112권, 북한연구소.

해인사 국사단 내 정견모주(천왕) 탱화

이와 관련하여 삼척 지역을 중심으로 전승되는 산멕이에서 산은 산에 좌정한 조상신을 의미하는데, 이 지역에서 산멕이를 행하기 위해 찾는 최고의 산은 태백산이고, 거리 문제로 못 갈 경우 인근의 근산이나 두타산·쉰움산 등을 찾는다. 이들 산에 역시 천왕을 모신 천왕사나 조상신을 모신 산당이 존재하였다. 이는 천왕을 영험한 산에 좌정한 신화상의 시조신(始祖神)으로 규정할 수 있기에 가능하다.

그러므로 신령으로서의 '천왕'은 구월산 삼성사에서 세 분 신령을 모두 천왕으로 여긴 사례, 고려 태조 왕건의 조상인 호경이 신정을 펼친 구룡산 천왕으로 묘사되었다는 사실과 "지리산 성모는 지리산 천왕이다"라고 한 『제왕운기』 기록, 대구시 달성군 유가면 내 일부 마을에서 유지하는 천왕당을 비롯하여 논공면 논공 천왕당 사례 등을 통해 환웅신화에서 보여 주는 천왕으로서의 활동 범위와 성격을 넘어서는 천왕의 모습을 볼 수 있다.

즉, 천왕은 신화상의 시조신으로서 천신이나 산신을 모두 아우르는 모습을 보여 주는 신령으로 여겨지기도 하며, 이에 더하여 우리 민족 최초의 국가는 아니지만 고려를 건국한 태조 왕건을 낳은 위숙왕후를 성모천왕이라 한 것은 새로운 국가를 만든 인물을 탄생시킨 존재를 성모, 즉 천왕으로 여겼음을 알 수 있다. 이와 같은 인식은 더욱 확대되어 경상도 일부 지역에서는 마을을 개창한 조상신을 탄생시킨 시조를 천왕이라 하여 마을 제사에서 모시는 주신(主神)으로 좌정시킨 사례들 또한 시조신으로서의 의미를 지닌 천왕을 독자적인 신령으로 여겨야 함을 잘 보여 준다.[20]

IV. 맺음말

비록 각주에 기록한 내용이긴 하지만 『제왕운기』에서는 천왕으로 여겨지는 단웅이라는 존재를 인간이 살아가는 세상을 처음 연 신화상의 시조로 인식하였다. 『삼국유사』 「고조선」 조에서도 천왕인 웅이 환인의 명을 받아 삼사를 거느리고, 하늘로부터 내려와 360여 가지 일을 맡아서

••••

20 天王은 그 용례로 보아 聖母·神母와 유사한 의미를 지닌다고 볼 수 있는데, 소재영은 다음 논문에서 '건국 시조를 낳은 지고의 여신'으로 神母를 규정하고, 박제상 부인을 이와 동격이라고 규정하였다. 이와 유사한 의미로 건국 시조를 낳은 존재를 天王이나 聖母라 표현한 사례는 정견천왕을 비롯하여 각종 기록에서 다수 발견된다. 소재영, 1971, 「제상설화논고 －호국문학의 한 패턴 정립을 위한 시론」, 『국문학연구』 53, 국어국문학회.

세상을 다스리고 교화하였지만, 사람이 되어 웅녀와 결혼하여 단군을 낳은 것은 그의 자의적인 판단에 의한 것이다. 이에 천왕으로서의 단웅[환웅]은 고조선을 건국한 시조인 단군을 낳게 한 신화상의 시조신으로서의 의미를 지닌 독자적인 성격을 지닌 신령으로 볼 수 있다.

그리고 환웅신화는 고조선이 어떻게 생성되었는가를 설명함에 있어 시조 단군의 근본을 풀이하는 데 초점을 맞추고 있기에 단군의 조상에 해당하는 환인과 환웅의 역할이 각각 존재한다. 이와 관련하여 구월산 삼성사에서 상당신으로 '환인천왕'을 모시고, 그 좌우에 환웅천왕과 단군천왕이 협시하는 형태였으며, 모신 신령들의 명칭을 공통적으로 '천왕'이라 한 것은 환인·환웅·단군을 모두 우리 민족 형성과 관련한 신화에서의 시조로 인식하여 이들을 모셨다는 점을 잘 드러내고 있다. 결국 천신·천왕·산신이 등장한 고조선 건국신화가 고려와 조선시대에는 환웅신화에 등장하는 3위의 신령을 신화상의 시조신 성격을 띤 것으로 인식하면서 공통적으로 '천왕'이라 규정한 것으로 볼 수 있다.

이와 같은 의미를 지닌 천왕은 환웅신화에 머무르지 않고, 우리의 역사 전개 과정에서 천왕의 역할을 한 해모수, 구룡산 천왕이 되어 신정을 펼친 고려 태조 왕건의 조상인 호경, 고려를 건국한 왕건의 어머니인 위숙왕후를 지리산 성모, 즉 천왕으로 인식하게 된다. 즉, 부여의 해모수, 왕건의 조상인 호경과 왕건의 어머니는 단웅[환웅]신화에 등장하는 단웅[환웅]천왕과 같은 의미로 여겨진 것이다.

이에 더하여 천왕은 마을을 개창한 조상을 있게 한 시조를 일컫는 신령으로 여겨져서 마을 제사에서 주신으로 모셔지는 단계에 이르렀음을 알 수 있었다.

그러므로 『제왕운기』·『삼국유사』를 비롯한 다양한 사서에 수록된 '환웅[단웅]신화'에서 고조선 건국과 관련하여 소개된 천왕은 천신인 환인의 아들이면서 신시를 열어 세상을 교화하고, 다른 한편으로는 고조선을 건국한 단군의 아버지로 여겨지기에 천신인 환인, 건국 시조가 된 단군과 구분되는 신령이다. 그리고 천왕이 지닌 신령으로서의 의미가 확대 적용되어 국가나 마을, 집안 등을 새롭게 개창한 조상을 탄생시킨 시조신으로서의 위상을 지닌 존재로 현재까지 모셔지고 인식된다.

참고문헌

1. 史料

權擥, 『應制詩註』.

李奎報, 『東國李相國集』, 「東明王篇」.

李承休, 『帝王韻紀』.

李麟祥, 「遊太白山記」.

李種徽, 『東史』.

洪敬模, 『叢史』, 「檀君系派」.

洪萬鍾, 『海東異蹟』.

『高麗史』.

『대한매일신보』, 「東國 古代 仙教考」(1910.3.11).

『巫堂來歷』(규장각 古1430-18; 가람 古398.3M883).

『三國遺事』.

『新增東國輿地勝覽』.

『朝鮮王朝實錄』.

2. 논저·보고서

김도현, 2009a, 「강원도 영동 남부지역 고을 및 마을신앙」, 고려대학교 대학원 박사학위 논문.

______, 2009b, 『史料로 읽는 太白山과 天祭』, 강원도민일보사, 강원도 태백시.

______, 2009c, 「삼척시 미로면 내미로리 쉰움산 산메기」, 『박물관지』 15집, 강원대학교 중앙박물관.

______, 2017, 「한말~일제강점기 태백산에서의 祭儀 전승과 변동」, 『역사민속학』 53호, 한국역사민속학회.

______, 2018a, 「환웅신화에 보이는 天王의 성격」, 최광식 외, 『삼국유사의 세계』(최광식 교

수 정년기념 논총), 세창출판사.

______, 2018b, 「《帝王韻紀》에 수록된 '天王' 기사 분석 ─〈檀雄神話〉에 보이는 天王의 성격을 중심으로」, 『2018년 동안 이승휴 학술대회 발표 자료집』, (사)동안이승휴사상선양회.

서영대, 2000, 「단군신화의 의미와 기능」, 『단군과 고조선사』, 사계절.

______, 2001, 「단군관계 문헌자료 연구」, 『단군, 그 이해와 자료』, 서울대학교출판부.

______, 2008, 「근대 한국의 단군 인식과 민족주의」, 『동북아역사논총』 20호, 동북아역사재단.

소재영, 1971, 「제상설화논고 ─호국문학의 한 패턴 정립을 위한 시론」, 『국문학연구』 53, 국어국문학회.

신종원, 2004, 「단군신화에 보이는 나무신앙 및 역사인식」, 『삼국유사 새로 읽기』 1, 일지사.

______, 2016, 「고대사 사료로서의 《제왕운기》」, 『한국사학사학보』 34집, 한국사학사학회.

윤이흠 외, 2001, 『단군, 그 이해와 자료』, 서울대학교출판부, 2001,

이태호, 1981, 「고구려벽화고분 23: 인물풍속, 사신도-천왕지신총」, 『북한』 112권, 북한연구소.

최광식, 1994, 『고대 한국의 국가와 제사』, 한길사.

______, 2015, 「桓雄天王과 檀君王儉에 대한 역사민속학적 고찰」, 『한국사학보』 60집, 고려사학회.

최병헌, 2001, 「단군 인식의 역사적 변천」, 『단군, 그 이해와 자료』, 서울대학교출판부.

최종성, 2008, 「숨은 천제(天祭) : 조선후기 산간제천 자료를 중심으로」, 『종교연구』 제53집, 한국종교학회.

『제왕운기(帝王韻紀)』에 인용된 설화의 성격

이창식
세명대학교 교수

덧붙임

- 『제왕운기』에 이승휴가 단 주석의 경우 별도 표기 없이 본문보다 글자크기를 작게하여 구별할 수 있도록 하였음.

I. 머리말

주지하는 바와 같이 이승휴(李承休, 1224~1300)는 『제왕운기(帝王韻紀)』의 찬자(撰者)로 세상에 널리 알려진 13세기 인물이다. 이승휴는 무인정권기에서 원(元)의 간섭 초기 동안을 살다 간 문인 관료였다. 그는 가리[加(嘉)利: 현 경북 성주(星州)] 이씨(李氏)의 시조(始祖)로,[1] 자(字)는 휴휴(休休)이며, 자호(自號)는 동안거사(動安居士)이다. 그는 최씨 무인집권(崔氏武人執權) 시기인 1224년(갑신, 고려 고종 11)에 출생하여, 원(元)의 압제에 시달리던 충렬왕 26년(경자, 1300)에 77세를 일기로 운명하였다.

이승휴는 과거급제(1252) 후 바로 몽골과의 전쟁을 맞이하였는데, 최씨 정권이 붕괴하고 김준(金俊)·임연(林衍)의 무인정권이 몰락하는 정변의 회오리 속에서 비교적 늦게 관직 생활을 시작하였다. 이승휴는 70세에 비로소 자신의 능력을 인정받으며 조정에서 뜻을 펼칠 기회를 가질 수 있었다. 그는 충선왕을 보필하며 원과 고려의 관계를 원활하게 유지

••••

1 이창식, 2000, 「이승휴와 삼척문학 계승」, 『삼척지역의 민속문화』, 삼척문화원, 208쪽. 『高麗史』에 수록된 이승휴 열전에는 그의 아버지나 어머니의 가계에 대한 기록은 물론이거니와 입신양명하였던 먼 선조 혹은 시조에 대한 기록조차 전하지 않는다. 심지어 현재 알려진 가리 이씨의 계보는 이승휴로부터 시작되고 있다.

하기 위해 노력하였고, 이에 충선왕은 거듭 그를 중용하였다. 고려가 몽골에 굴복하자 일어선 삼별초란(三別抄亂)의 소용돌이에 휘말렸다가 겨우 빠져나오는 곡절(曲折)도 경험하였다.

이어지는 원(元) 간섭의 시기에 정치적인 참여와 활약을 펼치던 끝에 좌절의 쓴맛을 보고는 마침내 강원도 삼척(三陟: 이승휴 모친의 고향)으로 귀향하여 두타산(頭陀山) 입구 구동(龜洞)[2]에 자리한 천은사(天恩寺)에 은거하며 일생을 마쳤다.[3] 이때 그는 모친을 봉양하며 책을 읽었고 십 년 동안 직접 농사를 짓기도 하였다.

이승휴의 저서로는 『제왕운기』 외에도 『동안거사집(動安居士集)』(1260경),[4] 『내전록(內典錄)』,[5] 『탈속불전(脫俗佛典)』(1287),[6] 『빈왕록(賓王錄)』(1290)[7] 등이 현전한다.

지금까지 『제왕운기』에 대해서는 역사학계[8]와 국문학계[9] 등에서 수많

••••

2 이창식, 2000, 「이승휴와 삼척문학 계승」, 『삼척지역의 민속문화』, 삼척문화원, 206~215쪽.

3 김도현, 2017, 「동안 이승휴선생의 생애와 관련 유적」, 『박물관지』 23, 강원대학교 박물관, 32~36쪽.

4 변동명, 2005, 「이승휴의 생애와 저술」, 『진단학보』 99, 진단학회, 144~148쪽; 이승휴 저, 2009, 『동안거사집(動安居士集)』, 진성규 역, 지만지(지식을 만드는 지식).

5 불교 전파와 경전 번역의 역사를 수록한 불교역사서다. 말년에 불교에 심취하여 저술한 불전(佛典) 목록으로 보고 있다. 변동명, 「이승휴의 내전록(內典錄) 저술」, 『한국사상사학』 23, 한국사상사학회, 2004, 253~279쪽 참고.

6 김도현, 2017, 「동안 이승휴선생의 생애와 관련 유적」, 『박물관지』 23, 강원대학교 박물관, 30~32쪽; 변동명, 2005, 「이승휴의 생애와 저술」, 『진단학보』 99, 진단학회, 153쪽.

7 변동명, 2005, 「이승휴의 생애와 저술」, 『진단학보』 99, 진단학회, 148~151쪽. 원의 대도에 다녀온 경험을 살려서 지음.

8 유경아, 1986, 「이승휴의 생애와 역사의식—제왕운기를 중심으로」, 이화여자대학교 대학원 석사학위논문, 1~54쪽; 김보광, 2017, 「《제왕운기(帝王韻紀)》, 새로운 역사인식의 등장」, 『내일을 여는 역사』 69, 재단법인 내일을 여는 역사재단, 174~189쪽.

은 논의가 진척되어 있다.[10] 『제왕운기』에는 중국과 우리나라의 역대 왕조를 비롯해 우리의 단군, 발해(渤海), 고구려·백제·신라의 삼국과 고려(高麗) 등의 역사와 문학의 소중한 자료들이 수록되어 있기에 관심을 가진 연구자들이 많았다.

국문학 분야에 있어서 『제왕운기』의 기존 연구는 주로 찬자 이승휴의 한시 문학[11]으로의 측면, 곧 한국의 서사시(敍事詩)[12]나 영사시(詠史詩),[13] 응제시(應製詩)[14]로서 『제왕운기』에 대한 연구나 그 속의 갈래 인식, 단군신화, 이승휴의 삶과 한시를 매개(媒介)로 한 문학 의식,[15] 문학사적 위상 등을 구명한 논의는 많았지만 「단군신화」를 제외하고는 『제왕운기』에 나오는 견훤(甄萱), 궁예(弓裔), 고려 태조(太祖) 왕건(王建)의 설화나 들짐승(곰, 범), 날짐승(새)의 상징적 의미를 구명하려는 논의는 소략한 편이다. 이 논의는 『제왕운기』의 편찬 과정에 나타난 찬술자(이승휴)의 의식과, 『제왕운기』의 구성(構成)과 연관하여 설화 10편을 소략하게나마 살펴보는 데 목적을 둔다.

••••

9 김경수, 2005, 「이승휴문학 연구」, 『진단학보』 99, 진단학회, 195~209쪽.

10 박인호, 2011, 「《제왕운기》에 대한 연구 현황과 쟁점」, 『국학연구』 18, 한국국학진흥원, 363~395쪽.

11 강석근, 2002, 「이승휴의 시문학」, 『한국불교시연구』, 이회문화사.

12 김경수, 2005, 「이승휴문학 연구」, 『진단학보』 99, 진단학회, 204쪽.

13 손정인, 1988, 「이승휴의 《제왕운기》에 대한 이해」, 『한민족어문학』 15, 한민족어문학회, 199~205쪽.

14 강석근, 2017, 「응제시의 관점에서 살펴본 《제왕운기》와 이승휴의 역사의식」, 『한국사상과 문화』 89, 한국사상문화학회, 77~102쪽.

15 김승룡, 2000, 「원(元) 간섭기 고려지식인의 현실인식 시고 —이승휴를 중심으로」, 『한국문학』 창간호, 고려대학교 민족문화연구원 한국문화연구소, 297~323쪽.

『제왕운기』는 초고·봉진본(封進本), 초간본(初刊本), 재간본(再刊本), 삼간본(三刊本)으로 크게 나눌 수 있고, 현대에 들어와서는 영인본과 활자본으로 나눌 수 있다. 『제왕운기』 초고본은 충렬왕 6년(경진, 1280) 감찰사의 관원들과 함께 국왕의 실정 및 국왕 측근들의 전횡을 간언하다가 파직[16] 된 후 강원도 삼척 두타산 구동에 내려와 칩거하면서 쓴 것으로, 충렬왕 13년[정해, 1287, 중국 지원(至元) 24] 3월 초고본을 완성하였다.[17]

초고를 바탕으로 급히 봉진본으로 마련하였으나 내용에서 "중국은 반고(盤古)로부터 금국(金國)까지, 동국(東國)은 단군(檀君)으로부터 본조(本朝) 고려에 이르기까지의 처음 일어나게 된 근원을 두루 찾아보아, 같고 다른 것을 비교하여 그 요점을 추려 풍영(諷詠)으로 시를 지었습니다. 저들이 서로 계승하여 주고받아 흥하여 일어선 것은 손바닥을 가리키는 것과 같고, 무릇 선대를 이어받은 것과 말하고 행동하는 것을 취사선택한 것은 마음에 명백합니다"[18]라고 서술하였다. 이로 미루어 봉진본에서는 이승휴에 의해 동국(東國)에 관한 내용이 상당히 보충되는 등 어느 정도 수정이 있었을 것으로 생각된다.[19]

초간본은 초고본이 완성된 후 10여 년이 지난 다음, 충렬왕 21년[을미, 1295, 중국 원정(元貞) 1]에서 충렬왕 23년[정유, 1297, 중국 원정(元貞) 2·대덕(大

----

16 조용욱 외, 2005, 『우리 역사문화의 갈래를 찾아서: 태백문화권』, 역사공간, 199쪽.

17 국사편찬위원회 한국사데이터베이스, 서은혜 외 역, 『帝王韻紀』, 「帝王韻紀進呈引表」. 〈至元二十四年 三月 日 頭陀山居士 臣 李承休〉.

18 김경수, 1999, 『제왕운기』, 역락. 원문은 다음 참고. 한국사데이터베이스, 『帝王韻紀』, 卷上, 「帝王韻紀進呈引表」. 〈中朝則從盤古而至於金國 東國則自檀君而洎我本朝 肇起根源 窮搜簡牘 較異同而撮要 仍諷詠以成章 彼相承授受之興立 如指諸掌〉.

19 박인호, 2011, 「《제왕운기》에 대한 연구 현황과 쟁점」, 『국학연구』 18, 한국국학진흥원, 3쪽.

德) 1] 사이에 천수내상(天水內相)으로 있던 윤보(尹珤)가 왕에게 청탁하여 허락을 얻고 진양목백(晉陽牧伯)이었던 부사(副使) 상서(尙書) 이산(李㦃)이 왕명을 받들어 서기(書記) 정소(鄭玿)에게 명하여 진주(晉州)에서 찍었다.[20]

재간본은 초간본이 인쇄된 후 세월이 오래되어 판이 썩고 마멸되자 막내아들 이연종(李衍宗)이 중간(重刊)하려 하였으나 힘이 미치지 못하였다. 이후 공민왕 9년[경자, 1360·중국 지정(至正) 20] 5월에 조카사위였던 경상도 안렴사(慶尙道按廉使) 안극인(安克仁)이 경주(慶州)에서 중간(重刊)하였는데, 글씨는 김희(金禧)가 썼다.[21] 재간본은 2권 1책으로 보물 418호(곽영대본), 보물 895호(동국대본), 보물 1091호(삼성출판박물관본), 한솔본[김재갑(金在甲) 소장] 4종류가 현전한다.[22] 재간본은 계선(界線)과 어미(魚尾)가 없으며, 자체가 고졸(古拙)한 특징을 지니고 있다. 또한 3판보다 오자(誤字)가 적은 것이 특징이다.[23]

삼간본은 고려본이 인멸(湮滅)되자 조선 태종 17년[정유, 1417, 중국 영락(永樂) 15]에 간행하였다. 삼간본의 내용 자체는 재간본을 기초로 간행되었으나, 세계도(世系圖)와 마지막에 이지(李輊)의 삼간본 발문(跋文)이 추가되었다. 판이 흐릿하여 『제왕운기』를 찍어 내는 이가 없자 도관찰출척사(都觀察黜陟使)였던 이지강(李之剛)이 다시 새길 뜻을 두었으며, 이에 경주부윤(慶州府尹)인 이승간(李承幹)과 판관(判官) 반영(潘泳)이 경주 유학 교수관인 이지(李輊)의 책을 구하여 찍었다. 이 책은 당시에 널리 유포되었을 뿐

20 박인호, 2011, 「《제왕운기》에 대한 연구 현황과 쟁점」, 『국학연구』 18, 한국국학진흥원, 5쪽.
21 박인호, 2011, 「《제왕운기》에 대한 연구 현황과 쟁점」, 『국학연구』 18, 한국국학진흥원, 6쪽.
22 김경수, 1999, 「제왕운기의 연구 — 판본을 중심으로」, 『제왕운기』, 역락, 23~26쪽.
23 박인호, 2011, 「《제왕운기》에 대한 연구 현황과 쟁점」, 『국학연구』 18, 한국국학진흥원, 6~7쪽.

만 아니라, 1939년 조선간행회에서도 삼간본을 저본(底本)으로 영인하였기에 현재도 가장 널리 유포되어 있다.[24] 이상과 같이 『제왕운기』는 여러 과정을 거쳐 삼간본으로 이어졌음을 알 수 있다.

다음으로 『제왕운기』의 체재(體裁)와 내용을 살펴보려고 한다. 『제왕운기』는 상·하 양권 1책으로 되어 있다. 상권은 서(序)에 이어 중국 역사의 요점을 신화시대부터 삼황오제(三皇五帝)·삼대[三代: 하(夏)와 은(殷)과 주(周)], 진(秦)·한(漢)·위(魏)·진(晉)과 송(宋)·제(齊)·양(梁)·수(隋)·당(唐)·오대(五代)·송(宋)·금(金)을 거쳐 원(元)의 흥기(興起)까지 이르는 역사를 칠언고시(七言古詩) 264구(句)로 읊어 놓았다.[25]

하권은 「동국군왕개국연대(東國君王開國年代)」와 「본조군왕세계연대(本朝君王世系年代)」의 2부로 되어 있다. 전자는 서문에 이어 「지리기(地理紀)」, 단군(檀君)의 「전조선기(前朝鮮紀)」, 기자(箕子)의 「후조선기(後朝鮮紀)」, 위만(衛滿)의 찬탈(簒奪), 삼한(三韓)을 이은 신라·백제·고구려의 삼국(三國)과, 궁예(弓裔)의 「후고구려기(後高句麗紀)」, 견훤(甄萱)의 「후백제기(後百濟紀)」, 「발해기(渤海紀)」, 고려(高麗)로 이어지는 역사를 264구 1460언의 칠언고시형(七言古詩形)으로 기술하고 있다. 후자인 「본조군왕세계연대(本朝君王世系年代)」는 고려 시조 성골장군(聖骨將軍)의 산신계 신화(神話)로부터 시작하여, 왕건(王建) 태조(太祖)의 훌륭한 창업을 이어받은 제26대 충선왕(忠宣王)에 이르는 치적(治積)과 실정(失政), 그리고 신하들의 충성과 반역(反逆)을 기술하고 있다. 그리고 하권도 상권과 마찬가지로 주석(註釋)을 보충

24 박인호, 2011, 「《제왕운기》에 대한 연구 현황과 쟁점」, 『국학연구』 18, 한국국학진흥원, 7쪽.
25 조용욱 외, 2005, 『우리 역사문화의 갈래를 찾아서: 태백문화권』, 역사공간, 200쪽.

하여 고려 역사의 개요를 일목요연하게 서술하였다.[26]

이로 미루어 『제왕운기』는 정치적으로 불우했던 격동기에 탄생한 대표적 역작이라 할 수 있다. 『제왕운기』의 전편은 칠언고시로 된 장체(長體)의 역사를 노래한 시[詠史詩]로 악장, 가사문학(歌辭文學)의 원초적 형태와 고소설에 많은 영향을 미쳤다. 『제왕운기』는 서술 방식이 국문서사시 『용비어천가』에도 영향을 미쳤기에 동시대인 이규보의 「동명왕편(東明王篇)」, 「역대가(歷代歌)」와 함께 국문학상의 가치도 높게 평가되고 있다.[27]

이승휴가 『제왕운기(帝王韻紀)』의 상권에서 중국 역대 제왕의 흥망사를 서술하고, 하권에서 시간적으로나 내용적으로 그에 상응하는 한국 제왕의 흥망사를 서술한 것은 중국사를 통해 교훈을 얻어야 했기 때문이었다. 이승휴가 『제왕운기(帝王韻紀)』를 찬술한 의도는 첫째, 친원(親元)세력에 대항하여 왕실의 권위와 그 정통성을 정립하고, 둘째, 이러한 당대 현실을 직시하고 경계할 것을 직간(直諫)하며,[28] 셋째, 왕권을 중심으로 한 강력한 국가질서를 회복하기 위한 가치관을 제시할 책략을 보이고, 넷째, 친원세력에 대한 비판을 통하여 원(元)에 대한 대의적 자주적 저항의식을 드러내고자 하는 것이었기 때문이다.[29]

다음으로는 『제왕운기』에 인용된 과거의 한국 설화의 기술 의도와 성격을 살펴보고자 한다.

••••

26 김경수, 1999, 「제왕운기의 연구—판본을 중심으로」, 『제왕운기』, 역락, 205쪽; 조용욱 외, 2005, 『우리 역사문화의 갈래를 찾아서: 태백문화권』, 역사공간, 200~201쪽.

27 강석근, 2017, 「응제시의 관점에서 살펴본 《제왕운기》와 이승휴의 역사의식」, 『한국사상과 문화』 89, 한국사상문학회, 80~82쪽.

28 그는 충렬왕의 분노를 피해 두타산에 은거하던 약 20년 동안 역사서 집필에 전념하였다.

29 조용욱 외, 2005, 『우리 역사문화의 갈래를 찾아서: 태백문화권』, 역사공간, 201~202쪽.

II. 『제왕운기』 소재(所載) 설화의 기술과 성격

『제왕운기』에 수록된 설화를 순차적으로 살펴보면 다음과 같다.

㉮ 창세(創世): 권상, 〈混沌形狀如鷄子…〉[30]

혼돈한 형상이 계란과 같으니, 반고(盤古)가 혼돈 속에서 태어났다네. 『삼오역기(三五曆紀)』에 이르기를, "아직 하늘과 땅이 있지 않았을 때, 혼돈하여 형상이 계란과 같았다"라고 하였다. 『통감외기(通鑑外紀)』에 이르기를, "하늘과 땅이 혼돈하여 계란과 같은데, 반고가 그 안에서 태어나 18,000세를 살았으니, 양(陽)은 맑아서 하늘이 되고, 음(陰)은 탁하여 땅이 되었다"라고 하였다.

㉯ 단군(檀君): 권하, 「전조선기(前朝鮮紀)」, 〈初誰開國啓風雲〉[31]

처음에 누가 나라를 세워 세상을 열었는가? 석제(釋帝)의 손자로 이름은 단군(檀君)이라네. 「본기(本紀)」에 이르기를, "상제(上帝)환인(桓因)에게 서자(庶子)가 있는데 환웅(桓雄)이라 하였다. (환인이 환웅에게) 일러 말하기를, '(땅으로) 내려가 삼위태백(三危太伯)에 이르면 인간을 널리 이롭게 할 수 있겠는가(弘益

••••

30 국사편찬위원회 한국사데이터베이스, 『帝王韻紀』, 卷上, 〈… 混沌形狀如鷄子 ○盤古生於混沌裏 三五曆紀曰 未有天地之時 混沌而狀如鷄子 通鑑外紀曰 天地混沌如鷄子 盤古生其中 萬八千歲 陽淸爲天 陰濁爲地地 生後一萬八千歲 上淸下濁分天地.…〉.

31 『帝王韻紀』, 卷下, 「東國君王開國年代」, 〈初誰開國啓風雲 釋帝之孫名檀君 本紀曰 上帝桓因 有庶子曰雄云云 謂曰 下至三危太伯 弘益人間歟 故雄 受天符印三箇 率鬼三千 而降太白山頂神檀樹下 是謂檀雄天王也云云 令孫女飮藥 成人身 與檀樹神婚而生男 名檀君 據朝鮮之域 爲王 故尸羅 高禮 南北沃沮 東北扶餘 穢與貊 皆檀君之壽也 理一千三十八年 入阿斯達山 爲神 不死故也 竝與帝高興戊辰 經虞歷夏居中宸 於殷虎丁八乙未 入阿斯達山爲神 今九月山也 一名弓忽 又名三危 祠堂猶在 享國一千二十八 無奈變化傳桓因 却後一百六十四 仁人聊復開君臣一作 爾後一百六十四 雖有父子 無君臣〉.

人間)?'라고 하였으므로 환웅은 천부(天符印)인 3개를 받고 귀신 3,000명을 데리고 그 태백산 꼭대기 신단수(神檀樹) 아래로 내려왔으니, 이분을 일러 단웅천왕(檀雄天王)이다"라고 하였다. 손녀(孫女)에게 약을 먹여 사람의 몸이 되게 하고 단수신(檀樹神)과 혼인하게 하여 남자아이를 낳게 하니, 이름하여 단군이라 하였다. 조선의 영역에 자리 잡고 왕이 되었다. 그리하여 시라(尸羅), 고례(高禮), 남북옥저(沃沮), 동북부여(東北夫餘), 예(濊)와 맥(貊)이 모두 단군의 후손이었다. 1,038년을 다스리다가 아사달(阿斯達)산에 들어가서 산신이 되었으니, (이는 단군이) 죽지 않은 까닭이다. 요(堯)임금과 함께 무진년에 나라를 세워 순(舜)임금 때를 지나 하(夏)나라 때까지 왕위에 계셨도다. 은(殷)나라 무정(武丁) 8년 을미년에 아사달산으로 들어가 산신이 되었네. 지금의 구월산(九月山)으로 일명 궁홀(弓忽) 또는 삼위(三危)라고 부르는데, 사당(祠堂)이 아직도 있다. 나라를 다스린 지가 1,028년으로, 어찌 변화시켜 환인께 전할 것이 없었겠는가? 그 뒤 164년 만에 어진 사람이 다시 군신(君臣) 관계를 다시 열었도다. 다른 곳에서는 이후 164년 동안 비록 부자 관계는 있었으나 군신 관계는 없었다고 되어 있다.

㉰ 기자조선(箕子朝鮮)의 시조(始祖):

권하, 「후조선기(後朝鮮紀)」 〈後朝鮮祖是箕子〉[32]

후조선의 시조는 기자인데, 주(周) 무왕(武王) 원년인 기묘년 봄에, 이곳

••••

32 『帝王韻紀』, 卷下, 「東國君王開國年代」, 〈後朝鮮祖是箕子 周虎元年己卯春 逋來至此自立國 周虎遙封降命綸 禮難不謝乃入覲 洪範九疇問彜倫尙書疏云 虎王 箕子之囚 箕子走之朝鮮立國 虎王聞之因封焉 箕子受封 不得無臣禮 因謝入覲 虎王問洪範九疇 在周之十三年也 已下現於傳者 皆不注〉.

으로 도망하여 와 스스로 나라를 세웠으니, 주왕이 멀리 떨어진 봉토(封土)에 조서(詔書)를 내리셨네. 예로써 사례하지 않을 수 없어 찾아가 뵈니, 홍범구주[洪範九疇: 중국 하(夏)나라 우왕(禹王)이 남겼다는 정치적 이념]로 인륜을 물으셨네. 『상서(尙書)』의 주소(奏疏)에, "무왕이 기자를 가두자 기자가 조선으로 달아나 나라를 세웠다. 무왕이 이를 듣고서 (제후로) 봉하셨다. 기자가 책봉을 받고서 신례(臣禮)를 취하지 않을 수 없어서 사례하고자 입근(入覲)하자 무왕이 홍범구주를 물으셨으니, 주를 건국한 지 13년이 된 해였다"라고 하였는데, 이하 전(傳)에 나타난 것은 모두 주(注)를 달지 않는다.

㉣ 부여(扶餘) 부루(夫婁) 탄생: 권하, 「후조선기(後朝鮮紀)」[33]

…나라를 칭한 것이, 마한(馬韓)은 40개, 진한(辰韓)은 20개, 변한(弁韓)은 12개였다. 그중에 어떤 자가 대국이던가? 먼저 부여(扶餘)와 「단군본기(檀君本紀)」에 이르기를, "비서갑(非西岬)의 하백(河伯)의 딸과 혼인하여 사내아이를 낳고 부루(夫婁)라고 이름을 지었다"라고 되어 있으며, 「동명본기(東明本紀)」에 이르기를, "부여 왕 부루가 늙도록 아들이 없어 산천에 제사를 지내고 아들을 얻기를 구하였다. 타고 있던 말이 곤연(鯤淵)에 이르렀는데 큰 돌이 굴러떨어져 부서지는 것을 보았다. 왕이 괴이하게 생각하고 사람을 시켜 굴려 보니, 작은 아이가 있었는

••••

33 『帝王韻紀』, 卷下, 「東國君王開國年代」, 〈…稱國者 馬有四十 辰有二十 弁有十二 於中何者是大國 先以扶餘檀君本紀曰 與非西岬河伯之女婚而生男 名夫婁 東明本紀曰 扶餘王夫婁 老無子 祭山川 求嗣所御馬 至鯤淵 見大石流殘 王怪 而使人轉石 有小兒 金色蛙形 王曰 天錫我令胤乎 立爲太子 名曰金蛙其相阿蘭弗曰 日者 天降我曰 將使吾子孫 立國於此 汝其避之 東海濱有地 號迦葉原 土宜五穀 可都也勸王移都 號東扶餘云云 臣嘗使於上國 至遼濱路傍 有立墓 其人曰 扶餘駙馬大王墓也 又賈耽曰 大原南 鴨綠血 扶餘舊地 則北扶余者 宜在遼濱 其開國 蓋自後朝鮮 而至此 幾矣 沸流稱東明本紀曰 沸流王松讓謂曰 予以仙人之後 累世爲王 今君造國 日淺 爲我附庸 可乎 則此亦疑檀君之後也…〉.

데, 황금색의 개구리 모양을 하고 있었다. 왕이 말하기를, '하늘이 나에게 대를 이을 아들을 주신 것인가?' 하고는 태자로 삼고 금와(金蛙)라고 이름을 지었다. 재상(宰相) 아란불(阿蘭弗)이 말하기를, '일전에 하느님이 내려와 저에게 이르기를, '장차 나의 자손으로 하여금 이곳에 나라를 세우게 할 것이니 너희들은 이곳을 피하라. 동해(東海) 바닷가에 땅이 있어서 가섭원(迦葉原)이라 부르는데, 땅에는 오곡이 자랄 것이니 가히 도읍할 만하다'라고 하였습니다.' (아란불이) 왕에게 권하여 천도하고 동부여(東扶餘)라고 불렀다"라고 되어 있다. 신(臣)이 일찍이 상국(上國)에 사신으로 갈 때, 요동의 바닷가 길옆에 이르렀는데, 묘가 세워져 있었다. 어떤 사람이 말하기를, "부여의 부마대왕(駙馬大王)의 묘이다"라고 하였다. 또한 가탐(賈耽)이 말하기를, "큰 들의 남쪽은 압록강(鴨綠江)으로서 부여의 옛 땅이다"라고 하였으니, 곧 북부여(北扶餘)는 마땅히 요하강변에 있었을 것이다. 그 개국은 대저 후조선(後朝鮮)부터 이때까지 얼마인가? 비류(沸流) 「동명본기(東明本紀)」에 이르기를, "비류 왕 송양(松讓)이 일러 말하기를, '나는 선인(仙人)의 후손으로 누대에 걸쳐 왕 노릇을 하였으나, 지금 너희들이 나라를 세운 지 얼마 되지 않았으니 나에게 기대는 것(附庸)이 가하지 않겠는가'라고 하였다"라고 하였으니, 곧 이 또한 의심컨대 단군의 후손일 것이다.를 칭하며…

㉮ 혁거세(赫居世) 난생(卵生): 권하, 「신라시조혁거세(新羅始祖奕居世)」[34]

신라의 시조(始祖)는 혁거세(赫居世)이니, 출생한 바는 인간이 아니었네.

••••

34 『帝王韻紀』, 卷下, 「東國君王開國年代」, 〈新羅始祖奕居世 所出不是人間系 有卵降自蒼蒼來 其太如瓢 紅縷繫 筒中長生因姓朴 羅人呼瓢爲朴 此豈非爲天所啓 漢宣五鳳元甲子 開國辰韓定疆界 風淳俗美都局平 聖君賢相臨相繼 羲皇上世何以加…〉.

알이 하늘에서 내려와, 크기가 박만 하고 붉은 실이 매여 있었도다. 알 속에서 오랫동안 자랐으므로 성을 박씨(朴氏)로 하였으니, 신라인들은 표(瓢)를 박이라고 하였다. 이 어찌 하늘에서 계시(啓示)한 것이 아니겠는가? 한(漢) 선제(宣帝) 오봉(五鳳) 원년(BC 57) 갑자년에 진한(辰韓)에서 개국하여 경계(境界)를 정하였도다. 풍속이 순후(淳厚)하고 습속이 아름답고 형국이 태평하였으며, 성군(聖君)과 어진 재상이 계속하여 이어졌으니…

㉳ 고구려 주몽(朱蒙)신화: 권하, 「고구려기(高句麗紀)」[35]

고구려 왕조의 성(姓)은 고씨(高氏) 왕이 처음 탄생하자 온 나라가 그를 높였기 때문에 성(姓)을 고(高)라고 하였다.로 시호(諡號)는 동명(東明)인데, 활을 잘 쏘았으므로 주몽(朱蒙)이라 이름하였네. 부여(扶餘) 사람들은 활을 잘 쏘는 사람을 주몽이라고 불렀다. 아버지는 해모수(解慕漱)이고 어머니는 유화(柳花)「본기(本紀)」에 이르기를, "한(漢) 선제(宣帝) 신작(神雀) 3년(BC. 59) 임술년에 천제가 태자 해모수를 보내어 부여 왕의 옛 도읍에서 놀게 하였다. 오룡거(五龍車)를 타고 있었는데, 따르는 사람이 100여 인으로 모두 흰 고니를 타고 있었다. …대(臺) 위에 서서 군신의 예를 갖추고 웅심산(熊心山)에서 사냥을 하였다. 하백(河伯)의 세 딸이 우발하(優渤河)에 나와 놀았는데 장녀 유화가 왕에게 붙잡혔

35 『帝王韻紀』, 卷下, 「東國君王開國年代」, 〈… 麗祖姓高王初誕 而擧國高之 因以爲姓 諡東明 善射故以朱蒙名 扶餘人 名善射爲朱蒙 父解慕漱母柳花 本紀云 漢神雀三年壬戌 天帝遣太子解慕漱 遊扶餘王古都 乘五龍車 從者百餘人 皆乘白鵠云云 臺上立君臣之禮 獵於熊心山 河伯三女 出遊優渤之河 長女柳花爲王所止云云 文順公東明詩云 天孫河伯甥 皇天之孫河伯甥 父還天宮不復返 母在優渤淸江汀 扶餘國王名金蛙 爲開別館相邀迎 五升大卵在脅誕 陰雲之日生陽晶 兒生數月能言語 漸至壯大才豪英 時王太子生妬忌 譖令牧馬驅騧騧 王來欲渡蓋斯水 今大寧江也 魚鼈化作橋梁橫…〉.

다"라고 되어 있다. 『동명왕시(東明王詩)』에 이르기를, "천손(天孫)인 하백의 외손자이다"라고 하였다.로 황천(皇天)의 자손, 하백의 외손자이시다. 아비는 천궁으로 돌아가 다시 오지 아니하였으니, 어머니는 우발하 맑은 물가에 살게 되었네. 부여 국왕의 이름은 금와(金蛙)인데, 별관(別館)을 짓고 (유화를) 맞이하였도다. 다섯 되나 되는 큰 알을 왼쪽 겨드랑이로 낳으니, 흐린 날에 빛나는 사내아이가 태어났다네. 태어난 지 수개월 만에 말을 할 수 있었으며, 점차 커가매 재능이 영웅호걸과 같았다네. 이때 왕태자가 시기심이 생겨, 참소하여 말을 먹이게 하매 살이 쪘고, 주몽왕이 개사수[蓋斯水, 지금의 대녕강(大寧江)이다]를 건너고자 하자, 물고기와 자라가 다리를 만들어 강을 건널 수 있었도다.

㈓ 궁예(弓裔)의 탄생: 권하, 「후고려기(後高麗紀)」[36]

신라(新羅) 경문왕(景文王)이 서자(庶子)를 낳았는데, 이가 두 겹이고 태어나면서 말을 하였으니, 서로 임금을 해칠 것이라 하여 쫓아내었으니, 불교에 귀의하여 몰래 다녔네. 흥교사(興敎寺) 옛날의 선달사(先達寺) 또는 부석사(浮石寺)라고 하였는데, 『국사(國史)』를 정설로 삼는다.에 살면서 재(齋)를 올리며 다녔도다. 이때 발우에 감응하여 (그것을) 손에 들고 있으니, 까마귀가 물고 와서 그릇 안에 떨어뜨린 것은, 왕자(王字)가 새겨진 황아(黃牙) 막대기였다네. 마음속으로 기이하게 생각하여 입 밖으로 내

36 『帝王韻紀』, 卷下, 「東國君王開國年代」, 〈羅王景文生庶子 齒有兩重含付聲 相是害君乃放逐 托跡浮圖潛遊行 捿興敎寺古之善達寺也 或云浮石寺 以國史爲定 邏齋去 時以應鉢手中擎 有烏含落是器中 王字鏤在黃牙柱 中心自奇秘不出 方寸益復藏姦萌…〉.

지 않았으니, 조그마한 마음이 커져서 간사한 싹을 감추게 되었네…

㉵ 낙화암(落花巖)에 투신한 의자왕(義慈王)의 궁녀(宮女)들: 권하, 「백제기(百濟紀)」[37]

백제의 시조의 이름은 온조(溫祚)이니, 동명성제(東明聖帝)가 그 아버지였으며, 그 형 유리(琉璃)가 와서 왕위를 이으니, 마음이 편하지 못할 것 같아 남쪽으로 걸어갔도다. … 후대의 왕이 혹 남부여(南扶餘)라 부르기도 하였고, … 나라를 유지한 지 오래되어 의자왕(義慈王)에 미치니, 여색에게 취하고 음악에 홍겨워 왕의 법도를 잃었도다. … 의자왕을 붙잡아 경사(京師)로 돌아갔다. 수많은 궁녀가 청류(淸流)에 몸을 던지니 낙화암(落花巖)만이 대왕포(大王浦)에 솟아 있구나. 포구는 왕이 항상 놀았으므로 얻은 이름이며, 바위는 궁녀들이 떨어져 죽었으므로 얻은 이름이다.

㉶ 견훤(甄萱): 권하, 「후백제기(後百濟紀)」[38]

가은현(加恩縣) 사람 아자개(阿慈介)가, 아이 하나를 얻어 농사를 짓고 살고 있을 때, (아이를) 밭머리에 두고 부부가 김을 매고 있었는데, 새가

37 『帝王韻紀』, 卷下, 「東國君王開國年代」, 〈… 百濟始祖名溫祚 東明聖帝其皇考 其兄類利來嗣位 心不能平乃南渡 … 後王或號南扶餘 … 持盈日久及義慈 色醉聲酣失王度 … 擒義慈 還京 幾多紅粉墮淸流 落花巖聳大王浦 浦以王常遊 得名 岩以宮女墮死 得名…〉.

38 『帝王韻紀』, 卷下, 「東國君王開國年代」, 「後百濟紀」. 〈加恩縣人阿慈介 生得一兒業農圃 置向田頭夫婦耘 鳥來舒覆虎來乳 旣壯仕羅詣行間 才力離倫性雄虎 姓本是李名甄萱 承命出向南方戍 潛含大志伺時便 啗士誘民常吐哺 唐侶景福元壬子 據虎珍城今光州也 初樹羽 兵强氣銳恣橫行 名後百濟四十五有子不良將奈何 其名神劍乃幽父 金山佛殿戶誰開 泰華千里當寸步 淸泰三年丙申春 偸渡碧江歸 我祖 對以王禮慰於朝 往討賊子尸諸路 臨薨歐血那可追 美矣羅王知去就〉.

내려와 감싸 주고 범이 와서 젖을 먹였도다. 장성하여 신라(新羅)의 군사로 벼슬을 하였는데, 재능과 힘이 남달랐으며, 성질은 범과 같았다. 성(姓)은 본래 이씨(李氏)이며 이름은 견훤(甄萱)인데, 남방에 가서 지키라는 명(命)을 받고 나아갔네. 몰래 큰 뜻을 품고 때가 오기만을 엿보다가, 선비를 꾀고 백성을 유인하여 항상 인재를 모으고자 하였도다(吐哺). 당(唐)나라 소종(昭宗)의 경복 원년(景福 元年, 892) 임자년(壬子年)에, 무진성(武珍城) 지금의 광주(光州)이다.을 근거로 처음으로 기틀을 닦았도다. 군사가 강성하고 기세가 예리하여 마음대로 횡행(橫行)하다가, 후백제(後百濟)라고 이름하여 45년을 다스렸는데, 아들이 불량(不良)하니 장차 어이할꼬? 그 이름 신검(神儉)이라 하는데 이내 아비를 가두었도다. 금산사(金山寺) 불전문(佛殿門)을 누가 열어 줄 것인가? 세상천지에 촌보(寸步)에 해당하니, 청태(淸泰) 3년(936) 병신년(丙申年) 봄에 남몰래 푸른 강을 건너 우리 태조(太祖)께 귀부하였다. 왕의 예(禮)로써 대하고 조정에서 위무하였으며, 가서 적자(賊子)를 토벌하고 시체를 각지에 조리돌렸네. 죽을 때가 되어 피를 토하였으니 무엇을 구할 수 있을 것인가? 아름답도다! 신라 왕은 (자신의) 거취(去就)를 알았네.

㉧ 호경(虎景)과 작제건(作帝建): 권하, 「본조군왕세계연대(本朝君王世系年代) 700언(言)이다. 선대기(先代紀)」[39]

자고로 천명(天命)을 받아 군왕이 되니, (그) 누가 비범한 사람이 아니겠는가? 우리 황가(皇家)의 계보도 이에 더욱 기이하다 할 것이다. … 성골장군(聖骨將軍) 휘(諱)는 호경(虎景)이며, 지금의 구룡산 천왕(九龍山天王)이다. 처음에는 백두산(白頭山)에서 9명을 데리고 사냥하러 (송악에) 왔다. 이로 인하여 사냥을 하다가 산혈(山穴)에서 유숙하게 되었는데, 호랑이가 (동굴에) 와서[39] 울부짖고는 가지 않았다. 10인이 의논하여 말하기를, "이는 반드시 이유가 있을 것이다"라고 하고는 각자 가지고 있는 의물(衣物)을 던지니, 호랑이가 장군의 옷을 받았다. 장군이 나오니 동굴이 무너져 9인이 모두 파묻혔다. 호랑이가 변신하여 여인이 되어 말하기를, "나는 과부로 이 산에 살고 있는데, 원컨대 당신과 함께 신정(神政)을 다스리고자 한다"라고 하였다. 이로 인하여 혼인하여 신이 되었다. 이 때문에 호경이라 이름하였고, (그) 산은 구룡이라 이름한 것이다. 이는 대저 산정(山精)을 근본으로 한 것이다.의 자손으로, 여자로서 현명하고 아름다운 이가 있었네. … 대왕의 휘(諱)는 작제건(作帝建)이다. (그는) 활을 잘 쏘고 비범하였다네. 천자인 아버지를 만나고자 상인의 배를 타고 가다가, 바다 한가운데에 이르러, 배가 뱅뱅 돌며 멈추었네. 상인이 그것을 괴이하게 여겨 점을 치고 모의하여 (작제건을) 외딴 섬에 내리게 하고는, 배는 지나가는 매와 같이 가 버렸도다. 이윽고 용이 나와서 그 이유를 성심(誠心)으로 이야기하였는데, "어떤 늙은 여우가, 때때로 홀연히 여기에 나타나서, 거짓으로 부처의 위의(威儀)를 하고는, 요망한 경전을 어지러이 이야기하고 다니므로, 내가 두통이 나서 이와 같이 근심을

• • • •

39 『帝王韻紀』, 卷下. 「本朝君王世系年代」, 〈… 本朝君王世系年代 凡七百言. 自古受命君 孰不非常類 惟我皇家系 於此尤奇異…聖骨將軍諱虎景 今九龍山天王也 初自白頭山率九人 遊獵而來 因獵而宿於山穴 有虎來吼而不去 十人議曰 此必有由 各持衣物投之 則虎受將軍之衣 將軍出 而穴陷 九人同沒 虎變爲女曰 我寡居此山 願與君同理神政 因婚而爲神 由是 名虎景 而山名九龍 蓋本山精也 孫 有女賢而美 … 大王諱 作帝建 善射無倫比 欲覲天子父 寄達商人艤 及至海中央 舟乃旋流止 商人怪其然 且卜而且議 扶出置孤巖 舟行如過鷙 尋卽龍王出 披誠陳所以 爰有老野狐 時時忽來此 詐現佛威儀 妖經紛說似 我卽發頭痛 此患難堪矣 願子彈神弓 爲我而除彼 果如其所云 斃之以一矢 龍王復出謝 引入深宮裏 遂妻以長女 時爲景獻王后 生四子二女 其長子 我世祖時也 乞與金毛豕 兼以七寶隨 載送江西涘 今祠堂在焉 親幸所也…〉.

감당하기가 어렵다. 원컨대 자네가 신궁(神宮)을 쏘아 나를 위하여 저 것을 없애 달라" 하였네. 과연 그 말과 같이, 화살 한 개로 여우를 죽였도다. 용왕이 다시 나와 사례하고, 용궁 안으로 그를 맞아들이고는 드디어 장녀 이가 바로 경헌왕후(景獻王后)이니 아들 넷에 딸 둘을 낳았는데, 그 장자가 우리 세조(世祖)이다.를 처로 삼게 하였다. 금으로 된 돼지를 줄 것을 청하니 칠보(七寶)를 더하여 주었는데, 서강(西江) 지금 사당이 그곳에 있고, (국왕이) 친히 행차하는 곳이다. …

위에서 제시한 ㉮를 제외한 나머지 9개 예문은 모두 하권에 수록되어 있다. 또한 예시 ㉮, ㉰의 두 대목은 중국의 상고사(上古史)와 연계된 이야기이고, ㉯, ㉱, ㉲, ㉳, ㉴, ㉵, ㉶, ㉷의 8개는 우리나라의 고대사(古代史)와 연계된 설화이다. 이승휴는 중국의 설화보다는 우리의 단군, 동명왕, 혁거세 등의 국조신화(國祖神話) 및 국왕과 선대(先代)들의 비범성 혹은 신성성, 암석(岩石)에 얽힌 이야기들을 훨씬 많이 기록했다는 점에서 그가 민족적인 역사관 또는 자주적(自主的)인 역사 서술에 투철한 정신을 지녔음을 알 수 있다.

㉮의 반고(盤古)는 중국의 신화에 나타나는 최초의 창세신(創世神)이다. 이승휴는 중국 오(吳)나라 서정(徐整)의 역사서인 『삼오역기(三五歷紀)』와 송(宋)나라 유서(劉恕)의 『통감외기(通鑑外紀)』에 수록된 창세(創世) 이전의 형상과 천지를 창조한 반고(盤古), 살아가는 지혜를 가르친 삼황오제(三皇五帝)의 전설적인 이야기를 상권의 맨 앞에 두었다. 이것은 이승휴가 중국 상고사 이야기의 흐름과 우리 고대사(古代史) 이야기[40]를 일원화하기 위해 음양오행설(陰陽五行說)[41]에 입각하여 서술한 것으로, 중국과 우리나

라 고대사의 정통론(正統論)을 일원화하여 견주어 보려는 이승휴의 세계관(의식성향)과 무관하지 않다. 천지가 생성되기 이전의 혼돈(混沌, Chaos)한 형상을 계란(鷄卵)으로 그려낸 것은 '생명의 가능성을 품은 죽음의 상태'[42]에서부터의 재생 혹은 여성성을 의미한다.

반고설화는 일반적으로 중국의 천지창조에 대한 창세적 신화(神話)로 인정되고 있지만 이에 대한 의문이 많다. 그 내용은 세상을 창조한 거인 반고의 머리 부분이 변해 태산이 되었다는 것이다. 알에서 깨어나 하늘과 땅을 가른 반고, 그의 몸은 세계를 이루는 데 필요한 많은 것들은 만들었다. 반고의 두 눈은 각각 해와 달이 되었으며, 숨결은 바람, 구름, 안개가 되었고, 그의 목소리는 천둥이 되었다. 반고의 몸뚱이는 산이 되고, 피는 강물과 바다가 되었다. 살과 지방은 기름진 논과 밭이 되었다. 솜털은 세상의 초목이 되었고 뼈와 이빨은 광물과 보석이 되었다. 이렇게 반고는 온몸을 바쳐 이 세상을 창조한 것이다.

일반적으로 신화의 분별은 상징성과 실재성의 차별로 나누어 설명한다. 예컨대 '단군신화'는 인간 실재의 생명성에 관한 이야기이다. 한국 고대국가의 건국설화나 시조(始祖)의 탄생설화는 고구려 망명 집단이 건국한 백제를 제외하고 다음과 같은 공통분모가 형성되어 있다. 첫째, 천손(天孫)이 내려와 하늘에서 하강(下降)하는 천손강림(天孫降臨) 사상에 의하여 생명창조가 나타나고 있다. 둘째, 고대국가의 천손강림에 따른 매개

••••

40 유경아, 1986, 「이승휴의 생애와 역사의식－제왕운기를 중심으로」, 이화여자대학교 대학원 석사학위논문, 31쪽. 참조.

41 김의숙, 1993, 『한국민속제의와 음양오행』, 집문당, 47쪽.

42 황패강, 2006, 『한국신화의 연구』, 새문사, 22쪽.

의 역할은 나무(木)와 알(卵)이다. 셋째, 수(數) 철학으로 '삼(三)'의 논리가 적용되고 있다. 넷째, 물(水)과의 연관성이 존재한다. 그리고 이러한 공통점들의 근원이 단군설화다.[43]

㉯의 예시(例示)는 단군(檀君)의 탄생담이다. 어느 나라의 역사를 보더라도 건국 사실은 신화 혹은 전설의 형태로 전한다. 신용하는 문학사회학적 관점에서 단군설화의 문맥을 논하였는데, 고조선이 건국되고 제1대 단군이 서거한 후에 건국의 역사를 대대로 알리기 위한 구전 역사(oral history)로 만들어졌다고 보았다.[44] 개연적 현상과 은유도 살펴야 한다.

㉯의 본문 가운데 「본기(本紀)」를 이승휴가 인용한 것에서 보이듯이 국조(國祖)로서 단군에 대한 인식은 『제왕운기』 이전에 이미 성립된 것으로 보인다.[45] 이승휴는 후술할 ㉱의 예시(例示)에서 부여(扶餘)를 언술하면서 「단군본기(檀君本紀)」를 인용하여 주석(註釋)을 달았다. 거기에는 단군과 비서갑(非西岬) 하백(河伯)의 딸이 혼인하여 부루(夫婁)를 낳았다고 서술되어 있다. ㉯에 인용된 「본기(本紀)」와 ㉱에 인용된 「단군본기(檀君本紀)」는 모두 단군에 관한 것을 전하고 있다. 조인성은 이를 두고 「본기」는 「단군본기」의 약칭 혹은 같은 계통의 자료에 의거한 것으로 파악하였다.[46]

㉯의 인용문 가운데 단군의 탄생을 보면 『제왕운기』는 곰과 범이 등장하는 일연(一然)의 『삼국유사』 외의 사찬 사서(私撰史書)와는 다르게 환웅

••••

43 서경요·심범섭, 2007, 「단군설화의 생명의식 연구」, 『동양철학연구』 50, 동양철학연구회, 136쪽.

44 신용하, 1995, 「단군설화의 사회학적 해석」, 『사회와 역사』 47, 한국사회사학회, 20쪽.

45 서영대, 1987, 「단군숭배의 역사」, 『정신문화연구』 32, 한국정신문화연구원, 22쪽.

46 조인성, 2000, 「단군에 관한 여러 성격의 기록」, 『한국사 시민강좌』 27, 일조각, 42~43쪽.

(桓雄)이 손녀(孫女)에게 약을 먹여서, 사람으로 만들어 신단수(神檀樹) 아래에서 혼인하여 단군을 낳았다고 하였다.[47] 이어서 찬자(이승휴)는 이후에 단군이 조선의 왕이자 산신이 된 것으로 서술하였다.[48] 위 ㉯에 나타난 석제(釋帝)의 호칭(呼稱)은 불경(佛經)에서 유래했든지, 유래하지 않았든지 간에 그리 큰 문제는 아니다. 그 이유는 신화의 속성 그 자체가 황탄무계(荒誕無稽)한 측면이 있기 때문이다. 신화에서의 작명(作名)은 순수하게 수사적(修辭的)이다.[49] 천(天)을 대표하는 환인(桓因)·환웅(桓雄)의 환(桓: 푯말 환) 문자를 파자(破子)해 보면 목변(木邊)은 우주상(宇宙上)의 상징성을 내포하며, 몸인 亘(뻗칠 긍)은 시(時)·공간적(空間的)으로 끊임없이 이어짐을 뜻하고, 천손(天孫)으로서 밝은 하늘과 태양을 의미하여 밝다는 뜻이다.[50] 상제(上帝)환인(桓因)의 '서자(庶子)' 환웅(桓雄)은 원시적 태고시대에 있어서 곡물재배민에게 천상의 곡물을 옮겨다 준 문화영웅이다. 서자(庶子)라는 그의 출신은 곧 반역아적(反逆兒的) 성격과 차자의 계통을 암시한다.[51]

"단웅천왕(檀雄天王)=환웅(桓雄)이 손녀로 하여금 약을 먹여 여자의 몸으로 만들고 단수신(檀樹神)과 혼인하여 단군을 낳았다"는 구절을 두고 신용하는 이승휴가 「단군신화」를 합리적으로 변형[곰(동물 여인)의 아들인 단군을 단수신의 아들로 바꿈]하여 형상화한 것으로 파악하고 있다.[52] 이는 인간

••••

47 신종원, 2010, 『삼국유사 새로 읽기』 1, 일지사, 59쪽.

48 이창식, 2009, 「고조선(단군)」, 『한국신화와 스토리텔링』, 북스힐, 148~149쪽.

49 황패강, 2006, 『한국신화의 연구』, 새문사, 82쪽.

50 서경요·심법섭, 2007, 「단군설화의 생명의식 연구」, 『동양철학연구』 50, 동양철학연구회, 139쪽.

51 황패강, 2006, 『한국신화의 연구』, 새문사, 84쪽.

의 능력에서 벗어난 세계의 사물에 대한 내재적 욕망이며, 인간 상상력의 축적이고, 무의식의 상징 체계인 신화의 속성[53]을 배제한 논의라고 생각된다.

신화에서 나무는 우주수(宇宙樹), 세계수(世界樹), 중심축, 지혜의 나무라고도 한다. 환인(桓因)·환웅(桓雄)·단군(檀君)의 명칭에서도 나무(樹)가 상징으로 나타나 있다.[54] 이로 보건대 신단수(神檀樹)는 세 개의 세계권(世界圈)[천(天)·지(地)·지하계]의 접합점에 있는 성역(聖域)이며, 만물이 생성되며, 태초의 제의(祭儀)를 재현하는 성단(聖壇)이기도 하다. 또한 그것은 신성한 숲이요, 신불이고, 소도인 셈이다. 그리하여 여기에서 탄생한 단군은 우주의 역동적 중심이요, 우주의 각 방면에 위력의 선(線)을 방사(放射)하는 것으로 신봉된 수육신(受肉神, the incarnate god)으로서 왕이다.[55]

단군이 1,038년 동안 조선을 다스리다가 아사달(阿斯達)의 산신이 되었다는 의미는 단군이 한반도의 최초 국가의 군주였기에 그가 후대인들에게 산신으로서 숭배와 신앙의 대상[숭산의식]이 될 수 있었다는 것을 의미한다. 공동체신앙에서 산은 인간 세상과 하늘을 연결하는 매개체로서, 그 산에는 하늘의 뜻을 받아 인간의 일을 주관하는 신령함이 깃들어 있는 성역(聖域)이 존재함을 믿어 왔던 것과 무관하지 않다.[56] ㉯의 「본기(本

••••

52 신용하, 1995, 「단군설화의 사회학적 해석」, 『사회와 역사』 47, 한국사회사학회, 19쪽.

53 육완정, 2003, 「여와신화(女媧神話) — 우주와 생명의 아르케」, 동아시아고대학회 편, 『동아시아 여성신화』, 집문당, 44쪽.

54 서경요·심범섭, 2007, 「단군설화의 생명의식 연구」, 『동양철학연구』 50, 동양철학연구회, 138쪽.

55 황패강, 2006, 『한국신화의 연구』, 새문사, 90쪽.

56 구미래, 2004, 『한국인의 상징체계(개정판)』, 교보문고, 169쪽.

紀)」 말미에 보이는 구월산의 사당(祠堂)이 아직(충렬왕 당대)도 있다는 대목은 단군신화가 장소 증거물을 토대로 이야기가 꾸며졌다는 것을 보여준다는 점에서 전설적인 요소도 나타나 있다. 평양의 일개 지방신으로 취급되던 선인 왕검이 민족의 시조라는 것이다. 이승휴는 우리나라의 역사를 단군의 후계를 바탕으로 기자를 거쳐 삼한에서 삼국(발해를 포함하면 사국)으로 전개되는 것으로 보았다.[57]

『제왕운기』「단군」 조에서는 「고기」를 인용한 '천상 상제와 지상 천제 해모수' 전승을 역사 위상으로 제시하고 이후에 '천상 천제와 지상 천제의 아들' 전승으로 변화한다. 이와 달리 『삼국유사』 1권, 「기이」 2, 「북부여」 조는 '상제와 천제 해모수'의 병행, 그리고 '해모수의 아들 해부루' 전승에서 고조선의 '단군과 그 아들 부루' 전승, 대인국 '환웅천왕[천제]'의 전승, 그리고 '환인상제와 지상 환웅천왕 병행' 전승 등이 종합된다.

위의 ㉯에서 살핀 바와 같이 이승휴는 한국 민족의 시조를 단군으로 인식하는 데 머물지 않고, 이승휴는 ㉰의 예시에 나타난 바와 같이 전조선(前朝鮮)을 이은 후조선(後朝鮮)의 시조(始祖)를 기자(箕子)로 서술하고 있다. 또한 ㉰의 협주(夾註)에 "주(周) 무왕이 기자(箕子)를 가두자 기자가 조선으로 달아나 나라를 세웠다"는 기록에서 후조선을 전조선(前朝鮮)의 연장선에서 우리네 역사의 범위를 확대하고 체계화했다는 점에서는 긍정적 평가도 있다. 하지만 ㉰의 협주(夾註)에서 이승휴가 언급한 것처럼 "… 이하 전(傳)에 나타난 것은 모두 주(注)를 달지 않는다"는 기사는 기자동

••••

57 최봉준, 2016, 「이승휴의 단군 중심의 역사관과 다원문화론」, 『한국사상사학』 52, 한국사상사학.

래설(箕子東來說)을 위작(僞作)으로 여겨 부정적으로 평가하기도 한다.[58]

고려시대까지 민속신앙으로 전승되고 있던 기자에 대한 기록이 소략하거나 빠져 있어 기자의 진위(眞僞)를 떠나 있다는 한계가 보인다. 물론 역사 연구에서는 재고(再考)의 대상이 되었다. 『삼국지』에 인용된 『위략(魏略)』에서는 위만에게 왕위를 빼앗긴 준왕(準王)을 기자의 후예로 기술하였다. 고려와 조선시대에는 기자조선의 실체를 인정하였지만, 최근에는 이를 부정하는 견해가 지배적인 것도 이와 무관하지 않다.

앞 ㉣의 예시는 단군과 비서갑(非西岬) 하백(河伯)의 딸이 혼인하여 부루(夫婁)를 낳았다고 서술되어 있다. 부루(夫婁 또는 扶婁)는 고조선을 건국한 단군왕검의 아들로 전해지는 전설상의 인물로 단군의 태자이다. 하백의 딸과 결혼한 단군이 낳은 아들이 바로 부루인 것이다. 상술한 ㉯에 인용된 「본기(本紀)」와 ㉣에 인용된 「단군본기(檀君本紀)」는 모두 단군에 관한 이야기가 전하고 있다. ㉣에 나오는 부여(扶餘)의 시조(始祖) 부루(夫婁)와 후술할 ㉳에서 볼 수 있는 고구려 시조인 주몽(朱蒙)의 예시[59]에서도 이승휴는 역시 그들이 단군의 자손임을 내세웠다. 이는 한국 민족의 국조(國祖)는 고례(高禮), 남북옥저(南北沃沮), 예(濊)와 맥(貊)은 모두 단군의 후손임을 강조함으로써 동일민족국가로서의 통합의식을 고취하려 한 이승휴의 의식에서 비롯된 것으로 여겨진다.

신라 시조인 ㉤의 혁거세의 탄생은 신이한 난생(卵生)이다. 또 ㉤에는 박혁거세의 부인인 알영에 관한 이야기도 있다. 혁거세가 알에서 태어

••••

58 김경수, 1999, 『제왕운기』, 역락, 137쪽, 234번 주 참조.
59 이창식, 2009, 「고구려(주몽)」, 『한국신화와 스토리텔링』, 북스힐, 150~151쪽.

나던 날, 알영이라는 우물에서 닭 모양의 용이 나타났고, 그 왼쪽 갈비에서 여자아이가 태어났는데, 자태와 얼굴이 유달리 고왔으나 입술이 닭의 부리와 같았다. 이에 월성 북천에 가서 목욕시키니 그 부리가 빠졌다는 것이다. 그런데 후술할 「고구려기(高句麗紀)」(㉳)에 보이는 주몽(朱蒙) 역시 난생(卵生)이다. 다만, ㉲의 혁거세(赫居世)가 천강란(天降卵)에서 태어남으로써 신비함이 더해지고 성씨(姓氏)가 박씨(朴氏)로 유래하게 된 삽화[60]가 들어 있는 데 비하여, ㉳의 주몽(朱蒙)은 어머니 유화(柳花)가 겨드랑이로 낳은 인생란(人生卵)에서 태어난 것으로 되어 있다. 또, ㉲의 주인공인 혁거세는 신비한 탄생의 성군으로 그려진 반면에, ㉳의 주인공인 주몽은 전투적인 영웅의 이미지로 형상화되어 있다. 주몽의 탄생과 즉위에 관한 신화는 천제(天帝)의 아들인 해모수와 하백의 딸인 유화 사이에서 태어난 주몽이 동부여의 금와왕의 아들 대소(帶素)의 모해(謀害)를 피하여 졸본에 고구려라는 나라를 세웠다는 것이 주요 내용이다.

㉴는 세상에 널리 알려진 궁예(弓裔)의 설화이다. 그는 신라 경문왕의 서자(庶子)로 태어날 당시부터 이가 두 겹이었으며, 말을 했다고 하고, 임금을 해칠 인상이라 궁에서 쫓겨나 불교에 귀의(歸依)한 대목이나 까마귀가 물고 와 떨어뜨린 왕 자(王字)가 새겨진 황아(黃牙)의 기사에서 궁예의 비범성과 신이성(神異性)이 발현된 것은 분명하다. 그리고 ㉴에 등장하는 까마귀는 앞일에 대한 암시나 전조(前兆), 혹은 상징으로 간주하거나 예시성의 주술(呪術)[61]이 부여된 것으로 볼 수 있다. 이러한 궁예의 본거지

••••

60 이창식, 2009, 「신라(박혁거세)」, 『한국신화와 스토리텔링』, 북스힐, 152쪽.
61 구미래, 2004, 『한국인의 상징체계(개정판)』, 교보문고, 210~211쪽.

였던 철원에는 『제왕운기』나 『고려사』의 기록과는 달리 궁예가 자결했다는 이야기(무위사 선각대사비문의 재해석)가 전해 오고 있다.

㉮는 백제의 시조 온조(溫祚)와 그의 부친 동명성제(東明聖帝)와 그 형 유리(類利)의 왕위 계승에 이어서, 백제 말기 향락에 빠져 왕의 법도를 잃어 불행을 자초한 의자왕(義慈王) 탓에, 나라가 무너지고 많은 궁녀가 낙화암(落花巖)에서 투신한 설화가 서술되어 있다. 낙화암은 나라 잃은 백제의 슬픈 전설(지명)의 상징이 되어 오늘날까지도 인구에 회자되고 있다. 그러나 실제로 의자왕은 해동증자(海東曾子)로 불리면서 성군 소리를 들었고 멸망하기 불과 5년 전만 하더라고 신라를 공격하여 30여 성을 빼앗았다.

㉶는 후백제의 초대 왕 견훤(甄萱)의 이야기다.[62] ㉶의 이야기는 역사적 인물로서의 견훤과 설화적 인물로서의 견훤이 잘 어우러져 있다. 위 견훤의 설화는 역사적 사실의 기록 말고도 설화적 상징성과 실제적 역사 사이의 상호연계성을 구명하는 데 유용한 기문(記文)이 아닐 수 없다. 먼저 가은현(加恩縣) 농민인 아자개(阿慈介)의 아들로 태어난 견훤은 그의 부모가 견훤을 밭머리에 두고 김을 맬 때 새가 내려와 그를 감싸 주고 범의 젖을 먹었다는 부분으로 볼 때 예사롭지 않은 비범한 신화적 인물임을 알 수 있다. ㉶에 등장하는 새는 천상의 영혼과 육신의 세계를 내왕하며 이어 주는 중매자의 상징[63]이고, 앞에 명시된 범은 국조발상(國祖發祥)을

••••

62 이창식, 2009, 「후백제(견훤)」, 『한국신화와 스토리텔링』, 북스힐, 165쪽.
63 구미래, 2004, 『한국인의 상징체계(개정판)』, 교보문고, 210쪽.

알리는 호유(虎乳)의 보육(保育)을 보여 준 긍정적인 범의 상징[64]이며, 뒤에 명시된 범은 위엄(威嚴) 혹은 맹위(猛威)를 상징한다. 이로 보건대 견훤의 출생담은 신성성을 유지하였다고 할 수 있다. 그는 장성한 이후에는 신라인으로서 후백제를 개국(開國)하였다. 그러나 백제 유민(遺民)들의 큰 호응을 얻지 못한 점, 견훤의 개혁(改革) 의지(意志) 부족, 신라의 경애왕(景哀王)을 죽인 것(반역의 혐의)에 대한 신라인들의 민심 이반, 신검(神劒)과 갈등을 인한 견훤의 고려 귀부(歸附)가 후백제의 멸망을 재촉한 주된 원인이었다.[65] 이러한 사정을 헤아린 이승휴는 패망한 후백제 견훤의 비극적 존재감(위상)[66]을 건국주이기 이전에 그의 그릇된 행적 —왕건과 상대적으로— 과 결부시켜 역사의 귀감적 교훈으로 삼으려 한 것으로 이해된다.[67]

㉶에는 고려 태조의 6대조인 호경(虎景) 이야기와 3대조인 작제건(作帝建)설화가 실려 있다.[68] 전자는 성골장군(聖骨將軍)이 호환(虎患)의 희생자로 뽑힌 1인이었으나, 범은 성골장군을 해치지 않았으며, 사냥하러 동행

••••

64 황패강, 1991, 『한국문학의 이해』, 새문사, 116쪽.

65 김갑동, 2002, 「후백제의 멸망과 견훤」, 『한국사학보』 12, 고려사학회, 67~83쪽.

66 조현설, 1994, 「패배한 영웅의 운명적 현상: 견훤 이야기의 양상과 의미」, 김태준·김승호 엮음, 『우리 문화의 뿌리를 찾는 우리 역사인물전승』 1, 집문당, 259쪽.

67 『三國遺事』 第二, 「紀異」, 「後百濟 甄萱」, "「고기(古記)」에 따르면, 광주 북촌에 사는 한 부자에게 아름다운 딸이 하나 있었다. 어느 날 딸은 밤마다 보랏빛 옷을 입은 남자가 와서 자고 간다는 사실을 아버지에게 고했다. 아버지는 딸에게 그 사나이의 옷자락에 긴 실이 달린 바늘을 꽂아 두라고 일렀다. 딸은 아버지의 말대로 하여 이튿날 아침에 그 실을 따라가 보니 북쪽 담 아래 실이 있고 바늘은 큰 지렁이에 꽂혀 있었다. 딸이 잉태하려 한 남자아이를 낳으니 나이 15세에 이르러 스스로 견훤이라 칭했으며 경복 원년에 일어나 완산군에 도읍했다".

68 이창식, 2009, 「고려(왕건)」, 『한국신화와 스토리텔링』, 북스힐, 166~178쪽.

한 9인이 뜻밖에 동굴에 있다가 굴이 무너져 죽음을 당하였다는 내용이다. 위협적인 범의 출현은 호경을 위기에서 구해 주었고 그를 범에게 보냈던 9인은 불의의 재난으로 무너진 굴에 모두 파묻힌 것이다. 범으로 변신한 여인(과부)은 호경과 신정(神政)을 다스리고자 하여 혼인하고 신(神)이 되었다는 내용이고, 작제건설화는 활을 잘 쏘는 비범한 작제건이 부친인 천자(天子)를 뵙고자 상인의 배를 타고 가다가, 바다 가운데 이르러 배가 뱅뱅 돌며 멈추자 상인이 그를 외딴 바위섬에 내리게 하고는 배는 맹금(猛禽)처럼 가 버렸는데, 이윽고 용왕이 나와 어떤 늙은 여우가 때때로 그곳에 나타나 부처의 위의(威儀)를 하고 요망한 경전(經典)을 어지러이 이야기하고 다니기에 용왕이 두통이 나서 감당하기가 어렵다며 활 잘 쏘는 작제건에게 여우 퇴치를 요청하였으며, 이윽고 작제건이 화살 1개로 여우를 죽이니 용왕이 다시 나와 그에게 사례하고 용왕의 장녀와 혼인하게 하고는 금돼지와 칠보(七寶)를 더하여 주었다는 내용이다.

인간 성골장군이 범으로 나타난 구룡산 여산신의 선택을 받아서 부부가 되고, 호경대왕으로 좌정한 전자의 설화는 범 처녀와 교혼(交婚)을 맺은 「김현감호(金現感虎)」의 이야기와 유사한 인연담이다.[69] 후자의 설화는 활 잘 쏘는 작제건의 해중무용담(海中武勇談)이나 용신(龍神)이며 수신(水神)인 그의 아내를 볼 때 고려 왕권의 신성화는 부계(父系)는 물론 모계(母系)의 비중 역시 크다고 할 수 있다. 작제건은 어려서부터 총예(聰睿)와 신용(神勇)이 있었다. 작제건은 설화에 등장하는 영웅으로, 고려 태조 왕건의 할아버지이다. 당나라 숙종에게서 태어난 작제건은 당나라로 돌아간

69 장주근, 1998, 『풀어쓴 한국의 신화』, 집문당, 315~316쪽.

아버지를 찾으러 가던 도중 요괴를 물리치고 용왕을 구한다. 용왕의 딸 저문의와 결혼하여 아들 용건을 낳게 되고, 그 아들 용건이 후에 낳은 아들이 고려 태조 왕건이다.[70]

상술한 호경대왕과 여산신은 숭배와 신앙의 대상이고, 작제건과 그의 아내 또한 신성한 수신(水神)으로서 숭배의 대상이 된 것은 분명하다. 호경대왕의 짝이 된 여산신은 평나산의 산신인데, 과부인지라 호경과 혼인하여 그를 대왕으로 봉하고 신정(神政)을 펴고 싶다고 하였다. 개성 광명사(廣明寺) 북쪽에 높이 솟은 산은 성거산인데, 국조(國祖, 왕건의 고조부) 성골장군(聖骨將軍) 호경대왕(虎景大王)의 사당이 이곳(개성)에 있으니 이에 성거산이란 이름을 얻었다고 한다. 『제왕운기』의 이 이야기는 김관의의 『왕대종록(王代宗錄)』과 내용이 동일하다.

이처럼 이승휴는 『제왕운기』 설화 기사를 저술하게 된 동기가 동시대의 문제의식에서 비롯되었다고 「본조군왕세계연대」의 끝부분에서 밝히고 있다. 이승휴는 몽골의 침입으로 국내 정치 상황이 혼란했던 시기에 신진 유학자로 정치계에 등장하여 파직을 당하는 등 어려운 시기를 경험하였던 것도 작용하였다. 그는 충렬왕의 실정과 부원세력을 비판한 상소를 한 결과 파직당하여 은둔하게 되었고, 이 기간에 『제왕운기』를 저술하였다. 『제왕운기』는 당시의 대내외적 정치 사회적 현실에 대한 회의와 함께 새로운 고려다움의 바람을 한시로 적은 것이다. 『제왕운기』는 정치, 사회 윤리를 바로 잡기 위한 의욕에서 출발한 것인데 그 가치 기준을 당대 역사의 자주성에서 찾으려고 하였다. 또한 원나라의 정치 간섭에

••••

70 이창식, 2009, 「고려(왕건)」, 『한국신화와 스토리텔링』, 북스힐, 174~175쪽.

대한 불만이 이 저술에 영향을 주었듯이 군주의 각성과 민의 호응을 내세우고자 설화의 진정성에도 역사적 가치를 부여한 셈이다.

Ⅲ. 『제왕운기』의 설화적 성격

『제왕운기』 상권(上卷) 병서(幷序)의 "… 삼가 옛 책을 근거하여 짓고 제자(諸子)의 서적과 사서(史書)를 채택하여 확충하였다. 지금까지 아직 방책(方策)에 기록되지 않은 것은 우선 분명하게 익히 듣고 본 것을 근거로 삼아 읊조림에 맞게 하였고, 그 선하여 본받을 만한 것과 악하여 경계로 삼을 만한 것은 모두 일마다 『춘추(春秋)』의 필법에 따랐다. 이름을 붙여 『제왕운기(帝王韻紀)』라 하였으니, 모두 2,370자이다. 대체로 충신과 효자가 군주와 아비를 호위한다는 뜻이다"[71]라는 기문으로 보아 이승휴는 군주를 중심으로 역사시를 서술하였음을 알 수 있다. 이 같은 스토리텔링이 이미 오래전부터 있었다는 사실을 환기하기 위해서였다.

『제왕운기』 하권 「동국군왕개국연대(東國君王開國年代)」 병서(幷序)의 "삼가 국사(國史)에 의거하고, 각각의 「본기(本紀)」와 『수이전(殊異傳)』에 실린 것을 널리 채록하였으며, 여러 요순(堯舜) 이래의 경(經)·전(傳)·자(子)·사(史)를 참고하였으니, 헛된 말을 제거하고 올바르고 이치에 맞는 말을 취하면서도 그 사적을 펴고 노래하여 (나라가) 흥하고 망한 연대를 밝혔으니"[72]라는 기문(記文) 역시 이승휴의 『제왕운기』는 사료(史料)의 실증성과

••••

71 국사편찬위원회 한국사데이터베이스, 『帝王韻紀』, 卷上, 234쪽.

고증을 중시하는 역사성과, 상상력을 우선시하는 문학의 가치(효용성)에 맞는 것을 가려서 편찬하였음을 알 수 있다. 다만 이승휴는 민간에 떠도는 이야기를 무조건 수용하기보다는 유자(儒子)의 필독서인 경서(經書)와 역사를 연마하는 데 필요한 요소인 감계(鑑誡)와 부합되도록 선별함으로써 취택에 집중하였다. 한 고조 유방, 그의 어머니 유온과 교룡의[73] 관계 등을 전제로 왕권 상징물을 특별히 강조했던 것이다.

앞 장에서 상술한 『제왕운기』에 인용된 10편의 설화는 대체로 상권보다는 하권에 집약되어 있다는 것이 특징이다. 이는 역사적 주체성과 관련된다. 중국의 창세(創世)신화, 기자동래설(箕子東來說)을 제외하고는 한국 국조신화(國祖神話)의 원류로 보이는 단군신화의 신성성이 고려시대에도 여전히 이어지고 있었다. 부여의 부루, 고구려의 주몽, 성골장군(聖骨將軍)인 호경(虎景)과 그의 부인, 작제건과 그의 부인 등이 그것이다. 지도자의 혈통적 계보와 문화적 교류를 동시에 말하고 있다.

『제왕운기』의 설화에 나타난 새, 범, 알, 나무, 물, 용, 산 등의 관념은 신앙의 정신적 대상이자 하늘과 땅을 연결해 주는 매개물이거나 앞일에 대한 암시, 성물의 예시, 전조(前兆) 등의 의미를 함유하고 있다. 고대부터 있었던 자연신앙의 내포적 계통을 기술하고 있다. 이들은 천신, 산신, 수신(水神)과 밀접한 연계를 가지는 동시에 한국 민족의 통합된 장소적 역사와 문화 확장의 시원적 산실 역할을 하였다.

••••

72 국사편찬위원회 한국사데이터베이스, 『帝王韻紀』. 〈謹據國史 旁採各本紀與夫殊異傳所載 叅堯舜已來經傳子史 去浮辭 取正理 張其事而詠之 以明興亡年代〉.

73 사마천의 『史記』에는 「漢高祖本紀」라는 것이 있는데 그 부분의 '태공이 보니 연못에서 교룡(蛟龍)이 나와 유온(劉媼)의 배 위에 있었다'가 그것이다.

『제왕운기』는 사찬 사서(私撰史書)의 성격이 짙어 13세기 당대의 조야(朝野)가 무인정권에서 행해진 원(元)의 내정간섭으로 위축된 시기에 우리 민족의 북방계 신화, 지명, 암석에 얽힌 이야기를 자주적(自主的)인 시각에서 엮어 낸 설화집(說話集)의 성격을 지녔다. 또한 『제왕운기』는 역대 군주의 이야기를 서술하면서 주요 부분에 협주(夾註)를 가한 것은 지은이가 이전 혹은 당대에 구전되거나 「고기(古記)」에 전해지는 문헌을 체계화하여 계보를 중시한 것에 기인한 듯하다.[74]

또한 왕조의 쇠망은 군주의 실덕(失德)이기에 군주의 수덕(修德)을 강조한 것으로 백제의 의자왕, 신라의 왕자이자 후고구려의 시조(始祖)인 궁예, 후백제의 견훤 등의 이야기가 그것이다. 신라와 후삼국을 거쳐 고려로 이어져 온 과정을 상술하였다. 원(元)과의 관계가 긴밀해짐에 따라 고려인으로서의 정체성을 잃는 사람이 속출하였던 이 시기, 이승휴는 비록 현실정치로부터 멀어졌으나 앞서 서술한 바와 같이 자기 나름의 계통적 방식으로 시대적 과제를 해결하고자 하였다. 『제왕운기』는 이러한 고심의 흔적을 담았다.

『제왕운기』를 통하여 이승휴는 중국과 고려의 역사를 별개로 보려는 의도를 분명하게 드러내었다. 중국과 한국의 역사를 총망라한 이 책에서 그는 신화시대부터 원에 이르는 중국사를 상권에서 다루고 단군조선(檀君朝鮮)부터 충렬왕 당대까지의 한국사를 하권에서 다룸으로써 양자를 철저하게 분리시켰다. 또한 고려의 시조로 단군을 전면에 내세움으로써 양자가 뿌리부터 달랐음을 강조하였다.

••••

74 김경수, 「제왕운기의 연구 — 판본을 중심으로」, 『제왕운기』, 도서출판 역락, 1999.

『제왕운기』 소재(所載) 이야기에는 얼핏 보면 한·중 간의 역사적 인물들이나 사건의 전개 과정에서 신이성(神異性)과 비범성(非凡性)이 형상화되어 있기에 역사적 진실성이나 현실성이 동떨어진 허구적인 설화로 볼 여지도 있겠으나, 『제왕운기』의 설화는 한국 역사적 현장성과 식자층(이승휴 등 지식층)의 주체의식(主體意識)이 글(문자)로 찬술(撰述)되었다는 점에서 역사와 문학이 공존하는 한국 민족문화의 소중한 원천의 자산임에는 틀림없다.

『제왕운기』의 설화적 스토리텔링은 고려의 자주적 요건을 강조하고 고려 건국신화의 서술 역시 고려인의 시대적 정체성을 부각시키고자 한 것이다. 당대 지도자들에게 반성적 방편을 제공하자는 의도도 반영되었다. 신화적 진정성과 계보의 신성성을 설득하려는 선별과 선택의 세계관도 드러났다. 이러한 『제왕운기』 설화 기사를 수용하는 역사 복원론[75]과 팩션형 스토리텔링도 나타나고 있다. 예컨대 단군신화의 신단수 개연성을 살린 소설 『제왕의 탄생』[76]이 그것이다.

Ⅳ. 맺음말

이 글은 이승휴의 『제왕운기』에 인용되고 재편된 설화의 성격을 다시

••••

75 환국(桓國: 7세대 왕조 63,182년) — 배달국(倍達國: 18대 1,565년) — 조선(朝鮮: 47대 2,096년) — 북부여(北夫餘: 8대 200년) — 고구려, 신라, 백제 — 고려/ 『환단고기(桓檀古記)』, 『단기고사(檀紀古事)』 참고.

76 김정진, 2010, 『제왕의 탄생』, 스토리하우스; 김익하, 2016, 『이승휴』, 문학세계사.

살펴보려는 의미에서 시도되었다. 이상에서 논의된 것을 결론으로 삼고자 한다.

13세기에 삼간(三刊)된 『제왕운기』는 이승휴의 사찬 사서(私撰史書)로 중국과 우리나라 고대 왕조의 치적과 실정(失政)과 충신과 반역자 등을 기술하여 군왕의 수덕(修德) 곧 공부와 품성을 강조하기 위한 방편으로 서술되었다. 이승휴는 서사시의 탄력과 울림을 위해 성찰적 스토리텔링에 부합하도록 구성하였다.

『제왕운기』는 지은이가 익히 듣고 본 것을 근거 —직접 고증하고 고려 정통성 부합의 필치— 로 삼아 읊조림에 맞게 하였고, 그 선택하여 본받을 만한 것과 악하여 경계로 삼을 만한 것은 모두 일마다 『춘추(春秋)』의 필법에 따랐던 것은 군주 지도자를 중심으로 역사를 서술하였음 —임금의 자문 또는 사간원 위치와 시각 입장에서— 을 방증한 것이다.

이승휴의 『제왕운기』는 사료(史料)의 실증 위주의 고증을 중시하는 역사관과 상상력을 중시하는 문학의 개연적 가치 곧 수용자의 효용성에 맞는 것을 가려서 편찬하였음을 알 수 있으며, 구전심수(口傳心受)의 민간에 떠도는 이야기를 무조건 수용하기보다는 유자(儒子)의 필독서인 경서(經書)와 역사를 연마하는 데 필요한 요소[감계(鑑誡)]와 부합되도록 선별하여 취택하였다.

『제왕운기』 10편의 설화 기사는 대체로 상권보다는 하권에 집약되어 있고, 중국의 창세(創世)신화, 기자동래설(箕子東來說)을 제외하고는 한국 국조신화(國祖神話)인 「단군신화」의 신성성이 고려시대에도 여전히 이어지고 있다고 강조하였다. 「단군신화」를 한국사 체계 속에 당당히 포함시킴으로써 고려 역사의 유구성을 강조하였다. 이 발상은 발해(渤海)를 고구려의 계승국으로 확인한 것에서 확인된다. 부여의 부루(夫婁), 고구려의 주몽, 성골장군(聖骨將軍)인 호경(虎景)과 그의 부인, 작제건과 그의 부인 등의 서술도 그것이다.

『제왕운기』에 수록된 설화에 나타난 새, 범, 알, 나무, 물, 용, 산 등의 관념은 공공신앙의 정신적 표징이며, 천지(天地)를 매개물, 앞일에 대한 암시, 전조(前兆) 등의 교감적 의미가 내재되어 있다. 이들은 천신, 산신, 수신(水神)과 밀접한 연계를 가지는 동시에 한국 민족의 통합된 역사와 문화의 산실 역할을 한다. 이러한 고유의 사유와 단군기원의 역사의식은 고려 말 신진사대부에게 전승되어 조선 개국 후 단군을 국조로 정착시키고, 『동국통감(東國通鑑)』을 비롯한 사서에서도 고대 제천의식과 단군이 국조임을 밝히게 된 것이다.

『제왕운기』는 사찬 사서(私撰史書)의 성격이 짙어 13세기 당대의 조야(朝野)가 원(元)의 내정간섭으로 민족의식이 위축된 시기에 한국 민족의 북방계 신화, 장소 지명, 수목암석에 얽힌 이야기—동이족의 자연우주관—를 자주적(自主的)인 시각에서 엮어 낸 설화집(說話集)의 성격을 가진 스토리텔링 서사시였다. 또한 『제왕운기』는 역대 군주의 이야기를 서술하면서 주요 부분에 협주(夾註)를 가한 것은 지은이가 이전 혹은 당대에 구전되거나 전해지는 문헌을 체계화하여 왕실의 계보와 공적 기록을 중시한 뜻으로 여겨진다.

이러한 독자적 설화를 강조하는 이유는, 한국 민족이 중국과 확연히 구별되는 자주적이고 독자적인 국가임을 강조하였으며, 몽골의 정치적 지배에 대항하는 의지를 빗대어 표출시키기 위한 전략이었다. 또한 왕조의 쇠망은 군주의 실덕(失德)과 민의 호응과 관련되기 때문에 군주의 수덕(修德)을 강조했는데, 이는 백제의 의자왕, 신라의 왕자이자 후고구려의 시조인 궁예, 후백제의 견훤 등의 이야기가 여기에 해당한다.

이 논문은 『제왕운기』와 유사한 구조를 가진 『삼국사기』, 『삼국유사』의 설화 기사와 구체적으로 대비하여 논하지 않은 점은 한계로 지적될 수 있다. 이런 점은 이승휴 유산의 창조적 스토리텔링 전략과 함께 앞으로 후고에서 구체적으로 논의할 것이다. 끝으로 두타산거사신(頭陀山居士臣) 이승휴를 대장부다운 뜻과 기운을 갖춘 인물이라고 한 '몽산'에게 보낸 게송을 인용한다.

'참을 인' 한 글자는,	忍之一字
우리 집안의 묘약이네.	吾家妙藥
삼교의 성인도,	三教聖人
이것을 닦아 깨달았네.	修此而覺

참고문헌

1. 史料

『高麗史』.

『高麗事節要』.

『高麗墓誌銘集成』.

국사편찬위원회 한국사데이터베이스, 서은혜 외 역, 2017, 『제왕운기』.

2. 논저·보고서

강석근, 1987, 「이승휴의 시문학 고찰」, 『동악어문론집』 22집, 동악어문학회.

______, 2002, 「이승휴의 시문학」, 『한국불교시연구』, 이회문화사.

______, 2017, 「응제시의 관점에서 살펴본 《제왕운기》와 이승휴의 역사인식」, 『한국사상과 문화』 89, 한국사상문화학회.

구미래, 2004, 『한국인의 상징체계(개정판)』, 교보문고.

김갑동, 2002, 「후백제의 멸망과 견훤」, 『한국사학보』 12, 고려사학회.

김경수, 1999, 「제왕운기의 연구—판본을 중심으로」, 김경수, 『제왕운기』, 역락.

______, 1999, 『제왕운기』, 역락.

______, 2005, 「이승휴문학 연구」, 『진단학보』 99, 진단학회.

김도현, 2017, 「동안 이승휴선생의 생애와 관련 유적」, 『박물관지』 23, 강원대학교 박물관.

김보광, 2017, 「《제왕운기(帝王韻紀)》, 새로운 역사인식의 등장」, 『내일을 여는 역사』 69, 재단법인 내일을 여는 역사재단.

김승룡, 2000, 「원(元)간섭기 고려지식인의 현실인식 시고—이승휴를 중심으로」, 『한국문학』 창간호, 고려대학교 민족문화연구원 한국문화연구소.

김의숙, 1993, 『한국민속제의와 음양오행』, 집문당.

김익하, 2016, 『이승휴』, 문학세계사.

김인호, 2005, 「이승휴의 역사인식과 사학사적 위상」, 『진단학보』 99, 진단학회.

김정진, 2010,『제왕의 탄생』, 스토리하우스.

나희라, 1992,「단군에 대한 인식 — 고려에서 일제까지」,『역사비평』21, 역사비평사.

박인호, 2009,「《제왕운기》에 나타난 이승휴의 역사지리인식」,『조선사연구』18, 조선사연구회.

______, 2011,「이승휴의 《제왕운기》에 대한 연구 현황과 쟁점」,『국학연구』18, 한국국학진흥원.

변동명, 2004,「이승휴의 내전록(內典錄) 연구」,『한국사상사학』23, 한국사상사학회.

______, 2005,「이승휴의 생애와 저술」,『진단학보』99, 진단학회.

서경요·심범섭, 2007,「단군설화의 생명의식 연구」,『동양철학연구』50, 동양철학연구회.

서영대, 1987,「단군숭배의 역사」,『정신문화연구』32, 한국정신문화연구원.

손정인, 1988,「이승휴의 《제왕운기》에 대한 이해」,『한민족어문학』15, 한민족어문학회.

신용하, 1995,「단군설화의 사회학적 해석」,『사회와 역사』47, 한국사회사학회.

신종원, 2010,『삼국유사 새로 읽기』1, 일지사.

유경아, 1986,「이승휴의 생애와 역사의식—제왕운기를 중심으로」, 이화여자대학교 대학원 석사학위논문.

육완정, 2003,「여와신화(女媧神話)—우주와 생명의 아르케」, 동아시아고대학회 편,『동아시아 여성신화』, 집문당.

이규보·이승휴 저, 1974,『동명왕편·제왕운기』, 박두포 역, 을유문화사.

이승휴 저, 2009,『동안거사집(動安居士集)』, 진성규 역, 지식을 만드는 지식.

이창식, 2000,「이승휴와 삼척문학 계승」,『삼척지역의 민속문화』, 삼척문화원,

이창식 외, 2009,『한국신화와 스토리텔링』, 북스힐.

장주근, 1998,『풀어쓴 한국의 신화』, 집문당.

조용욱 외, 2005,『우리 역사문화의 갈래를 찾아서: 태백문화원』, 역사공간.

조인성, 2000,「단군에 관한 여러 성격의 기록」,『한국사 시민강좌』27, 일조각.

조현설, 1994,「패배한 영웅의 운명적 현상: 견훤 이야기의 양상과 의미」,『우리 문화의 뿌리를 찾는 우리 역사인물전승』1, 집문당.

차장섭, 1987,「제왕운기에 나타난 이승휴의 역사관」,『삼척공전논문집』20, 삼척공업전문대학교.

황패강, 1991,『한국문학의 이해』, 새문사.

______, 2006,『한국신화의 연구』, 새문사.

이승휴의 『제왕운기(帝王韻紀)』와 불교

– 불교 관련 용어를 중심으로

조경철
연세대학교 객원교수

덧붙임

- 『제왕운기』에 이승휴가 단 주석의 경우 별도 표기 없이 본문보다 글자크기를 작게하여 구별할 수 있도록 하였음.

I. 머리말

『고려사』 열전 「이승휴」에 의하면 이승휴는 '불법을 혹호하였다'고 한다[혹호부도법(酷好浮屠法)]. 이는 이승휴가 50대 후반부터 불경 1천 함을 읽고, 거처하던 용안당을 간장사(看藏寺)란 절로 지어 희사(喜捨)했던 것을 보면 틀린 말은 아니다. 그러나 그렇다고 이승휴가 불법만을 혹호한 것은 아니다. 그는 유교 공부로 과거에 급제하기도 하였고 노자·장자에 대한 이해도 함께하고 있었다. 『장자』에 나오는 '보광(葆光)'이란 말을 따서 보광정이란 정자의 이름을 삼기도 했다. 또 이승휴는 죽기 2년 전 몽산덕이에게 보낸 답장에서도 삼교일근원(三教一根源)이라고 하였다. 즉 이승휴는 유·불·도 3교가 한 뿌리라고 본 것이다.

10여 년 동안 불경을 읽는 과정에서 나온 책이 바로 『제왕운기』와 『내전록』이다. 『제왕운기』에 불교 관련 내용이 거의 없다고는 하지만 이것은 중국의 역사와 한국의 역사를 운문시로 간략하게 서술하는 책의 기본 체제에서 기인하는 것이다. 그리고 불교 관련 서술이 전혀 보이지 않는 것은 아니다.

『내전록』의 내전(內典)은 불교 경전을 말한다. 내법(內法)은 불법, 내교(內教)는 불교의 가르침을 말하듯 내전도 불교와 관련된 용어다.[1] 따라서

『내전록』이 이승휴가 불교 경전 1천 함[2]을 읽고 쓴 불교 경전에 관한 저술임은 틀림없다. 그러나 아쉽게도 이 책은 전하지 않고 있다. 『동안거사집』에 이승휴가 주고받은 편지나 글 속에 불교 관련 글이 보이긴 하지만 이러한 자료상의 제약으로 이승휴의 불교관을 살펴보는 데는 많은 제약이 따른다. 이런 상황에서 간략하지만 『제왕운기』에 나오는 불교 관련 용어를 심도 있게 살펴보는 것도 필요하다고 생각한다.

II. 『제왕운기』와 단군신화, 단군의 아버지는?

단군신화는 일연의 『삼국유사』와 이승휴의 『제왕운기』에 실려 있다. 『삼국유사』에 의하면 단군의 아버지와 어머니는 환웅과 웅녀다. 여기에 대해서는 이론이 없다. 그런데 『제왕운기』에서 단군의 아버지와 어머니는 단수신과 손녀이다. 단수신과 손녀는 각각 누구일까? 일반적으로 단수신은 말 그대로 단수란 나무의 신으로 보고 손녀는 환웅의 손녀로 보는 것 같다.[3] 이처럼 『삼국유사』와 『제왕운기』에서는 단군의 아버지와 어

••••

1 조경철, 2012, 「백제 왕비와 내법좌평 해수를 통해서 본 4~5세기 백제 불교」, 『한국사상사학』 42, 한국사상사학회.

2 이규보는 몽골군을 물리치기 위해 재조대장경을 만들자는 「대장각판군신기고문」을 썼다. 이승휴는 삼화사의 불경 1천 함을 읽고 『내전록』을 찬술하였다. 재조대장경을 조판한 후 여러 사찰에서 대장경을 갖추려는 노력이 보인다. 1318년 진주 용암사의 무외국통 정오는 대장경판이 완비되지 않아 대장경이 보관된 강화도 판당(板堂)에서 빠진 부분을 인출해 오기도 하였다. 재조대장경이 660여 함이고 용암사에 갖추어진 대장경이 600여 함임을 고려하면 삼화사가 보관한 1천 함의 불경은 상당히 많은 양이다. 1천 함을 읽은 이승휴의 불교에 대한 이해가 상당히 깊었음을 알 수 있다.

머니가 각각 서로 다르게 서술되어 있다. 계보가 다르므로 단군의 신성성도 차이가 난다. 『삼국유사』는 하늘나라의 신성(神聖)이 환인의 아들인 환웅으로 연결되는 부계적 신성인 반면, 『제왕운기』는 환웅의 손녀로 연결되는 모계적 신성으로 이해되어 왔다.

그런데 『제왕운기』의 기존 해석에는 문제가 있다. 결론부터 말하자면 단수신은 단웅이고 손녀는 상제환인의 손녀다.[4] 『제왕운기』 원문과 해석은 아래와 같다.

> 누가 처음 나라를 열었던가. 석제의 손자 단군이라. 「본기」에서 말하였다. 상제환인의 서자 단웅이 있었다. 단웅에게 말하였다. 삼위태백에 내려가 널리 인간 세상을 이롭게 할 만하지 않겠느냐. 단웅이 천부인 3개를 받고 귀신 3천을 이끌고 태백산 꼭대기 신단수 아래로 내려왔다. 사람들은 그를 단웅천왕이라고 불렀다. 손녀로 하여금 약을 먹여 사람이 되게 하였다. 손녀가 단수신과 혼인하여 사내를 낳았고 이름을 단군이라 하였다. 단군은 조선 땅에 터를 잡고 왕이

••••

3 서영대, 2001, 「전통시대의 단군인식」, 노태돈 외, 『단군과 고조선사』, 사계절, 161쪽, "단군의 계보에 대한 인식이 다르다. 『삼국유사』에서는 웅녀라 한 데 반해 『제왕운기』에서는 단수신과 단웅의 손녀라 했다. 그러니까 『삼국유사』에서는 부계로, 『제왕운기』에서는 모계로 천신과 연결된다."

4 조경철, 2013a, 「근대 이전 한국사 속에서의 단군인식」, 『한국사상사학』 45, 한국사상사학회에서 간단히 언급한 적이 있다. 한편 신종원은 '딱히 누구의 손녀라고 못 박지 않았으므로 환인 또는 단웅의 손녀 둘 다 가능하다'고 하였다. 신종원, 2016, 「고대사 사료로서의 제왕운기」, 『한국사학사학보』 34, 한국사학사학회, 131쪽; 신종원, 2004, 「단군신화에 보이는 나무신앙 및 역사인식」, 『삼국유사 새로 읽기』 1, 일지사, 58~60쪽. 신종원, 2019, 『삼국유사 깊이 읽기』, 주류성, 23쪽에서는 "단군은 환인의 손자이기도 하지만 이승휴의 『제왕운기』에 따르면 단군은 '단웅(「고조선」 조의 환웅) 손녀'의 아들이므로 환인의 4, 5대 자손이라는 주장도 가능하다"고 하였다.

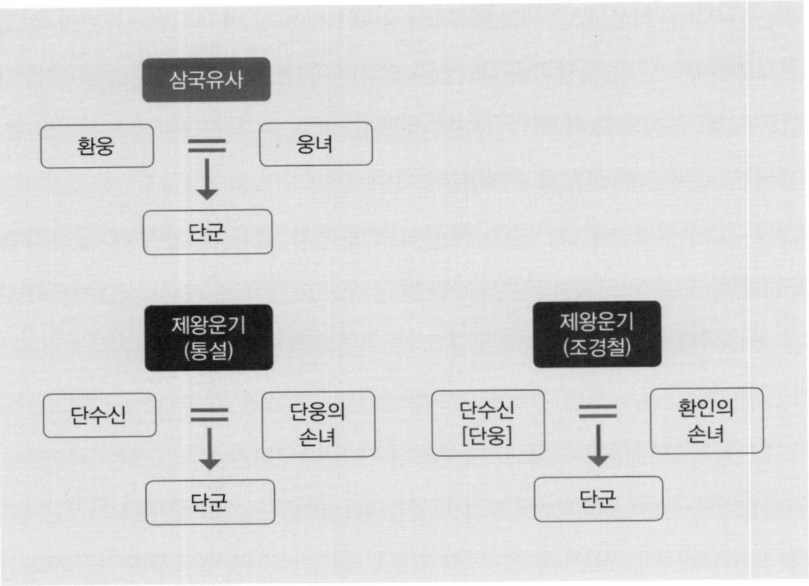

[그림 7-1] 『삼국유사』와 『제왕운기』의 단군계보

되었다. 시라(신라-글쓴이), 고례(고려-글쓴이), 남북옥저, 동북부여, 예와 맥이 모두 단군의 수(壽)이다. 1,038년을 다스리다 아사달 산에 들어가 신이 되어 죽지 않았다.

初誰開國啓風雲 釋帝之孫名檀君. 本紀曰 上帝桓因有庶子 曰雄云云 謂曰 下至三危太白 弘益人間歟故 雄受天符印三箇 率鬼三千而降太白山頂神檀樹下 是謂檀雄天王也云云 令孫女飮藥 成人身 與檀樹神婚而生男 名檀君 據朝鮮之域爲王 故 尸羅 高禮南北沃沮 東北扶餘 穢與貊 皆檀君之壽也 理一千三十八年 入阿斯達山爲神 不死故也.

위 원문 "令孫女飮藥 成人身 與檀樹神婚而生男 名檀君" 부분의 직역은 "손녀로 하여금 약을 먹여 사람 몸을 만들어 단수신과 더불어 혼인하여 사내를 낳아 단군이라 하였다"이다. 먼저 단수신부터 검토해 보자. 단수신은 '단수(檀樹)'란 나무의 신이다. 단수는 『제왕운기』 원문에서 확인하듯 단웅이 내려온 신단수(神壇樹)를 말한다. 단수에 신인 단웅이 내려와서 신단수가 되었으므로 단수의 신은 곧 단웅이 된다. 단웅 말고 단수신이 따로 있는 게 아니다.

다음은 손녀다. 손녀는 누구의 손녀일까. 지금까지 "令孫女飮藥"에서 '令'의 주체를 앞 구절 바로 앞에 나오는 "是謂檀雄天王也云云"의 단웅으로 해석하였다. '云云' 다음에 이어지는 "令孫女飮藥"의 '孫女'를 단웅의 손녀로 해석하다 보니 단수신을 단웅으로 해석하지 못하고 별개의 인물로 해석해 버린 것이다. 그런데 단수신을 단웅으로 해석하면 단군의 아버지는 단웅, 어머니는 단웅의 손녀가 된다. 하지만 아무리 근친 간의 결합이라 해도 할아버지와 손녀[祖孫]의 경우는 금기시되었다.

사실 "令孫女飮藥"의 '令'의 주체는 단웅도 될 수 있지만, 단웅의 아버지인 상제환인도 될 수 있다. 문맥상 보아도 "是謂檀雄天王也云云"의 '云云' 다음의 "令孫女飮藥"의 경우 '令'의 주체가 '云云' 바로 앞에 나오는 단웅천왕이 아니라 "本紀曰 上帝桓因有庶子"의 상제환인이 '令'의 주체가 되어 손녀로 하여금 약을 먹게 하여 사람이 되게 할 수도 있는 것이다. 또한 손녀와 혼인한 단수신이 신단수에 내려온 단웅이라면 단웅과 결합한 손녀는 단웅의 손녀보다는 환인의 손녀가 더 무난하다. 이렇게 되면 단웅과 손녀의 관계는 삼촌과 조카 관계가 되고 이런 결합의 경우는 매우 많다. 『제왕운기』의 단군은 아버지가 환인의 아들 단웅이고 어머니가 환인의 손녀로 부계와 모계 모두 신성과 연결된 셈이다. 『삼국유사』에서 단군의 신성이 부계인 환웅에게만 연결된 반면, 『제왕운기』의 단군 신성은 부계인 단웅과 모계인 환인 손녀 모두에 연결된 점을 고려하면 『삼국유사』보다 『제왕운기』(「본기」)가 단군의 신성성을 보다 강조하고 있음을 알 수 있다.

Ⅲ. 『제왕운기』의 '석제(釋帝)'

『제왕운기』에서 석제(釋帝)의 손자가 단군이라고 했다. 『삼국유사』 인용 「고기」에서는 환인의 손자가 단군이라 했고 일연은 환인을 제석(帝釋)으로 풀이했다. 『제왕운기』의 '석제'와 『삼국유사』의 '제석'은 글자의 순서가 바뀌었는데 물론 뜻은 같다. 대부분 '제석'이라고 하지만 '석제'라고 해서 틀린 말은 아니다. 『제왕운기』에서 흔히 쓰이지 않는 용어인 '석제'를 쓴 것은 시의 운율 즉 평측(平仄)을 맞추기 위한 것이라고 보기도 하는데[5] 『제왕운기』가 5언 절구, 7언 절구로 구성되었다는 점을 고려하면 그럴 가능성도 있다. 평측인지 아닌지는 보다 면밀한 검토가 필요하겠지만 평측이 아니더라도 제석이나 석제가 같은 의미라는 건 부정되지 않는다.

『삼국유사』에서 환인을 제석(帝釋)으로 풀이한 것은 환인(桓因)을 불교에서 제석을 의미하는 석제환인(釋提桓因)의 줄임말로 보았기 때문이다. 곧 '환인(桓因)=제석(帝釋)=석제환인(釋提桓因)'이라는 관계가 성립된다. 여기에 '제석(帝釋)[『삼국유사』]=석제(釋帝)[『제왕운기』]'이므로 '환인(桓因)=제석(帝釋)=석제(釋帝)=석제확인(釋提桓因)'이라는 관계도 성립하게 되었다. 그

5 최병헌, 2001a, 「고려시대 단군신화 전승문헌의 검토」, 윤이흠 외, 『증보판 단군, 그 이해와 자료』, 서울대학교출판부, 147쪽.

런데 언제부턴가 '釋提桓因'이 '釋帝桓因' 또는 '帝釋桓因'과 같은 말이 돼 버렸다.

석제환인(釋提桓因)의 갖춘 용어는 석가제환인드라(釋迦提桓因陀羅)로 그 뜻은 '釋迦[能]'+'提桓[天神]'+'因陀羅[帝, 王, 主]'이다. 제석(帝釋)의 '제(帝)'는 '인드라(因陀羅)'의 의역이고, 석(釋)은 '석가(釋迦)'의 '석(釋)'에서 음을 따온 것이다. 따라서 제석의 글자 순서를 바꾼 석제(釋帝)도 조어법상 나올 수 있는 용어이다. 그런데 제석(帝釋)과 석제(釋帝)가 같은 말이라고 하더라도 제(提)와 제(帝)가 들어간 석제환인(釋提桓因)과 석제환인(釋帝桓因) 또는 제석환인(帝釋桓因)도 같은 말이라고 보기는 어렵다.

'釋提桓因'은 '釋迦'의 '釋', '提桓'의 '提桓', '因陀羅'의 '因'을 취한 것이다. 그런데 '釋帝桓因'의 경우 '釋迦'의 '釋', '帝'는 '因陀羅'의 의역, '桓'은 '提桓'의 '桓', '因'은 '因陀羅'의 '因'을 취한 것이다. 따라서 '釋帝桓因'의 경우 '釋'과 '桓'은 설명이 된다고 하더라도 '帝'와 '因'은 '因陀羅'의 의역인 '帝'와 음을 딴 '因'이 중복되어 있다. 따라서 석가제환인드라의 줄임말로 '帝'와 '因'이 함께 들어간 '釋帝桓因' 또는 '帝釋桓因'을 쓰는 것은 잘못된 것이 된다.[6] 정

••••

6 ① 가령 환인(桓因)은 산스크리트어(梵語)의 'Sakrodevanam Indrah'라는 말을 한자로 음역한 '釋迦提桓因陀羅' 또는 '釋帝桓因'에서 그 어원을 찾아볼 수 있다(노태돈, 2001, 「단군과 고조선사에 대한 이해」, 노태돈 외, 『단군과 고조선사』, 사계절, 13쪽).

② 민족문화대백과사전 제석 항목: 그 한자 표기는 불교의 석가제환인다라(釋迦提桓因陀羅) 또는 제석환인(帝釋桓因 : Sakra-Devanam Indra)에서 온 것이다. 제석은 원래 인드라(Indra)라는 인도 신령의 중국 역어(譯語)이다.

③ 민족문화대백과사전 도리천 항목: 고려시대 일연(一然)과 이승휴(李承休)는 단군신화에 나오는 환인(桓因)을 제석천이라고 주장하였는데, 이는 불경을 한역할 때 인도 고대신화에서 강력한 군신(軍神)이요, 주재신(主宰神)이며, 동방의 수호자인 인드라 신을 석제환인다라(釋帝桓因陀羅)로 표기하였고, 줄여서 제석천이라고 한 데서 기인한 것이다.

리하면 다음과 같다.

釋迦提桓因陀羅

釋迦[能]+提桓[天神]+因陀羅[帝, 王, 主] = 釋提桓因

釋迦[能]+提桓[天神]+因陀羅[帝, 王, 主] = 帝釋 또는 釋帝

釋迦[能]+提桓[天神]+因陀羅[帝, 王, 主] ≠ 帝釋桓因 또는 釋帝桓因(因과 帝가 중복)

Ⅳ. 『삼국유사』의 환인과 『제왕운기』의 상제환인, '환인'은 불교에서 온 용어인가?

단군신화가 언제 문자로 정착되었는지는 확실하지 않다. 대체로 『삼국유사』에서 단군신화를 인용한 「고기」의 성립 연대 등을 고려하여 고려 초로 보는 듯하다. 단군신화가 후대에 문자로 정착되었다고 보는 결정적 근거는 '환인'에 있다. 환인을 불교의 석제환인의 줄임말로 보고 아무리

••••

④ 민족문화대백과사전 환인 항목: 먼저 글자 자체의 의미로, 환인은 제석환인(帝釋桓因)의 약자로서 석가제바인제(釋迦提婆因提)·석가인다라(釋迦因陀羅)·석가라인다라(釋迦羅因陀羅)·석가제환인다라(釋迦提桓因陀羅)·석가제바인다라(釋迦提婆因陀羅)·석제(釋帝)·제석(帝釋) 등으로 불린다.

⑤ 민족문화대백과사전 환웅 항목: 『제왕운기』에서도 환인을 상제(上帝)와 함께 석제(釋帝)라고 표현하고 있어 불교의 산스크리트어인 'Sakrodevanam Indrah'라는 말을 한자로 음역한 '석제환인(釋帝桓因)'에서 나온 말임을 알 수 있다.

⑥ 위키백과 환인: 『삼국유사』의 제석(帝釋)이라는 표현은 불교에서 말하는 제석환인(帝釋桓因, 인드라)에서 차용된 것으로 보이며, 승려인 저자 일연이 원래의 신화에 불교적 세계관을 가미한 것으로 보는 것이 일반적이다.

빨라도 4세기 이후이고 대체로 고려 초나 어떤 경우는 『삼국유사』가 편찬된 13세기로 보기도 한다.[7]

환인을 불교적 용어로 보게 된 계기는 『삼국유사』에서 환인에 대한 풀이를 제석(帝釋)이라고 한 데 있다. 제석은 불교의 천신으로 '석가제환인드라(釋迦提桓因陀羅)' 또는 '석제환인(釋提桓因)'과 같은 말이다. 조선시대 안정복도 환인을 환인제석의 줄임말로 보고 단군신화를 승려들에 의해서 만들어진 이야기라고 치부했다.[8] 안정복이 소장한 임신본 『삼국유사』의 '桓国'을 '桓因'으로 바꾼 이유도 그런 이유에서이다. 일제저항기 일제도 '桓国'을 '桓因'으로 변조했다. 마찬가지로 단군신화가 불교 승려에 의해 날조되었다는 증거로 삼기 위한 목적이었다. 지금 학계에서도 여전히 환인은 석제환인의 줄임말이라고 하면서 단군신화가 후대에 문자로 기록되었다고 주장하고 있다.

환인이란 용어의 출처에 대한 지금까지의 연구는 모두 석제환인의 줄임말이라는 것이다. 그런데 과연 환인이 석제환인의 줄임말일까? 불경에는 제석, 석제환인 등의 용어가 수백, 수천 차례 나온다. 그러므로 당연히 석제환인의 줄임말인 환인도 그만큼의 용례가 보여야 한다. 그런데 『고려대장경』을 기준으로 한다면 '환인'은 한 차례도 나오지 않는다. 왜일까? 범어 조어법상 석제환인은 '석+제환+인'으로 분해되어 석제환인을

••••

7 노태돈 외, 2001, 『단군과 고조선사』, 사계절, 15쪽.

8 安鼎福, 『東史綱目』, 第一上. 〈其所稱桓因帝釋出於法華經 其他所稱 皆是僧談 羅麗之代 尊崇異教 故其弊至此矣〉. 번역은 한국고전번역원, 한국고전종합DB, 『동사강목』, 제1상 참고. "「고기」에 나오는 '환인제석(桓因帝釋)'이라는 칭호는 『법화경(法華經)』에서 나왔고, 그 밖의 칭호도 다 중들 사이의 말이니, 신라·고려 때에 불교[異教]를 숭상하였으므로, 그 폐해가 이렇게까지 된 것이다."

석제와 환인으로 나눌 수가 없기 때문이다.

환인은 석제환인의 줄임말이 아니고 우리말 '하느님'에 대한 한자어 표기일 가능성이 높다. 나중에 불교가 들어온 이후 석제환인의 줄임말이라는 오해가 생긴 것이다.[9] '환인'이 석제환인의 줄임말이 아니라면 단군신화의 문자화도 지금까지 알려진 것보다 훨씬 이전에 이루어졌을 것이라고 유추할 수 있다. 고구려 불교 수용 이전인 4세기 이전까지 소급될 수도 있다.

『삼국유사』에서 인용한 「고기」에 나오는 '석유환인(昔有桓因)'의 환인은 불교 용어가 아닐 가능성이 높다. 그럼에도 일연은 석제환인의 줄임말로 잘못 보고(더 정확히 말해 잘못 보았다기보다 단군신화를 불교식으로 해석하여) '제석'이라 풀이한 것이다. 이승휴도 마찬가지다. 이승휴는 '석제(釋帝)'라고 했는데 이승휴 또한 환인을 석제환인으로 보았다. 다만 『제왕운기』에서 인용한 「본기」에는 환인이 상제환인으로 나와 있다. 환인 앞에 도교적 의미의 '상제'란 말을 덧붙인 것으로 볼 때 「본기」는 환인을 불교의 석제환인의 줄임말로 보지 않은 것 같다. 지금까지 모든 학자가 『삼국유사』의 환인을 불교의 석제환인에서 온 말로 보고 있는 현시점에서 『제왕운기』가 인용한 「본기」의 '상제환인'은 불교가 아닌 '환인'의 다른 의미를 전해 주는 매우 귀중한 자료인 셈이다.

••••

9 기존의 연구들은 환인을 석제환인의 줄임말로 보고 『삼국유사』의 '환웅천왕'이나 『제왕운기』의 '단웅천왕'의 '천왕'도 석제환인의 휘하 권속인 사천왕의 줄임말로 보아 왔지만(최병헌, 2001b, 「단군인식의 역사적 변천」, 윤이흠 외, 『증보판 단군, 그 이해와 자료』, 서울대학교출판부, 146쪽) 환인이 '上帝환인' 곧 '天帝'라면 사천왕의 천왕이 아니라 아들인 단웅을 帝의 바로 아래인 王을 덧붙인 '天王'이라 불렀을 수도 있다.

'환인(桓因)'은 본래 우리말 '하느님'에 대한 한자어 표기였다. 하느님에 대한 도교적 표현은 상제(上帝)이고, 하느님에 대한 불교적 표현은 제석(帝釋) 또는 석제환인(釋提桓因)이었다. 따라서 환인을 도교적 표현으로 부르면 앞에 상제를 붙여 상제환인(上帝桓因)이라 하고 환인을 억지로[10] 불교적 표현으로 부를 땐 주로 석제환인의 줄임말로 보아 제석이나 석제환인으로 부른 것이다.

V. 『삼국유사』 임신본의 '환국'과 『제왕운기』

『삼국유사』의 판본에 의하면 '桓因'이란 한자어 표기는 보이지 않는다. '桓因'의 '因' 자가 『삼국유사』 판본에는 '国'(임신본, 1512)이나 '囯'(파른본, 1394?)으로 표기되어 있다. 그래서 재야 사학에서는 이를 환인이 아니라 환국으로 보고 있다. 그리고 '囯'은 『삼국유사』를 제외한 다른 기록에서는 보이지 않는 글자이지만 '国'과 같은 글자로 보고 있어 '桓囯' 또한 '환국'으로 읽고 있다.

그런데 『제왕운기』에는 환국이 아닌 환인(桓因)으로 되어 있다(그림 7-2). 이를 통해 『삼국유사』의 '桓国'이나 '桓囯'이란 표기가 '桓因'의 오기임

••••

10 『삼국유사』에서 일연이 '환인'을 '제석'이라 풀이한 것은 환인을 석제환인의 줄임말로 보고 싶은 불교적 입장이 반영된 것이다. 『제왕운기』의 본문 시 구절에서 '석제'라고 한 것도 같은 맥락이다. 이후 두 책이 환인을 석제환인의 줄임말로 보게 한 원초적 요인이 되었다. 물론 『제왕운기』는 「본기」를 인용하면서 '상제환인'을 그대로 적어 놓았다. '상제환인'은 '석제환인'과 같은 불교적 용어는 아니다.

을 알 수 있다. 그러나 근대 학문 이후 상대적으로 『삼국유사』가 대중적으로 널리 알려지고 『제왕운기』가 주목을 받지 않는 상황에서 이러한 사실은 힘을 발휘하지 못하였다.

[그림 7-2]
『제왕운기』 상제환인

또한 강단 사학에서는 '桓国'이나 '桓囯'을 단순히 '桓因'의 오기라고 주장할 뿐 어떻게 '桓因'이 '桓国'이나 '桓囯'으로 표기되었는지 설명하지 못하였다. 그리고 '囯'이 무슨 글자인지 확인하지 못하여 '囯' 자를 '国' 자로 주장하는 재야 사학의 주장을 반박하지 못하였다. 오히려 강단 사학 일부에서도 '囯' 자를 '国' 자와 같은 글자로 보기도 하였다.[11]

물론 '因'의 '大' 자를 흘려 쓰면 '土'가 된다고 하면서 '因'과 '囯'은 같은 글자라는 최근의 주장이 있었지만 '흘려 쓴다'라는 가정을 전제로 '因'과 '囯'이 같은 글자라고 주장하기에는 한계가 있었다.[12]

••••

11 하정룡·이근직, 1997, 『삼국유사 교감연구』, 신서원, 549쪽.

國	国	囯	國
나라 국			

12 하일식, 2013, 「삼국유사 파른본과 임신본의 비교 검토」, 『동방학지』 162, 국학연구원, 13쪽.

<table>
<tr><td>大</td><td>國
①</td><td>國
②</td><td>桓
囯</td><td>桓
囯</td></tr>
<tr><td rowspan="2">『五體字鑒』의
大</td><td colspan="2" rowspan="2">임신본에 사용된
2종류의 國</td><td>임신본</td><td>파른본</td></tr>
<tr><td colspan="2">『고조선』조 桓因</td></tr>
</table>

[그림 7-3]
『삼국유사』 임신(1512)본
'환국(桓国)'

[그림 7-4]
『삼국유사』 파른본(1394?)
'환?(桓囯)'

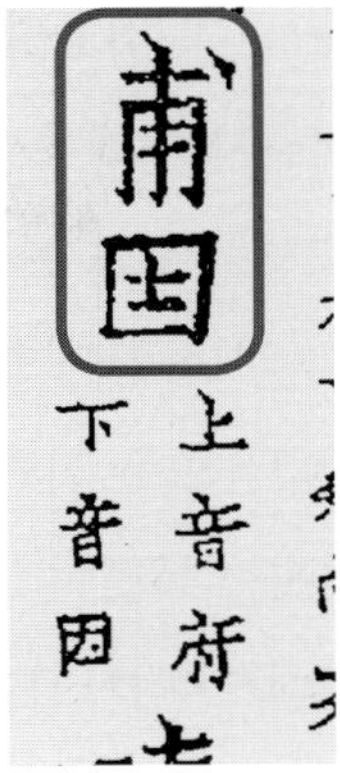

[그림 7-5]
고려대장경
『신집장경음의수함록』
'보?(甫囯)'과 붙임설명

문제는 '囯', 이 글자가 무슨 글자인지 밝혀내는 것이다. 『삼국유사』가 고려시대에 편찬되었으므로 먼저 고려시대의 글자에서 찾아보면 될 것이다. 고려시대의 글자가 모여 있는 곳은 해인사 장경판전의 고려대장경이다. 고려대장경은 경판이 8만여 장이고 1개의 경판에 최대 642자가 있다. 즉 8만 개의 경판에는 약 4천 9백 9십 2만 자가 있는 셈이다. 대략 5천만 자정도이다. 이 5천만 자 중에서 '囯' 자를 찾으면 된다.[13]

다행히 고려대장경연구소에서 나온 『고려대장경이체자전』(2000)이 있어 모든 고려대장경을 찾아보는 수고를 덜 수 있었다. 그곳에서 『신집장경음의수함록』에 수록된 '囯' 자를 찾을 수 있었다. '甫囯'이란 단어였다

••••

13 이에 대한 자세한 내용은 조경철, 2016a, 「단군신화의 환인·환국 논쟁에 대한 판본 검토」, 『한국고대사탐구』 23, 한국고대사 탐구학회 참고.

(그림 7-5). 『신집장경음의수함록』에는 '甫囯' 옆에 작은 글씨로 "上音府 下音因"이란 붙임설명이 달렸다. 그러나 비록 여기서 '囯'자의 음이 '인(因)'이라고 했음에도, 이 설명이 맞는지는 확신할 수 없었다. 왜냐하면 '甫'의 우리 음은 '보'인데 붙임설명에는 '부(府)'로 되어 있었기 때문이다. 더구나 '囯'의 음만을 적어 놓았지 뜻을 적어 놓지 않았기 때문에 '囯'이 어떤 글자인지는 여전히 알 수가 없게 되었다.

그런데 『신집장경음의수함록』이란 경전은 다른 불경에 나오는 어려운 단어의 음과 뜻을 풀이해 놓은 일종의 단어 풀이집이므로 『신집장경음의수함록』에 나오는 모든 단어는 다른 경전에서 다시 확인해 볼 수가 있다. 『신집장경음의수함록』에 제시된 여러 단어의 배열 관계를 통해 '甫囯'이란 단어의 원 경전을 찾아 나갔다. 그 원 경전은 『문수사리보초삼매경』이었다(그림 7-6). 이 경전에는 해당 단어의 글자가 놀랍게도 '甫囯'이 아닌 '甫因'으로 되어 있었다. 곧 『신집장경음의수함록』의 '甫囯'과 『문수사리보초삼매경』의 '甫因'을 통해 '囯'과 '因'이 같은 글자임을 알 수 있었다.

그럼 『삼국유사』 임신본(1512)의 '桓国'은 어떻게 이해해야 할까. 이는 아마도 조선 초 판본(파른본, 1394?)의 '桓囯'을 다시 판각할 때 '囯'이 '因'과 같은 글자인 줄 모르고 '囯'의 '土'자에 '一'을 가획하여

心志怯弱欲疾滅度不能超逮甫因
吾法而得無為今寧覩吾諸通慧耶

[그림 7-6]
고려대장경 『문수사리보초삼매경』

[그림 7-7]
일제의 변조

‘王’을 만들어 버린 결과로 여겨진다. ‘国’은 ‘囯’자가 무슨 글자인지 몰라서 일어난 해프닝이었던 것이다.

하지만 ‘士’에 ‘一’을 덧붙여 만든 ‘王’자가 들어간 ‘桓国’은 환국이 되어, 이후 후기 실학자의 일부가 이를 따르고 최남선도 따르게 되었다. 더욱이 일제가 ‘桓国’에 덧칠하여 ‘桓因’을 만든 사례까지 덧붙여져(그림 7-7) 마지 환국을 따르지 않으면 식민사학자가 돼 버릴 정도로 문제가 심각해져 버렸다. 또한 ‘환국’을 주장하는 『환단고기』까지 만들어지면서 지금은 걷잡을 수 없는 상황에까지 이르게 되었다.

『삼국유사』 임신본의 ‘桓国’과 『삼국유사』 파른본의 ‘桓囯’은 존재하지도 않은 ‘환국’이란 나라의 허상을 만들었다. 이러한 불필요한 논쟁이 제기된 이유는 『제왕운기』가 널리 알려지지 않았기 때문이기도 하다. 『제왕운기』의 ‘桓因’이란 표기는 고려대장경의 ‘甫囯’=‘甫因’이란 자료와 함께 환국의 허상을 깰 수 있는 결정적인 자료라고 볼 수 있다.

VI. 홍익인간

홍익인간은 환인-환웅-단군으로 이어지는 고조선의 건국이념이다. ‘홍익인간’이란 용어는 『삼국유사』와 『제왕운기』에 보인다. 『삼국유사』에 “父知子意 下視三危太伯 可以弘益人間”, 『제왕운기』에 “本紀曰 上帝桓因有庶子 曰雄云云 謂曰 下至三危太白 弘益人間歟故”라고 하였다. 홍익인간의 여러 해석은 다음과 같다.

① 널리 인간을 이롭게 하다.

"널리 인간을 이롭게 할 만한지라…" (고려대학교, 『역주 삼국유사』; 국사편찬위원회 번역)

② 널리 인간 세상을 이롭게 하다.

"인간 세상을 널리 이롭게 하기 위하여…" (한국학중앙연구원, 『역주 삼국유사』)

보통 홍익인간을 해석할 때 위의 두 가지로 해석한다. 단군신화에 나오는 홍익인간의 해석은 어떤 게 옳을까. 이에 대해서는 『삼국사기』의 열전 「강수」를 참고할 만하다. 신라 때 유학자인 강수는 당과의 외교문서를 전담할 정도로 문장이 뛰어났는데, 강수가 어렸을 때 아버지가 "너는 불교를 배우겠느냐 유교를 배우겠느냐"라고 묻자 강수가 대답하기를 "저는 인간 세상의 사람으로서[人間人] 어찌 불교를 배우겠습니까? 유자의 도를 배우길 원합니다"(『삼국사기』, 「강수」)라고 하였다 한다.[14]

여기서 인용문의 인간인(人間人)은 '인간 세상의 사람'이란 뜻으로 '인간'은 '인간 세상'을 말하고 '인'은 '사람'을 말한다. 인간과 인을 구분하고 있다. 따라서 홍익인간의 해석은 ② "널리 인간 세상을 이롭게 하다"가 가장 올바른 해석이다.

그럼 '홍익인간'의 출처는 어디일까? 보통 환인과 마찬가지로 불교 용

••••

14 三國史記』 46, 列傳, 「强首」, 〈父欲觀其志問曰, "爾學佛乎, 學儒乎." 對曰, "愚聞之, 佛世外教也, 愚人間人, 安用學佛爲. 願學儒者之道"〉. '인간인(人間人)'의 또 다른 용례는 『承政院日記』, 孝宗 元年 春正月 壬戌 기사에 '人間人心', 하서 김인후의 『鞱庵集』 卷之二, 「遺事」, 「略」, 「10卷0614」, '似非人間人物', 『대조선독립회보』 제2호(1896.12.15)의 기사 제목 '人間人의 三種이라' 등에도 보인다.

어로 보는 경향이 강하다. 글쓴이도 불경에 '홍익인간'이란 용례가 보이지 않지만 '홍익중생'이 보이고, '홍익인간'과 비슷한 의미의 '요익인간'과 '요익중생'이 보이므로 '홍익인간'도 '홍익중생'과 같은 의미의 불교 용례라고 본 적이 있다.[15]

그런데 굳이 '홍익중생'이라 쓰지 않고 '홍익인간'이란 쓴 점도 주목해야 한다고 생각한다. '중생'과 '인간'은 같은 의미이기도 하지만, '인간'은 어디까지나 '인'을 강조하고 있다. '인간'은 '인간 세상'이지만 그 중심은 '인[사람]'이다.[16] 또 '중생'이 순수 불교적 용어라면 '인간'은 불교와 유교 및 다른 사상에서도 공통으로 쓰이는 용어로 볼 수 있다.

더불어 '홍익인간'의 '홍익'이 불교의 '홍익중생'의 '홍익'에서 왔다고 보지만, 『논어』에도 '홍인(弘人)'이 보인다. 홍인은 "인능홍도 비도홍인(人能弘道 非道弘人)"이란 구절에 나오는 말로, 곧 "사람이 도를 넓히는 것이지 도가 사람을 넓히는 것이 아니"라는 말이다. 하곡 정제두는 이 의미를 "도를 넓히고 이익되게 하는 것은[弘益於道] 그 학문하는 사람에 달려 있다"고 풀었다.[17] 그렇다면 홍익인간을 '인간을 넓히고 이롭게 한다'로도 해석할 수 있겠다. 이처럼 홍익이란 말은 불교에서 '홍익중생(弘益衆生)'처

••••

15 조경철, 2017, 「단군신화 속 홍익인간의 유래와 그 의미」, 『정신문화연구』 148(통권), 한국정신문화연구원.

16 정영훈, 2016, 「홍익인간 사상의 인본주의」, 『민족문화논총』 64, 영남대학교 민족문화연구소.

17 「霞谷集」, 〈人能弘道. 非道弘人. 此言凡人有所爲學. 而能弘益於道者. 是蓋其人之爲學者. 有以能弘其性體故也. 非其性道自能弘其人之氣質而然也〉. "사람이 능히 도를 넓히는 것이요, 도가 사람을 넓히는 것이 아니니다. 이것은 사람이 학문을 하여 능히 도를 넓히고 유익하게 함은 대개 그 사람의 학문하는 것이 능히 그 성체(性體)를 넓힘이 있는 까닭이요, 그 성(性)·도(道)가 스스로 능히 그 사람의 기질을 넓혀서 그런 것이 아님을 말한 것이다"(고전번역원 번역).

럼 쓰이기도 하지만 신라시대 최치원의 글,[18] 고려시대 이규보의 글,[19] 조선시대 정제두의 글 등에 보인다는 점을 고려하면 딱히 불교적 용어라고만 고집할 수는 없을 것 같다.

환인이 불교 용어라면 홍익인간도 불교 용어일 가능성이 높지만, 반대로 환인이 불교 용어가 아니라면 홍익인간 또한 불교 용어가 아닐 가능성이 높다. 『삼국유사』의 경우 일연이 '환인'을 제석으로 풀었기 때문에 '홍익인간'도 불교식 용어라고 푼 경향이 있었다. 그런데 『제왕운기』가 인용한 「본기」에서는 환인을 '상제환인'이라고 해서 불교적 의미의 환인으로 보지 않았다. 또한 환인의 손녀에게 약을 먹여 사람 몸을 갖게 한다는 것도 도교적 성격에 가깝다. 따라서 「본기」에 나오는 '홍익인간'도 불교적 용어라기보다는 유교, 도교 등 일반적 의미의 보편적 용어라고 생각된다.

Ⅶ. 『제왕운기』의 동명성왕 '좌협' 탄생신화

『제왕운기』 「고구려기」에 주몽의 탄생과 관련하여 다음과 같은 구절이 보인다. "五升大卵左脇誕(오승대란좌협탄)"으로 "5승 크기의 큰 알이 왼쪽 옆구리에서 나왔다"란 내용이다. 주몽이 유화부인의 옆구리에서 탄

••••

18 최치원, 『桂苑筆耕集』, 「請節度判官李琯大夫充副使」, 〈十二年之弘益. 久而彌芳. 千萬里之追從. 永以爲好〉.

19 이규보, 『東國李相國集』, 「律業首座都行 官誥」, 〈登壇度衆. 付餘膏於幾人. 傳法利生. 霑甘露者累紀. 弘益多矣. 褒優歎然〉.

[그림 7-8] 붓다의 탄생, 3세기, 뉴욕 프리어갤러리.

생했다는 이야기는 유명한 싯다르타의 옆구리 탄생신화를 연상시킨다.

『삼국사기』에서는 주몽의 탄생을 "生一卵大如五升許(생일란대여오승허)" 즉 한 알을 낳았는데 크기가 5대승쯤 되었다고 하였고, 『삼국유사』에서는 "生一卵五大升許'(생일란오대승허)", 즉 한 알을 낳았는데 5대승쯤 되었다고 되어 있다.

『삼국사기』와 『삼국유사』는 유화부인이 큰 알을 낳았다고만 했고 옆구리 이야기는 들어가 있지 않다. 주몽이 옆구리에서 태어났다고 하는 탄생 이야기는 『제왕운기』에 보이지만 시기적으로 『제왕운기』(1287)보다 앞서는 이규보(1168~1241)의 「동명왕편」에 먼저 보인다. 「동명왕편」에서는 "初生左腋 生一卵 大如五升許"이라 하였다. 『삼국사기』와 『삼국유사』에서 언급하지 않은 '初生左腋(초생좌액)'이 덧붙여진 것이다.

「동명왕편」과 『제왕운기』 모두 왼쪽 옆구리에서 태어났다고 했지만, 옆구리에 해당하는 용어를 「동명왕편」에서는 겨드랑이 액(腋)으로 표기했고 『제왕운기』는 옆구리 협(脇)으로 표기했다. 주몽의 옆구리 탄생신화는 조선시대 『세종실록』 「지리지」 평양부 관련 기록에도 보인다. "初從左腋生一大卵 容五升許(초종좌액생일대란 용오승허, 왼쪽 옆구리로 한 큰 알이 나왔는데 5승쯤 되었다)." 『세종실록』의 기록은 '初從左腋生'의 표현에서처럼 「동명왕편」의 기록에 더 가깝다. 주몽의 탄생신화는 『삼국사기』의 알 탄생, 「동명왕편」의 왼쪽 겨드랑이 알 탄생, 『삼국유사』의 알 탄생, 『제왕운기』의 왼쪽 옆구리 알 탄생, 『세종실록』의 겨드랑이 알 탄생의 과정을 거친 것이다.

우리나라에서 옆구리 탄생신화는 주몽 탄생신화만 있을까? 아니다. 「동명왕편」에 앞서 『삼국사기』에도 옆구리 탄생신화를 싣고 있다. 바로 알영신화다. "龍現於閼英井 右脇誕生女兒(용이 알영정에 나타나 오른쪽 옆구리로 여자아이를 낳았다)." 알영신화에 따르면 박혁거세의 부인인 알영도 옆구리로 태어났다고 한다. 박혁거세는 알에서 태어났지만, 알영은 알이 아닌 용의 옆구리에서 태어났다.

주몽의 탄생신화를 보면 모두 왼쪽 옆구리로 되어있지만 알영의 경우 『삼국사기』에는 오른쪽 옆구리, 『삼국유사』에는 왼쪽 옆구리로 되어있다. 그런데 알영이나 주몽의 옆구리 탄생신화는 모두 싯다르타 탄생신화에서 비롯된 것이다. 둘 다 모두 고구려와 신라에 불교에 들어온 이후 윤색된 옆구리 탄생신화라고 할 수 있다. 신화에 따르면, 싯다르타는 마야부인의 오른쪽 옆구리로 태어났다고 한다.

알영신화의 경우 옆구리 탄생신화는 선덕여왕 때 완성된 것으로 여겨진다.[20] 진흥왕 때 『국사』에 실렸을 혁거세신화에 불교적 윤색이 들어가 있지 않은 것을 볼 때, 알영신화도 『국사』 단계에서는 옆구리 신화가 생성되지 않았을 것이다. 진흥왕 이후 싯다르타를 본뜬 옆구리 신화의 재편은 아무래도 남성 왕보다는 여성 왕에게 더 필요한 사항이었을 것이다. 그렇다면 신라 최초의 여왕인 선덕여왕 때 알영의 오른쪽 옆구리 탄생신화가 첨가되었을 가능성이 높다. 알영의 신격화를 통해 여왕 통치의 정당성을 확보하려고 했을 것이다.

그런데 김부식은 신라 알영의 옆구리 탄생신화는 실으면서 왜 주몽의 옆구리 탄생신화를 싣지 않았을까? 일연의 『삼국유사』도 알영의 옆구리 탄생신화를 싣고 있다. "閼英井邊有鷄龍現 而左脇誕生童女(알영 우물가에 계룡이 나타나 왼쪽 옆구리로 여자아이를 낳았다)."[21] 『삼국유사』도 『삼국사기』와 마찬가지로 알영의 옆구리 탄생신화를 싣고 있으면서 주몽의 옆구리 탄생신화는 싣고 있지 않다. 『삼국유사』에서 주몽의 옆구리 탄생신화를 싣지 않은 것은 왜일까? 현재 그 이유를 알 수는 없다. 아마도 『삼국사기』와 『삼국유사』가 참조한 삼국시대 기록에 주몽 옆구리 신화가 없었거나 아니면 외면했을 가능성도 있다.

『삼국유사』를 편찬한 일연이 먼저 나온 이규보의 「동명왕편」을 보았을 가능성이 있는데 주몽의 옆구리 탄생설화는 싣지는 않았다. 후술한 『구삼국사』에 주몽 옆구리 탄생신화가 실렸다면 『삼국사기』와 『삼국유사』는 이를 외면한 것이다.

••••

20 조경철, 2011, 「알영신화의 재편과 첨성대」, 『천태학연구』 14, 천태불교문화연구원.

21 『三國遺事』, 「新羅 始祖 朴赫居世」.

그렇다면 주몽의 옆구리 탄생신화는 언제 만들어졌을까. 주몽의 옆구리 탄생신화는 불교가 들어온 소수림왕 때 이후라고 볼 수 있는데 광개토왕릉비에도 보이지 않는 것으로 보아 고구려 당대에 성립되지 않았을 수도 있다. 고구려 당대에는 천제지자(天帝之子), 곧 하늘의 아들이라는 천신 관념이 확고하여 주몽 옆구리 신화가 생겨나지 않았을 수도 있다. 이 점에선 박혁거세신화도 마찬가지다.

고구려 주몽신화가 다시 주목을 받은 시기는 고구려를 계승한 후고려가 세워진 후삼국을 전후한 시기로 보인다. 궁예는 주몽이 세운 고구려를 계승한다는 취지로 4~5세기 고구려가 바꾼 나라 이름 '고려'를 그대로 취하여 '고려'란 나라를 세웠다.[22] 그러므로 궁예가 후고려를 세우면서 자신이 주몽의 계승자임을 널리 알렸을 것은 분명하다. 궁예(弓裔)의 이름부터가 '활 궁', '후예 예'인데 말 그대로 활의 후예, 즉 주몽의 후예가 되는 셈이다. 그런데 궁예가 불교적 분위기에서 자랐고 나중에 미륵불을 자처한 사실은 널리 알려져 있다. 궁예는 불경 20여 권을 지었다고 하는데, 이때 불경뿐만 아니라 역사책 특히 고구려의 신화와 역사에 대한 정리도 함께 했을 것으로 여겨진다. 따라서 주몽의 옆구리 탄생신화도 이때 나타난 것으로 보인다. 고구려의 주몽이 석가처럼 옆구리에서 태어났고, 궁예가 석가인 주몽을 이어받아 미륵불이 된다는 구도로 이용하였을 수도 있는 것이다.

••••

22 여기선 4~5세기 나라 이름을 바꾼 주몽의 고려와 구분하기 위하여 후고려로 부르고자 한다. 흔히 부르는 후고구려라는 나라 이름은 20세기에 인위적으로 만들어 낸 잘못된 이름이다. 이상의 내용에 대해서는 다음 논문 참고. 조경철, 2018, 「주몽고려, 궁예고려, 왕건고려, 코리아의 단절과 계승」, 『역사와현실』 109, 한국역사연구회.

「동명왕편」을 보면, 이규보는 『구삼국사』의 「동명왕본기」를 읽고 처음에는 귀환(鬼幻)스럽다고 하여 믿지 않다가 나중에 읽을 때 귀(鬼)가 아니고 신(神)이고, 환(幻)이 아니고 성(聖)이란 걸 알았다고 하였다. 그러면서 김부식이 『국사』(『삼국사기』)에서 동명왕의 사적이 귀환스럽다고 여겨 간략히 서술한 것일 뿐이라고 아쉬워하였다. 「동명왕편」에서 언급한 『구삼국사』는 고려 초에 서술된 것으로 여겨지고 있는데, 주몽의 옆구리 신화 역시 『구삼국사』 단계에 실린 것으로 추정된다. 「동명왕편」은 그 자체로 고구려의 동명왕신화였기 때문에 옆구리 탄생신화를 실었으며, 『제왕운기』도 그것을 계승하여 주몽의 옆구리 신화를 실은 것은 아닐까. 『제왕운기』는 『삼국사기』나 『삼국유사』보다 고구려 계승의식이 더 강하다고 볼 수 있다.

이승휴는 1274년 동주부사로 임명되었으며 이때 동안거사(東安居士)를 자호로 삼았다. 그런데 여기서 동주는 궁예가 후고려를 세웠던 철원을 말한다. 이승휴는 이곳에서 궁예와 후고려에 대한 여러 자료를 접했을 가능성이 높다. 김부식은 『삼국사기』에서 궁예가 세운 '고려'를 숨기고 마치 궁예가 처음 세운 나라가 마진인 것처럼 서술하였지만, 이승휴는 궁예가 세운 나라를 '후고려'라고 명시하였다. '후고려'란 이름을 통해 궁예가 세운 나라가 고려였고 고구려도 고려로 나라 이름을 바꾼 이후 고려로 불렸음을 알려 주고 있다. 이승휴가 동주부사를 역임한 전력은 궁예의 고려와 주몽의 고려에 대한 관심을 높였고, 때문에 『제왕운기』에 주몽의 탄생신화를 실을 때 「동명왕편」과 마찬가지로 왼쪽 옆구리 신화로 실었을 것으로 추정된다.

한편 옆구리 탄생신화는 오른쪽 또는 왼쪽으로 달리 나타나고 있는데

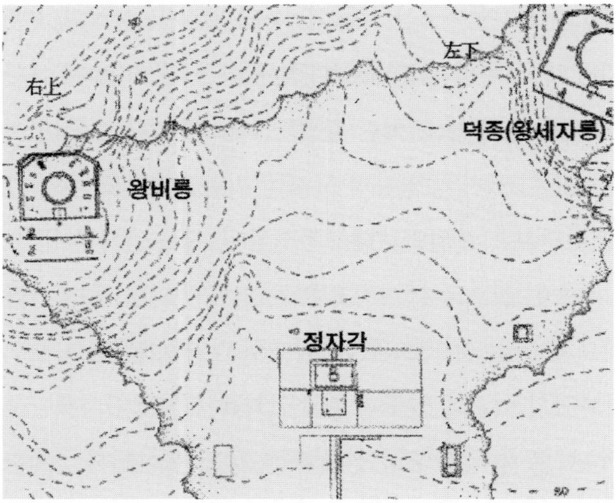

[그림 7-9]
경릉. 덕종[세조의 큰아들]과 그의 부인[인수대비].

혹시 오른쪽, 왼쪽에 대한 우열의 문제일까? 아니면 또 다른 이유가 있는 것일까? 흔히 조선시대 삼정승을 영의정, 좌의정, 우의정이라 하는데 좌의정이 우의정에 앞서는 걸 보면 왼쪽이 우위인 것으로 보인다. 그런데 경우에 따라서 ―예를 들어 죽은 이후― 오른쪽이 우위인 경우도 있다. 조선시대 세조의 광릉은 조선시대 최초의 동원이강릉(同原異岡陵)인데 오른쪽이 세조의 능이고 왼쪽이 왕비의 능이다. 그런데 세조의 맏아들인 덕종[추존]의 경릉도 동원이강릉이지만 오른쪽이 소혜왕후의 능이고 왼쪽이 덕종의 능이다.

주몽의 옆구리 탄생신화를 싣고 있는 기록은 「동명왕편」, 『제왕운기』, 『세종실록』 등인데 모두 왼쪽 옆구리이다. 알영의 옆구리 탄생신화를 싣고 있는 건 『삼국사기』와 『삼국유사』인데 『삼국사기』는 오른쪽이고 『삼국유사』는 왼쪽이다. 왼쪽이 맞을까? 오른쪽이 맞을까? 석가모니는 마야

부인의 오른쪽 옆구리로 태어났다. 석가모니의 옆구리 탄생신화를 취했다면 모두 오른쪽 옆구리로 태어났다고 했을 텐데[23] 왼쪽 옆구리 탄생신화를 실은 기록이 많은 것은 왜일까.

옆구리 탄생신화는 석가가 원조이지만 석가의 옆구리 탄생신화를 맨 처음 벤치마킹한 것이 바로 노자다. 노자가 인도에 가서 부처가 되고 다시 중국으로 돌아왔다는 경전이 『노자화호경(老子化胡經)』인데, 『노자화호경』에는 노자가 뱀의 왼쪽 옆구리로 태어났다고 하였다. 기록 중에는 노자가 오른쪽 옆구리에서 태어났다고 하는 기록도 있으나 점차 왼쪽 옆구리로 정착되어 갔다.[24]

즉, 석가모니의 탄생신화는 오른쪽 옆구리 탄생신화였으나 노자에 와서 왼쪽 옆구리 탄생신화로 변형되었다고 할 수 있으므로, 왼쪽 옆구리 탄생신화는 곧 불교와 도교가 융합된 탄생신화로 볼 수 있다. 「동명왕편」의 경우 서술 분위기에 도교적 색채가 많고 『제왕운기』에 인용된 「본기」의 단군신화 내용도 상제나 약을 먹는다는 내용 등 역시 도교적 색채가 짙다는 사실이 신빙성을 더한다. 게다가 『제왕운기』를 저술한 이승휴의 『동안거사집』에도 도교적 요소가 많이 보인다. 또한 주몽의 옆구리 탄생신화가 맨 처음 등장하였을 후삼국시대는 풍수지리나 도참 등 도교적 요소가 강한 시기이기도 했다. 이런 시대적 배경에 등장한 주몽의 탄생신화는 불교와 도교가 융합된 주몽의 왼쪽 옆구리 탄생신화를 낳았고,

••••

23 『조선왕조실록』에도 좌협, 우협 출생 이야기가 보인다. 그런데 좌협에 대해선 특별한 말이 없고 우협에 대해선 사람들이 '단종이 우협 출생했다면서? 그럼 단종은 부처가 아닌가?'라는 말을 주고받은 기록이 보인다(成宗 23卷, 3年, 10月 9日 壬申).

24 조경철, 2011, 「알영신화의 재편과 첨성대」, 『천태학연구』 14, 천태불교문화연구원.

이 이야기가 도교적 소양을 갖춘 이규보와 이승휴를 만나, 그들이 저술한 「동명왕편」과 『제왕운기』에 실린 것으로 생각된다.

Ⅷ. 『제왕운기』와 철원

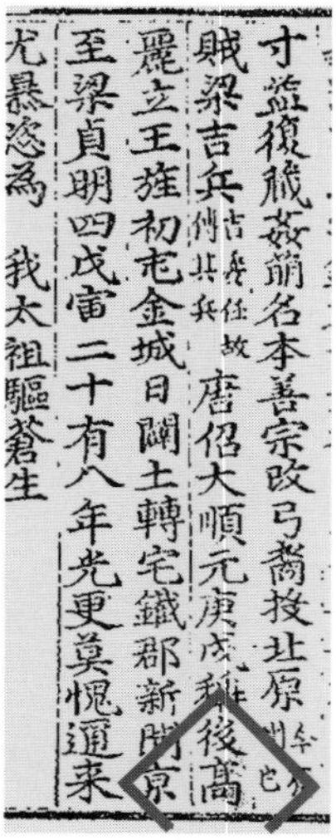
寸益獲襪姦蔺名李善宗改弓裔投北原
賊梁吉兵倂吉委任故共兵 唐昭大順元庚戌稱後高
麗立王旗初宅金城日闢土轉宅鐵郡新開京
至梁貞明四戊寅二十有八年光更莫愧遁來
尤暴恣爲 我太祖驅蒼生

[그림 7-10]
『제왕운기』, 후고려.

『삼국유사』의 '전고려-후고려-고려'의 계승 관계는 김부식의 『삼국사기』에서 '고구려-마진-고려'의 계승 관계로 바뀌었지만, 이승휴는 『제왕운기』에서 이를 다시 '고구려-후고려-고려'로 바꾸어 놓았다. 여기서 후고려는 궁예가 세운 나라 '고려'를 말한다. 이승휴는 『제왕운기』에서 궁예의 행적과 관련하여 불교 중심으로 서술하였다. 궁예는 승려가 되어 흥교사에 머물렀고 까마귀가 물어다 준 '王' 자가 새겨진 황아(黃牙)의 막대를 받고 큰 뜻을 품기도 하였다.

『제왕운기』에서 이승휴는 궁예가 금성에 도읍했다는 등 다른 곳에서는 보이지 않는 궁예의 구체적인 행적을 서술하고 있는데[25] 이는 그가 한때 동주부사로 철원에 부임했던 전력과 관련 있을 것이다. 이승휴 자신도 『제왕운기』에서 자신이

••••

25 조인성, 2006, 「궁예의 후고구려 건국과 관련한 두 문제」, 『신라문화』 27, 동국대학교 신라문화연구소.

철원에 머물렀음을 강조하고 있다.

이승휴가 찬술한 『내전록』은 여러 불교 경전에 대한 해제와 감상을 적은 책으로 여겨지는데 이 가운데 궁예나 후고려와 관련된 불교 경전이 포함되었을 수도 있다. 『건나표하일승수행자비밀의기』는 궁예시대에 저술된 화엄 계열 저술이라고 보기도 하는데[26] 이 말이 맞다면[27] 혹시 『내전록』에서 이를 다루었을 수도 있다.

특히 궁예가 손에 쥐었다는 '王' 자가 새겨진 황아주(黃牙柱)를 『삼국사기』에서는 '王' 자가 새겨진 아첨이라고 하였다[牙籤書王字]. 『점찰선악업보경』의 177번째의 간자는 王(人王)이 된다는 혁명적 의미의 간자이다. 궁예의 혁명적 불교신앙이 진표의 점찰 미륵신앙으로부터 연원하고 있음을 보여 주는 하나의 사례로 볼 수 있다.[28]

IX. 맺음말

이승휴는 『내전록』이란 불교 관련 저술을 남겼지만 지금 전하지 않는

····

26 최연식, 2004, 「健拏標訶一乘修行者秘密義記와 나말여초 화엄학의 일동향」, 『한국사연구』 126, 한국사연구회.

27 필자(조경철)는 궁예시대의 저술로 보지 않았다. 조경철, 2016b, 「후고려 궁예와 고려 왕건의 계승관계와 강진 불교계의 동향」, 『다산과현대』 9, 연세대학교 강진다산실학연구원, 203~224쪽.

28 조인성, 1996, 「미륵신앙과 신라사회」, 『진단학보』 82, 진단학회; 조경철, 2013b, 「삼국유사 진표전간의 진표행적에 대한 비판적 검토」, 『신라문화제학술논문집』 34, 동국대학교 신라문화연구소.

다. 따라서 현재 이승휴의 불교적 성격을 살피는 것은 제한적일 수밖에 없다. 그래서 이 글에서 필자는 이승휴의 불교적 일면을 살펴보기 위해 이승휴의 대표작으로 알려진 『제왕운기』에 나오는 불교 관련 용어들을 살펴보았다.

첫째, 『삼국유사』에서는 환인을 제석으로 풀어, 연구자들은 환인이 불교의 석제환인에서 왔다고 보아 왔지만, 환인은 석제환인에서 유래한 것이 아니었다. 고려대장경에서 '환인'이란 용례는 한 차례도 등장하지 않기 때문이다. 만약 환인이 석제환인에서 유래하였다면, 고려대장경에서도 비슷한 용례가 보여야 하나, 그렇지 않았다. 또 『제왕운기』가 인용한 「본기」에서는 불교적 의미가 아닌 '상제'를 덧붙여 '상제환인'이라고 하였다. 따라서 '환인'은 본래 우리말 '하느님'에 대한 한자어 표기에서 유래하였다고 볼 수 있다.

둘째, 『제왕운기』에서 단군의 부모를 일반적으로 단수신과 단웅[환웅]의 손녀 결합이라고 하는데, 이를 단웅(=단수신)과 환인의 손녀로 바로잡았다.

셋째, 『제왕운기』에 '석제(釋帝)'로 나오기 때문에 석제환인(혹은 제석환인)을 '석제환인(釋帝桓因)'이나 '제석환인(帝釋桓因)' 등으로 사용하는 예가 보이는데, 모두 출처가 불명확한 용어이다. 이는 '석제환인(釋提桓因)'으로 바로 잡아야 한다.

넷째, 『삼국유사』에 나오는 '桓国'이나 '桓囯'을 통해 이것이 '환국(桓國)'이라는 주장을 하기도 하는데 『제왕운기』에는 엄연히 '상제환인(上帝桓因)'이라 되어 있어, 환인이 맞음을 알 수 있었다. 또 고려대장경의 『신집장경음의수함록』과 『문수사리보초삼매경』을 통해서 '囯'이 '因'임을 밝혔다.

다섯째, 홍익인간이 '홍익중생' 등 불교에서 온 용어라고 주장하지만, 홍익이란 용어는 최치원, 이규보, 정제두 등의 글에 보이고 '인간'도 유교나 도교에서 광범위하게 쓰이는 용어임을 밝혔다. 또한 홍익인간에서 '인간'의 번역도 '사람'이 아니라 '인간 세상'이란 의미임을 '인간인(人間人, 인간 세상의 사람)'이란 용어를 통해 확인하였다.

여섯째, 『제왕운기』의 동명왕 왼쪽 옆구리 탄생신화는 궁예가 고려(=고구려)를 계승한다는 차원에서 덧붙였음을 추론하였다.

노태돈, 2001, 「단군과 고조선사에 대한 이해」, 노태돈 외, 『단군과 고조선사』, 사계절.
서영대, 2001, 「전통시대의 단군인식」, 노태돈 외, 『단군과 고조선사』, 사계절.
신종원, 2004, 『삼국유사 새로 읽기』 1, 일지사.
______, 2016, 「고대사 사료로서의 제왕운기」, 『한국사학사학보』 34, 한국사학사학회.
______, 2019, 『삼국유사 깊이 읽기』, 주류성.
이승휴, 1995, 『동안거사집』, 김경수·진성규 역, 삼척시.
______, 1995, 『제왕운기』, 김경수·진성규 역, 삼척시.
______, 2009, 『빈왕록』, 진성규 역, 지식을 만드는 지식.
정영훈, 2016, 「홍익인간 사상의 인본주의」, 『민족문화논총』 64, 영남대학교 민족문화연구소.
조경철, 2005, 「단군신화의 불교적 세계관」, 정구복 외, 『삼국유사 기이편 연구』, 한국학중앙연구원.
______, 2011, 「알영신화의 재편과 첨성대」, 『천태학연구』 14, 천태불교문화연구원.
______, 2013, 「근대 이전 한국사 속에서의 단군인식」, 『한국사상사학』 45, 한국사상사학회.
______, 2016, 「단군신화의 환인·환국 논쟁에 대한 판본 검토」, 『한국고대사탐구』 23, 한국고대사탐구학회.
______, 2017, 「단군신화 속 홍익인간의 유래와 그 의미」, 『정신문화연구』 148(통권), 한국정신문화연구원.
최병헌, 2001a, 「고려시대 단군신화 전승문헌의 검토」, 윤이흠 외, 『증보판 단군, 그 이해와 자료』, 서울대학교출판부.
______, 2001b, 「단군인식의 역사적 변천」, 윤이흠 외, 『증보판 단군, 그 이해와 자료』, 서울대학교출판부.
하일식, 2013, 「삼국유사 파른본과 임신본의 비교 검토」, 『동방학지』 162, 국학연구원.
하정룡·이근직, 1997, 『삼국유사 교감연구』, 신서원.

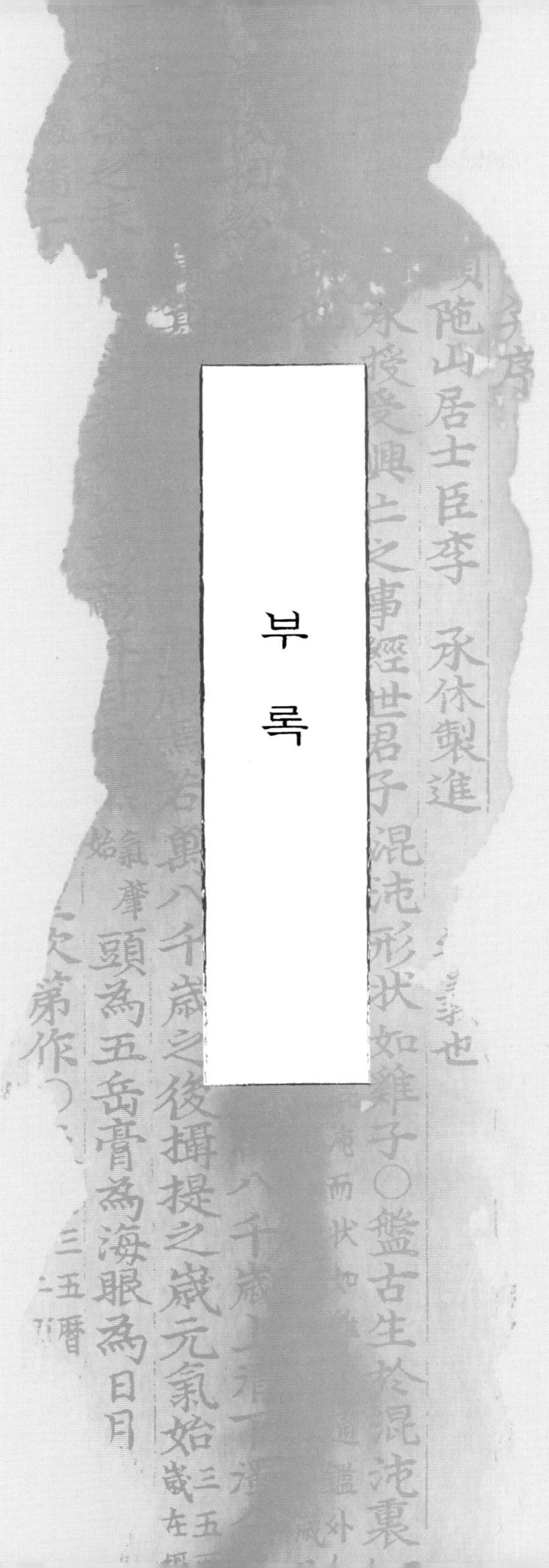

부록

『제왕운기(帝王韻紀)』의 산실(産室), 천은사(天恩寺)의 역사(歷史)와 이승휴

김도현
문화재청
문화재전문위원

덧붙임

- 이 논문은 필자의 다음 글을 결합하여 수정·보완하였음.
- 김도현, 2006, 「삼척시 미로면 천은사의 역사와 목조아미타불 복장」, 『박물관지』 13집, 강원대학교 중앙박물관; 김도현, 2016, 「동안 이승휴선생의 생애와 관련 유적」, 『박물관지』 23집, 강원대학교 중앙박물관.

I. 머리말

이승휴(李承休)가 『제왕운기(帝王韻紀)』를 편찬한 곳으로 유명한 강원도 삼척시 미로면 천은사(天恩寺)는 신라(新羅) 경덕왕(景德王) 또는 흥덕왕(興德王) 대에 창건되었다고 후대의 기록에 전해지나 이에 대한 정확한 근거는 확인할 수 없다.[1] 다만 천은사 경내에서 발견된 8세기 중반~9세기 전반 사이에 제작된 것으로 추정되는 금동약사여래입상(金銅藥師如來立像)과 인근의 삼화사(三和寺) 석탑(石塔)과 철불(鐵佛), 태백시 황지동 절골 입구에서 발견된 본적사지(本寂寺址) 석탑재(石塔材), 그리고 삼척시 도계읍에서 발견된 9세기에 제작된 것으로 추정되는 흥전리사지(興田里寺址) 석탑재[2] 등으로 보아 이 지역의 불교문화가 신라 하대에 융성하였음을 알 수

••••

1 天恩寺는 白蓮臺[白蓮寺]·看藏寺[看藏庵]·黑岳寺로도 불렸는데, 본문에서는 옛 寺名이 필요한 경우를 제외하고 '天恩寺'란 명칭으로 통일하여 서술한다. 天恩寺의 연원과 관련한 내용은 『頭陀山三和寺事蹟』(1847)·『三陟郡誌』(심의승, 1916)·「天恩寺紀實碑」(1921)·『江原道誌』(1940)·『眞珠誌』(1963) 등에 실려 있다.

2 신라 하대에 영동 남부지역에서도 나름대로 불교문화가 융성하였음을 보여 주는 유적과 유물에 대한 발굴 및 조사·연구 성과는 다음과 같다. 홍영호·김도현, 1996, 「三陟市 道溪邑 興田里寺址에 대한 考察」, 『博物館誌』 3호, 江原大學校 博物館; 황수영, 1997, 「삼화사의 신라철불좌상의 배각명기」, 『문화사학』 8집, 한국문화사학회; 정영호, 1997, 「삼화사 철불과 삼층석탑의 불교미술사적 조명」, 『문화사학』 8집, 한국문화사학회; 홍영호, 「한국 삼중기단석탑의 출

있다. 천은사도 이러한 시대적 배경을 바탕으로 신라 하대에 창건되어 고려시대와 조선시대를 거쳐 현재에 이르기까지 그 법등(法燈)을 유지하고 있다.[3]

강원도 삼척시 미로면 내미로리에 있는 천은사에는 불교 유물로는 강원도 유형문화재 제147호로 지정된 목조아미타삼존불(木造阿彌陀三尊佛)[4]이 극락보전(極樂寶殿)에 봉안되어 있고, 설선당(說禪堂)에는 소형목조불상(小形木造佛像)이 있으며, 금동약사여래입상은 현재 월정사 성보박물관에 소장되어 있다. 이와 함께 천은사 경내는 '이승휴 유적지(遺蹟地)'로서 국가 사적 421호로 지정되어 있다.[5]

이와 함께 고려시대 도요지(陶窯址), 승탑원(僧塔園)에 있는 용파당(聳波

••••

현과 전개에 관한 시고」, 『문화사학』 10집, 한국문화사학회, 1998; 강원문화재연구소, 2003, 『本寂寺址 시굴조사보고서』, 강원문화재연구소·태백시; 강원문화재연구소, 2003, 『삼척 홍전리사지 지표조사 및 삼층석탑재 실측 보고서』, 강원문화재연구소·삼척시; 조계종 불교문화재연구소, 2014~2017, 『삼척 홍전리사지 발굴조사 약식보고서』.

3 天恩寺의 寺歷은 이미 알려진 바와 같이 고려시대에 이승휴가 편액을 건 看藏寺[看藏庵]와 관련된다. 영동 남부지역의 고려시대 불교문화와 관련한 조사·연구 성과는 다음과 같다. 차장섭, 1989, 「高麗 初期 佛像硏究: 강원도 동해시 池香寺 鐵佛을 중심으로」, 『삼척공업전문대학論文集』 22집, 삼척공업전문대학교; 홍영호·김도현, 1998a, 「三陟市 遠德邑 臨院里寺址와 石佛立像 硏究」, 『江原文化史硏究』 3輯, 江原鄕土文化硏究會; 홍영호·김도현, 1998b, 「三陟市 新基面 大坪里寺址와 石塔 소개」, 『博物館誌』 4·5合集, 江原大學校 博物館; 김도현, 2006, 「삼척시 미로면 천은사의 역사와 목조아미타불 복장」, 『박물관지』 13집, 강원대학교 중앙박물관; 김도현, 2015, 「동안 이승휴의 불교인식과 看藏寺」, 『이사부와 동해』 제10집, 한국이사부학회.

4 2007년 1월 19일 자로 지정되었음.

5 '李承休 遺蹟地'에 대한 발굴조사보고서는 다음과 같다. 관동대학교 박물관, 1999, 『삼척 天恩寺 이승휴 유허지 발굴조사보고서』, 관동대학교 박물관·삼척시; 강원문화재연구소, 2006, 『삼척 天恩寺 이승휴 유허지 발굴조사 보고서』, 강원문화재연구소·삼척시. 그리고 이승휴와 관련한 연구 성과는 매우 많은데, 다음 논문집에 실려 있는 논문과 참고문헌에 주요 論文과 史料가 소개되어 있다. 김도현 외, 2004, 『이승휴와 제왕운기』, (사)동안이승휴사상선양사업회.

堂) 비(碑), 인화당대선사(仁潭堂大禪師) 영순(永淳) 부도(浮屠)와 비, 해운당대선사(海雲堂大禪師) 탄숙(坦淑) 부도와 비, 일명(逸名) 승탑, 그리고 1921년에 세운 「천은사기실비(天恩寺紀實碑)」와 각종 기록이 남아 있어 천은사의 역사(歷史)를 대략이나마 파악할 수 있다.

이와 같이 인근의 다른 사찰에 비해 비교적 많은 자료와 유물을 가지고 있는 천은사에 대한 관심은 이승휴[6]와 관련하여 최근 다양한 연구 성과들이 발표되어 천은사의 역사성과 불교 유물·유적에 대한 이해를 심화시키고 있다.[7]

그러나 천은사 목조아미타삼존불은 고려 후기 단아 양식의 불상을 계승한 조선 전기의 불상으로부터 조선 후기로 넘어가는 과도기 양식을 대표할 수 있다는 점에서 매우 중요한 불상[8]임에도 불구하고, 이를 증명할

••••

6 李承休(1224~1300)의 字는 休休, 號는 動安居士. 加利 李氏의 시조라 전한다. 고려 고종 때 문과에 급제한 후 삼척에 내려왔다가 몽골의 침입으로 인해 10여 년간 삼척에서 생활하다가 40세를 넘어서 안집사 이심의 권유, 이장용과 유경의 천거를 받아 경흥부 서기로 보임된 후 본격적인 관직 생활을 시작하였다. 이후 서장관이 되어 원나라에 가서 문명을 떨쳤고, 돌아와 우사간·전중어사를 지냈다. 충렬왕 때 고쳐야 할 폐단 10개조를 올린 후 파직된 이승휴는 두타산 아래에 容安堂이라는 茅屋을 짓고 삼화사의 불경을 10여 년간 빌려 읽으면서 『帝王韻記』·『內典錄』을 저술하였고, 충렬왕 24년(1298)에 다시 등용되었다가 물러나기를 요청하여 다시 삼척으로 돌아왔다. 왕은 이에 밀직부사 감찰대부를 致仕하였는데, 돌아온 지 2년 후인 충렬왕 26년(1300) 10월에 생을 마쳤다. 그의 주요 저서에 『帝王韻記』·『內典錄』등이 있고, 그의 詩文 등을 아들 연종이 편집한 『動安居士集』이 있다. 김도현, 2004, 「이승휴의 생애와 관련 유적」, 『이승휴와 제왕운기』, (사)동안이승휴사상선양사업회, 11~33쪽.

7 위에서 소개한 각주 5번과 함께 다음 글을 참고하라. 김도현, 1997, 「歷代 地理誌의 三陟郡 敍述에 대한 一考察」, 『江原文化史硏究』 第2輯, 江原鄕土文化硏究會; 김도현, 2000, 「歷代 地理誌의 三陟 지역 寺刹 관련 史料 및 遺物·遺蹟 검토」, 『悉直文化』 제11집, 삼척문화원; 홍영호·김도현, 2003, 「삼척시 미로면 天恩寺의 불상 고찰」, 『강원지역문화연구』 제2호, 강원지역문화연구회.

8 문명대는 조선조 조각의 편년을 4기, 즉 1기(1400경~1500경), 2기(1500경~1650경), 3기(1650경~1800), 4기(1800경~1900경)로 나누어 볼 수 있고, 이를 다시 전기(1~2기)와 후기(3~4기)로 크게

자료를 발견하지 못하여 양식학적인 분석을 바탕으로 조성 시기를 추정할 수밖에 없다는 한계를 지니고 있었다. 또한 준경묘·영경묘 수축과 관련하여 이중하가 총섭을 배치하고 '천은(天恩)'이란 사명(寺名)을 하사하였다는 내용이 실려 있는 『삼척군지(三陟郡誌)』(심의승, 1916)와 「천은사기실비」의 기록을 직접적으로 증명해 줄 수 있는 기록도 지금까지 찾지 못하였다.[9]

다행히 필자는 2006년 12월 14일 천은사 극락보전에 봉안된 아미타불의 복장(腹藏)을 조사할 기회를 가질 수 있어 복장유물(腹藏遺物)을 확인할 수 있었는데, 복장 내에는 만력 24년 세차 병신년(萬曆二十四年歲次丙申年, 1596)에 제작된 「중수기(重修記)」, 『천수다라니경』 목판본, 강원도(江原道) 삼척부(三陟府) 두타산(頭陀山) 흑악사(黑嶽寺) 각판(刻版), 「서천불설팔만대장경목록(西天佛說八萬大藏經目錄)」, 「아미타불원문(阿彌陀佛願文)」, 「시주질(施主秩)」, 「삼존불개금발원문(三尊佛改金發願文)」, 「삼존상개금후불정개채원문(三尊像改金後佛禎改彩願文)」, 「셔쳔불셜팔만딗장경목녹」, 「강원도삼척군천은사극락전개금시주기(江原道三陟郡天恩寺極樂殿改金施主記)」, '성주사인(聖住寺印)'이 있는 『능엄경(埈嚴經)』·『묘법연화경(妙法蓮華經)』을 포함하는 다량의 유물을 발견하였다.[10] 복장유물의 발견으로 목조아미타삼존불의

구분할 수 있다고 하였다. 본문에서 언급한 전기와 후기는 편년 구분을 크게 두 시기로 구분하였을 때의 전기와 후기를 의미한다. 홍영호·김도현, 2003, 「삼척시 미로면 天恩寺의 불상 고찰」, 『강원지역문화연구』 제2호, 강원지역문화연구회, 28쪽.

9 이와 관련하여 『高宗實錄』과 『肇慶壇 濬慶墓 永慶墓 營建廳 儀軌』, 『各司謄錄』을 조사하였으나, 李重夏가 '天恩'이란 寺名을 하사하였다는 내용을 찾지 못하였다.

10 天恩寺 阿彌陀佛 내 腹藏에 대한 조사는 2006년 12월 14일 오후 2~4시 사이에 이루어졌는데, 이때 天恩寺 一峰 주지 스님의 주도로 正完 스님과 太宗 스님이 복장 내 유물을 꺼내었으며,

편년이 올라감으로써 불상에 대하여 한층 깊이 있는 이해와 분석을 가능케 하였다. 이와 함께 천은사의 연혁을 좀 더 세부적으로 살펴볼 수 있게 되어 천은사와 영동 남부지역의 불교문화에 대한 이해를 한층 심화시킬 수 있는 계기를 마련하였다.

그리고 『조경단 준경묘 영경묘 영건청 의궤(肇慶壇 濬慶墓 永慶墓 營建廳 儀軌)』에서 준경묘·영경묘 수축과 관련하여 기해년(己亥年, 1899) 11월 흑악사에 내려진 「완문(完文)」과 1900년에 작성된 「수호절목(守護節目)」을 발견하였는데, 이는 천은사가 준경묘·영경묘의 원찰로서 기능하였음을 알려 주는 매우 중요한 자료이다.

본고(本考)에서는 새롭게 발견된 자료에 대한 분석과 함께 기왕의 조사 자료·연구 성과에 대한 재검토를 통하여 천은사의 연혁과 역사적 의미를 새롭게 살펴보려고 한다. 이와 함께 이승휴 선생이 『제왕운기』를 집필한 장소로서의 천은사를 좀 더 실증적으로 보여 주는 유적을 소개함으로써 천은사와 이승휴 선생의 관련성을 좀 더 잘 이해할 수 있는 토대를 마련하고자 한다.

II. 천은사(天恩寺)의 역사

천은사의 연혁을 알려 주는 고려시대의 기록은 이승휴와 관련하여

••••

삼척시청 서성남 학예연구사와 심영진·박병준 님이 함께 참관하였다. 조사의 계기를 마련해 주신 天恩寺 一峰 주지 스님께 지면으로나마 감사를 드린다.

1280년에 당호(堂號)를 '용안당(容安堂)'으로 하는 모옥(茅屋)을 건립하였다는 사실을 기록한 「보광정기(葆光亭記)」, 용안당을 간장사(看藏寺)로 개칭하고 승려가 주석할 밭을 희사하였다는 내용이 실린 「간장사기(看藏寺記)」, 그리고 이승휴의 아들에 의해 중수된 후 둘째 아들인 담욱의 요청으로 최해가 쓴 「간장암중창기(看藏庵重創記)」가 전한다. 조선시대에 들어서 각종 지리지류와 기문류에서 천은사와 관련된 내용을 많이 발견할 수 있다. 이 장에서는 천은사와 관련된 지리지와 기문 등을 중심으로 내용을 정리한 후 천은사의 연혁과 역사성을 살펴보고자 한다.

1. 관련 문헌 검토

천은사에 대한 기록은 「간장사기」·「간장암중창기」[11]가 있으나, 본격적인 기록은 조선시대에 들어서 확인되기 시작한다. 즉, 『신증동국여지승람(新增東國輿地勝覽)』, 『척주지(陟州誌)』[12]를 비롯한 각종 관찬·사찬 지리지와 사찰 관련 자료집, 그리고 천은사 관련 내용이 실려 있는 「두타산삼화사사적(頭陀山三和寺事蹟)」, 그리고 천은사 경내의 「천은사기실비」와 극락보전에 있는 목조아미타삼존불을 개금(改金)하는 과정에서 나온 「중수

••••

11 崔瀣, 1323, 「看藏庵重創記」.

12 『陟州誌』는 許穆의 저서로서, 삼척부사로 온 허목이 현종 3년(1662)에 완성하였음을 序에서 알 수 있다. 『陟州誌』는 상·하권 1冊으로 되어 있는데, 상권은 건치 연혁에서 시작하여 선조 33년(1600)까지의 編年史로 구성되어 있고, 하권은 선조 34년(1601)에서 현종 3년(1662)까지의 편년사, 그리고 삼척부의 9個里에 관한 里誌를 실었다. 附로는 鬱陵島에 관한 기사를 싣고 있다. 김도현, 1797, 「歷代 地理誌의 三陟郡 敍述에 대한 一考察」, 강원대학교 교육대학원 석사학위논문, 14~15쪽.

기」, 「아미타불원문」,[13] 「삼존상개금후불정개채원문」[14] 등이 있다. 이와 함께 천은사를 소재로 강릉부사 이명준, 삼척부사 이병연, 유배를 온 채제공이 남긴 시(詩)가 전하며, 준경묘·영경묘를 수축할 때 천은사를 원찰(願刹)로 하여 내려 준 「완문」과 「수호절목」이 남아 있어 천은사의 창건 관련 유래, 사명의 변화 과정과 함께 그 역사성을 잘 알려 준다. 이러한 내용을 [표 8-1]로 정리하면 다음과 같다.

[표 8-1] 각종 지리지·기문 등에 나타난 天恩寺 자료 (편찬 연대순)

참고자료	사찰 명	창건 연대	天恩寺 자료	삼척관내 寺刹名	비 고
「葆光亭記」 (1289)	容安堂 (1280)		이승휴가 佛經을 읽으려 지은 茅屋이 '容安堂'.		
「看藏寺記」 (1294)	容安堂 → 看藏寺		충렬왕 6년에서 15년까지 (1280~1289) 10년간 불경을 읽은 후 '容安堂'을 '看藏寺'로 개칭하고, 승려가 주석할 밭을 희사함.[15]		1289~1294년 사이에 '看藏寺'로 개칭.
「看藏庵重創記」 (1323)	容安堂 → 看藏庵		이승휴 선생의 출가한 둘째 아들 담욱의 발의로 3형제가 합심하여 중수하였는데, 藝文 辛蕆이 관동 지방을 다스리다가 이를 알고, 삼척현에 공문을 보내어 도와주도록 하여 1년이 안 되어 공사를 마치게 하였다.		崔瀣 壽翁이 씀.

13 極樂寶殿의 阿彌陀佛에서 발견된 것으로서 嘉慶 三年 戊午(1798)에 改金 후 작성한 것임.

14 極樂寶殿의 阿彌陀佛에서 발견된 것으로서 1922년 작성한 것임.

15 「看藏庵重創記」에는 이승휴 선생이 10년간 불경을 읽은 후 '容安堂'을 '看藏庵'으로 편액을 바꾸어 승려에게 밭과 함께 시주하였다고 기록되어 있음.

참고자료	사찰 명	창건 연대	天恩寺 자료	삼척관내 寺刹名	비 고
『新增東國輿地勝覽』(1530)	看藏菴		두타산에 있다.	中臺寺 三和寺 看藏庵	고려 崔瀣의 「看藏庵重創記」일부 내용을 전재한 안축의 기문을 소개하였음.
「重修記」(1596)	黑岳寺		黑岳寺. 腹藏施主 戒玉. 腹藏施主 信敬. 腹藏施主 性默. 腹藏施主 雪云. 腹藏施主 敬薰.	黑岳寺 中臺寺 五峯庵 靈隱寺	
「江陵都護府使 李命俊 詩」(1628~1630)	黑岳寺		次兒輩黑岳寺韻.		이명준이 강릉도호부사로 재임 시 삼척의 黑岳寺에 대하여 지은 詩.
『陟州誌』(許穆, 1662)	白蓮臺 或曰 看藏菴 → 黑岳寺		眉老里條. • 黑岳寺는 옛날의 白蓮臺 혹 看藏庵이라고도 하는데 두타산 동쪽 기슭에 있고 府 서쪽 40리이다. • 黑岳寺 동쪽 기슭에는 고려 侍御史 이승휴가 살던 산속 별장이 있었다. • 黑岳寺 동북쪽 절벽에는 學士書堂이 있었다고 한다.	三和寺, 黑嶽寺, 靈隱寺, 雲興寺, 金井庵, 隱禪庵, 頓覺寺	
『東國輿地誌』[16] (1680경)	看藏寺 → 黑岳寺		• 在頭陀山. • 고려시어사 이승휴 관련. • 今稱 黑岳寺.	中臺寺, 三和寺 黑岳寺, 宮房寺	

참고자료	사찰 명	창건 연대	天恩寺 자료	삼척관내 寺刹名	비 고
「三陟府使 李秉淵 詩」 (1732~1736)	黑岳寺		『槎川詩抄』 卷上 黑岳寺 (三首).		『槎川詩抄』에 실려 있는 詩.
『望美錄』 (蔡濟恭[17], 1751~1752)	黑岳寺		• 轉向黑岳寺. • 將訪黑岳寺. • 冒雨入黑岳.		『樊巖先生集』 에 있는 시집.
『輿地圖書』 (1757~1765)	看藏菴		在府西三十里 頭陀山下 四十七間.	中臺寺, 看藏庵 靈隱寺, 雲興寺 中峯菴	
『伽藍考』[18] (1781 이전)	看藏菴		府 서쪽 30里.	中臺寺, 看藏庵 中峯菴, 靈隱寺 雲興寺	

••••

16 『東國輿地志』는 조선 현종 대(1660~74)에 반계 유형원(柳馨遠)이 편찬한 사찬(私撰) 전국 지리지로서 9권 10책. 필사본이다. 편찬 연대가 명시되어 있지 않으나 효종조까지의 내용이 있고, 1662년에 허목이 편찬한 『陟州誌』가 참고도서 목록에 있어 현종 대의 저작으로 추정된다. 범례에 따르면 이 책은 조선 전기 지리지의 완성편인 『신증동국여지승람』을 증수하는 것을 일차적인 목적으로 하고 있는데, 『신증동국여지승람』이 편찬된 지 130여 년이 지난 시기에, 그리고 임진·병자 양난을 겪은 후에 편찬되었으므로 조선 전기와 후기를 연결해 주는 전국 지리지로서 의의가 크다.

17 채제공(1720~1799): 영조 27~28년(1751~1752) 사이에 삼척으로 유배되었다. 무릉계의 중대사에 머물며 詩를 짓기도 하였는데, 그가 삼척에 머물며 지은 시를 『望美錄』이라 이름한 시집으로 펴내었다. 이 중 3수가 '黑岳寺'와 관련한 詩이다. 이 시와 관련한 내용은 다음 책에 소개되어 있다. 배재홍, 2005, 『문헌·금석문 자료로 본 두타산 무릉계』, 동해문화원, 39~49쪽.

18 『伽藍考』는 조선 후기의 학자 申景濬(1712~1781)이 한국 각처에 산재한 절의 이름과 소재지 등을 밝힌 책이다. 필사본으로 1책. 520여 개의 절을 도별로 나누어 각 지방에 따라 조사 수록하였고, 그중에서 중요한 사찰은 간략한 유래를 설명하였다. 그 밖에 사찰에 딸린 碑·懸板·金石文 등 단편적인 기록을 망라하였다. 이 책은 『梵宇攷』와 함께 유물과 유적에 관해 상세한 기록을 남긴 것이 특징인데, 자료에 대한 비판이 없이 古記를 인용한 것이 많기 때문에 문헌학적인 가치는 다소 떨어진다.

참고자료	사찰 명	창건 연대	天恩寺 자료	삼척관내 寺刹名	비 고
「阿彌陀佛願文」(1798)	白蓮寺 → 看藏 → 黑岳(寺)		별도로 정리한 항목 참조.		
『梵宇攷』(1799 이전)	看藏寺 → 黑嶽寺		• 俱在頭陀山今廢. • 高麗 安軸이 쓴 이승휴 관련 내용 소개. • 今稱 黑岳寺.	中臺寺, 三和寺黑岳寺, 斷橋菴 雲興寺, 靈隱寺	안축 기문 (용안당 → 간장 → 흑악).
『關東誌』(1826~1830)	看藏寺 → 黑嶽寺		在頭陀山 古看藏寺.	三和寺, 黑嶽寺 斷橋菴, 靈隱寺 雲興寺	
『陟州先生案』 중 「府使 李奎憲」(1835~1839)	黑岳寺		黑岳寺 불당이 오래되어 무너지자 100緡의 재물을 떼주어 수리하였다.		雲興寺에 화재가 발생하자 돈 200냥과 쌀 30석을 떼 주어 중건하고는 이름을 新興寺로 고쳤다.
『三陟府邑誌』(1826~1830보다 이후)	白蓮庵 或曰 看藏菴 → 黑岳寺		在府西三十里 未老面頭陀山下 古白蓮庵 或曰 看藏庵 高麗侍御史李承休言事件旨入頭山下以終焉性好佛就三和寺浮屠藏經開十年以墅施僧扁曰看其山居曰龍溪別業.	三和寺, 斷橋庵 指祖庵, 太乘庵 黑嶽寺, 華嚴庵 明寂庵, 靈隱寺 三聖庵, 大圓庵 雲興寺, 靑蓮庵 圓通庵	
「頭陀山 三和寺事蹟」(1847)	白蓮庵 → 看藏庵		• 『陟州誌』(許穆 1662)의 관련 내용. • 十里南黑岳寺一云 看藏寺 累經兵 … 新羅古刹 而 三次開創 一卽 砲手 一卽 李學士 一卽 懶翁也.		앞부분은 『陟州誌』(許穆, 1662)의 내용을 전재한 것으로 보임.

참고자료	사찰 명	창건 연대	天恩寺 자료	삼척관내 寺刹名	비 고
三陟金氏 族譜 『己酉譜』 (1849)	看藏寺 (간행)		看藏寺에서 木版本으로 三陟金氏 族譜 13券 13冊을 간행하였다.		看藏寺에서 1849년 간행한 族譜를 己酉譜라 하는데, 이후에 발간된 甲戌譜(1874年 刊行)와 甲辰譜(1904年 刊行)는 삼척 三和寺에서 간행하였다.[19]
『關東邑誌』 (1870)	黑岳寺				허목의 『陟州誌』 내용 전재.
『陟州誌』 (金宗彦, 1848~1888)	黑岳寺		黑岳寺或曰白蓮菴一云看藏寺.	三和寺, 斷橋菴 黑岳寺, 雲興寺 靈隱寺, 明寂菴	陟州誌 (許穆, 1662) 내용 전재.
『三陟郡邑誌』 (1895 이후)	看藏寺 → 黑嶽寺		在頭陀山 古看藏寺.	三和寺, 黑嶽寺 斷橋菴, 靈隱寺 雲興寺	
『濬慶墓 永慶墓 儀軌』의 「完文」(1899)	黑嶽寺		…國祖先寢受享祀造泡以黑嶽寺爲定自今以後本郡官用以下各廳雜役雖…		願刹로서 기능.
『濬慶墓 永慶墓 儀軌』의 「守護節目」 (1900)	黑嶽寺		…造泡寺以黑嶽寺擧行從前本郡雜役一切勿侵事…		願刹로서 기능.

19 삼척 김씨 족보 편찬과 관련한 내용은 다음 논문에 자세하게 소개되어 있다. 차장섭, 2002, 「朝鮮時代 族譜의 한 類型—三陟金氏 族譜를 중심으로」, 『대구사학』 67집, 대구사학회, 57~61쪽.

참고자료	사찰 명	창건 연대	天恩寺 자료	삼척관내 寺刹名	비 고
『朝鮮地誌 資料』 (1910~1911)	天恩寺		내미로리 소재.		'天恩'이란 寺名이 등장하는 가장 빠른 기록임.
『三陟郡誌』 (1916)	白蓮臺 → 看藏庵 → 黑嶽寺 → 天恩寺	新羅 興德王 4年 己酉.	본문 중 관련 내용 참조.	三和寺, 新興寺 天恩寺, 靈隱寺 寒山寺, 池香寺	
「天恩寺 紀實碑」 (1921)	白蓮臺 → 看藏寺 → 黑嶽寺 → 天恩寺	新羅 興德王 4年 己酉.	본문 중 관련 내용 참조.		삼화사와 같다.
「三尊像改金 後佛幀改彩 願文」 (1922)	看藏寺 → 黑嶽寺 → 天恩寺		별도로 정리한 항목 참조.		
『朝鮮寰輿 勝覽』 (1922)	天恩寺	新羅 興德王 4年 己酉.	在未老面 未老里 新羅 興德王 4年 己酉創設.	三和寺, 指祖庵 新興寺, 青蓮庵 般若庵, 地興寺 天恩寺, 看藏庵 助運菴, 華嚴庵 靈隱寺, 宮房寺 竹藏寺, 城窟庵 敏泰佛宇 白雲庵, 蓄積寺 深寂寺, 深源寺 桃陵寺, 寒山寺 登陽寺, 明寂庵 成道庵	
	看藏庵	이승휴가 창건.	在未老里 高麗 忠烈王年間 學士 李承休 所築.		
『江原道誌』 (1940)	白蓮臺 → 看藏寺 → 黑嶽寺 → 天恩寺	新羅 興德王 4年 己酉.	본문 중 관련 내용 참조.	三和寺, 新興寺 天恩寺, 靈隱寺 石室道場 각 부속 庵子	

참고자료	사찰 명	창건 연대	天恩寺 자료	삼척관내 寺刹名	비 고
『陟州誌』(崔晩熙, 1946)	白蓮菴 → 看藏庵 → 黑嶽寺 → 天恩寺		내용 생략.	中臺寺, 三和寺 天恩寺, 新興寺 靈隱寺, 池興寺 上院寺, 觀音寺 宮傍寺, 池香寺 敏泰寺, 桃陵寺 九房寺, 頓覺寺 僧榜寺, 白楊寺 東臺寺, 寒山寺 登陽寺, 竹藏寺 大乘寺, 淨巖寺 高寂臺 각 부속 庵子	
『三陟鄕土誌』(1955)	天恩寺	新羅 興德王 4年 己酉.	본문 중 관련 내용 참조.	中臺寺, 三和寺 天恩寺, 新興寺 靈隱寺 기타 사찰과 암자 다수 소개됨.	
『眞珠誌』(1963)	白蓮臺 → 看藏寺 → 黑嶽寺 → 天恩寺	景德王 戊戌年(758).	내용 생략.	中臺寺, 三和寺 天恩寺, 新興寺 靈隱寺, 池興寺 上院寺, 觀音寺 宮傍寺, 池香寺 敏泰寺, 桃陵寺 九房寺, 頓覺寺 僧榜寺, 白楊寺 東臺寺, 寒山寺 登陽寺, 竹藏寺 淨巖寺, 高寂臺 虎大寺, 釋宗寺 興馥寺, 甘露寺 長明寺, 普德寺 黃龍寺, 天王寺 각 부속 庵子	

위의 자료들을 살펴보면 천은사 관련 공식적인 기록은 고려시대에 만들어진 이승휴의 「보광정기」와 「간장사기」부터 시작됨을 알 수 있다.[20] 이후 조선시대에 접어들면서 『신증동국여지승람』을 비롯한 각종 지리지와 사찰 관련 자료집 등에서 빠짐없이 볼 수 있다. 이 과정에서 사명이 '간장사[간장암] → 흑악사 → 천은사'로 변화되었음을 알 수 있고, 옛 사명으로 '백련대(白蓮臺)[백련암(白蓮庵), 백련사(白蓮寺)]'라고도 불렸음을 알 수 있다.

좀 더 구체적으로 천은사의 창건설화, 사명의 변화 과정, 이승휴·간장사와의 관련성, 지도에 표기된 천은사 관련 기록, 천은사 내 불상(佛像)과 불화(佛畫)의 개금과 개화(改畵) 관련 기록 등에 대하여 각종 기록을 중심으로 세부적으로 살펴보면 다음과 같다.

1) 창건 관련 설화와 연대 검토

천은사의 창건과 관련하여 창건 시기나 설화를 전하는 문헌은 「두타산삼화사사적」·『삼척군지』·「천은사기실비」·「삼존상개금후불탱개채원문」·『조선환여승람』·『강원도지』·『삼척향토지』·『진주지』 등이다.

「두타산삼화사사적」에는 신라(新羅) 고찰(古刹)이라 소개되어 있으며, 『삼척군지』를 비롯한 「천은사기실비」·『강원도지』·『삼척향토지』·『진주지』에 '백련대'라는 사명으로 창건(創建)하였음을 소개하였다. 천은사의 창건과 관련하여 「천은사기실비」에 실려 있는 내용을 소개하면 다음과 같다.

20 고려시대 이승휴가 현판을 건 '看藏寺'와 현재의 '天恩寺'와의 관련성에 대한 문제는 다음 항목인 寺名의 변화 과정과 李承休와 天恩寺와의 관련성을 분석한 항목에서 별도로 분석할 예정이다.

… 이 절의 이름과 연혁을 보면 4시기로 구분할 수 있는데, 그 첫 번째가 백련대이다. 개산조(開山祖)는 두타삼선(頭陀三禪)으로서 서국(西國)으로부터 와서 산의 4곳에 머물면서 연화(蓮花)로서 표했는데, 동쪽이 청련대(靑蓮臺) 즉 지상사(池上寺)이나 지금은 없어졌고, 남쪽은 금련대(金蓮臺) 즉 영은사(靈隱寺)이며, 북쪽은 흑련대(黑蓮臺) 즉 삼화사(三和寺)이고, 서쪽은 백련대 즉 이 절이다. … 신라 흥덕왕 4년 당 문종 태화 3년 기유(己酉)에 범일국사가 굴산(堀山), 금화(金華), 삼화(三和) 3사(寺)를 만들면서 이 절을 창건하였으며, …[21]

그런데 이와 유사한 창건설화가 삼화사·영은사의 창건과 관련하여 「두타산삼화사사적」에도 보이는데, 이는 당시 이 지역의 사찰 창건과 관련하여 널리 유포된 형태로도 볼 수 있다.

이와 같은 창건과 관련된 설화와 기록을 종합적으로 검토하여 천은사의 창건 연대를 검토해 보면 다음과 같다.

첫째, 『진주지』에는 신라 경덕왕 무술년(戊戌年, 758)에 '백련대'라는 사명으로 창건되었다고 소개하고 있다. 이에 대한 추가 설명이나 구체적인 증거가 제시되어 있지 않고, 이와 관련한 유물이나 유적이 발견되지 않아서 믿기는 어렵다.[22]

••••

21 「天恩寺紀實碑」, 〈…按寺之名義沿革者有四 其一白蓮臺 開山祖頭陀三禪自西國來駐山之四隅㭊 阿蘭若 東曰靑蓮臺卽池上寺也 今廢 南曰金蓮臺卽靈隱寺也 北曰黑蓮臺卽三和寺也 西曰白蓮臺 卽此寺也 …〉. 위의 글에는 天恩寺의 창건과 관련하여 두 가지 창건설화, 즉 白蓮臺로 창건되었다는 이야기와 범일국사가 창건하였다는 이야기가 실려 있다.

22 인근의 삼화사 初創과 관련하여 「頭陀山三和寺事蹟」(1847)에 자장이 선덕여왕 11년(642)에 오대산 주변을 성역화하는 과정에 두타산에 흑련대(현재 삼화사)를 창건하였다고 기록되어 있

둘째, 천은사의 창건 연대를 적은 대부분의 문헌에서 신라 하대인 흥덕왕 4년 기유(己酉, 829)에 창건하였다고 기록되어 있다. 흥덕왕 4년 창건설은 인근의 삼화사와 같은 시기에 창건하였다고 『삼척군지』(심의승, 1916)와 『강원도지』(1940) 등 많은 기록에서 쉽게 확인할 수 있으며, 「두타산삼화사사적」을 비롯한 삼화사와 관련된 자료에서도 쉽게 확인할 수 있다.[23] 창건에 관한 구체적인 내용은 3가지 유형으로 전하는데, 다음과 같다.

> **[제1유형]** 두타삼선이 서역에서 와서 두타산 자락 서쪽에 백련대를 창건하였는데, 이 절이다(동쪽/청련대-지상사, 남쪽/금련대-영은사, 북쪽/흑련대-삼화사).[24]
>
> **[제2유형]** 범일국사가 굴산, 금화, 삼화 3사를 만들면서 이 절을 창건하였다.[25]

••••

다. 인근의 정암사와 오대산 월정사의 창건 연기에 자장이 건립하였다고 전하는 것으로 보아 삼화사도 자장과의 관련성을 생각해 볼 수는 있다. 따라서 삼화사 창건이 자장의 오대산 성역화와 어떤 형태로든 관련성을 지니고, 黑蓮臺·白蓮臺라는 寺名의 유사성으로 보아 삼화사 창건 이후 현재 天恩寺 자리에 어떤 형태로든 삼화사와 관련한 사찰이 존재하였을 가능성은 있다.

23 「靈隱寺事蹟碑」에 소개된 창건 연기 중에도 범일국사가 창건하였다는 이야기가 전한다.

24 '白蓮'이라는 寺名은 『陟州誌』(許穆, 1662)에 처음 보이며, 이후에 만들어진 각종 기록에 등장하다가 「天恩寺紀實碑」(1921)에서 처음으로 위와 같이 완성된 형태의 창건설화를 확인할 수 있다. 원문을 소개하면 다음과 같다. 〈…沿革者有四其一白蓮臺開山祖頭陀三禪自西國來駐山之四隅創阿蘭若東曰青蓮臺卽池上寺也今廢南曰金蓮臺卽靈隱寺也北曰黑蓮臺卽三和寺也西曰白蓮臺卽此寺也…〉. 이 외에도 『三陟鄕土誌』(1955)와 『眞珠誌』(1963)에도 이와 유사한 내용이 소개되어 있는데, 이와 같은 창건설화 유형은 「頭陀山三和寺事蹟」(1847)에서도 보인다.

25 「頭陀山三和寺事蹟」(1847), 〈…或稱梵日國師入唐而還營建崛山金華三和三寺之際亦創本寺…〉.

[제3유형] 범일국사가 홍덕왕 4년에 절을 창건하였는데, '백련'이라 이름하였다.[26]

위의 내용을 종합해 보면 제1유형과 제2유형이 융합하여 제3유형의 형태로 나타난 것으로 보인다. 범일이 신라 말에 삼공암을 창건하였다는 기록[27]으로 보아 신라 하대인 9세기 중반에 범일이 사굴산파를 개창하면서 이 지역의 사찰이 그의 영향을 받았다고 본다면 천은사는 삼화사·영은사와 함께 범일의 사굴산파와 어떤 형태로든 관련을 맺었다고 볼 수 있으며, 이는 사찰의 창건이나 중창과 관련한 이야기로 전해질 수 있다고 볼 수 있다.[28]

••••

26 각주 24번 참조.

27 『新增東國輿地勝覽』, 「三陟都護府 佛宇 三和寺」, "釋息影菴의 기문에, … '신라 말에, 세 선인이 있었는데, 각자가 거느린 무리가 매우 많았다. 여기에 모여서 서로 더불어 의논하였는데, 옛날 제후가 회맹하던 예와 같았다. 오랜 뒤에 헤어져 갔으므로, 지방 사람이 그 봉우리를 三公이라 이름하였다. 지난번 도굴산 品日祖師가 그곳에 가서 절을 세우고 또한 三公이라는 현판을 걸었다.'…".

28 梵日(810~889)은 헌덕왕 16년(824) 출가하여 홍덕왕 4년(829) 구족계를 받고, 홍덕왕 6년(831) 왕자 김의종과 함께 당나라로 갔다. 이후 문성왕 12년(850) 백달산에서 정진하다가 명주도독의 청으로 굴산사를 세우고 종풍을 크게 일으켰다(이정 편, 1993, 『韓國佛敎人名辭典』, 불교시대사, 104쪽). 이와 같은 범일의 행적으로 보아 범일국사가 홍덕왕 4년 구족계를 받은 해에 천은사와 삼화사를 창건하였다는 기록은 믿기 어렵다. 그리고 위에서 소개한 창건과 관련한 설화를 직접적으로 증명할 수 있는 유적이나 유물 또는 명문이 발견되지 않아서 단정하기는 어렵다. 그러나 글머리에 언급한 삼화사 삼층 석탑과 철불, 홍전리사지 석탑재 등 신라 하대에 조성된 불교 유적이 발견되고 있다는 점은 이 지역에서도 당시 寺格을 갖춘 사찰들이 존재하였고 이에 따라 어떤 형태로든 불교문화가 형성·발전하고 있었음을 알 수 있다. 덧붙여 9세기 중반 이후 범일이 사굴산문을 세운 이후에는 이 지역의 불교문화가 사굴산파의 영향을 받았다고 볼 수 있고, 이로 인해 사찰의 창건이나 중창과 관련하여 범일이 언급되었다고 볼 수도 있다.

그리고 천은사 경내에서 통일신라 최전성기의 양식을 계승한 금동약사여래입상이 출토되었는데,[29] 이는 위의 창건설화와 관련될 수 있는 단서가 될 수 있다.

2) 사명(寺名)의 변화 검토

천은사는 이전에 백련대, 간장사[간장암], 흑악사 등의 사명으로 불렸다. 백련대라는 사명은 위에서 살펴본 바와 같이 창건설화에 등장하는데, 실제 기록에는 허목의 『척주지』에 처음 등장한 이후 「아미타불원문」[30]·「천은사기실비」·『삼척군지』·『강원도지』·『진주지』 등에서 보인다. 즉, 『삼척군지』·「천은사기실비」·『진주지』 등에 의하면 창건설화와 관련하여 백련대[백련]라는 명칭이 실제 조선시대에 사용되었다기보다는 천은사의 옛 사명이었음이 기록에 나타난다.

간장사[간장암]라는 명칭은 「간장사기」, 「간장암중창기」에 나오는데,[31] 조선시대의 각종 기록에는 고려시대 최해의 「간장암중창기」에 실려 있

••••

29 홍영호·김도현, 2003, 「삼척시 미로면 天恩寺의 불상 고찰」, 『강원지역문화연구』 제2호, 강원지역문화연구회, 31쪽.

30 "陟州 文蹟에 白蓮寺라고 하였다"는 내용이 소개되어 있음. 〈…陟州文蹟白蓮寺…〉.

31 『高麗史』, 「列傳」 19, 「諸臣 李承休」에서 李承休가 이곳에 거처하였다는 관련 기록을 발췌해 보면 다음과 같다. " … 頭陀山 龜洞에 들어가서 몸소 밭을 갈아 어머니를 봉양하여 10여 년을 살았는데 安集使 李深이 돈독히 권하여 서울에 나아가게 하고 李藏用, 柳璥이 薦擧하여 慶興府書記에 補 하였다가 들어와 都兵馬錄事가 되었다. … 스스로 動安居士라 이름하였는데 잠시 후에 불러 殿中侍史를 除拜하니 10事를 조목으로 陳述하였고 또 上疏하여 利害를 極論하다가 뜻에 거슬려 파면되어 龜洞의 이전 隱居地로 돌아와서 따로 容安堂을 짓고 佛書를 읽으매 『帝王韻紀』와 『內典錄』을 지었다. 10년을 기거하매 忠宣王이 受禪하여 교서 내리기를, … 忠烈王 26년에 죽으니 나이 77세였다. 性品이 正直하여 세상에 구함이 없었으며 浮屠法을 좋아하였다…".

는 내용을 전재한 안축(安軸)의 기문(記文)[32]을 주로 이용하여 소개하고 있다. 즉, 당시의 절 이름이 간장사[간장암]라고 소개된 문헌으로는 「간장사기」와 「간장암중창기」부터 『여지도서(輿地圖書)』·삼척 김씨 족보(三陟金氏族譜) 『기유보(己酉譜)』에 이르는 시기에 편찬된 문헌에서 찾을 수 있다. 이로 보아 간장암[간장사]이란 사명은 고려 후기부터 조선 후기까지 사용되었음을 알 수 있다.

그런데 이들 기록 사이에 해당하는 기록인 「삼존상개금후불정개채원문」(1922)에는 서산대사(西山大師)가 '흑악'으로 사명을 바꾸었다고 하였으며, 『척주지』에는 흑악사라는 사명을 사용하였고, 『삼척군지』와 「천은사기실비」를 비롯한 각종 기록에서는 조선 중기에 청허대사(淸虛大師)[33]가 선조 32년(1599)에 사명을 흑악사라고 개칭하였다는 사실을 기록하고 있다.[34] 그런데, '흑악사'라는 사명은 만력 24년(1596)에 제작되어 아미타불 복장으로 발견된 「중수기」에 처음 등장한다. 따라서 청허대사가 선조

••••

32 『新增東國輿地勝覽』 卷44, 「三陟都護府 佛宇 看藏菴」, "… 安軸의 記에 '至治 3년 가을에 李君 德孺가 나에게 와서, 先動安先生이 至元年間에 忠烈王을 섬겨 諫官이 되었으나, 정사를 말하여도 받아들이지 않는다는 이유로써 관직을 버렸다. 평소부터 외가 고을인 삼척현의 풍토를 좋아하여, 드디어 두타산 밑에다 터를 잡고 생을 마쳤다. 선생이 당초에는 유학을 공부하였으니, 연구하지 않는 것이 없었다. 천성이 불도를 좋아하였고, 늙어서는 부처 섬김이 더욱 근엄하였다. 이에 별장을 설치하여 거처하면서, 容安堂이라 명명하였다. 이 산에 있는 三和寺에 가서 불경을 빌려 날마다 열람하였고, 십 년 만에 필독하였다. 그 후에 그 별장을 절에 희사하고 현판을 看藏菴이라 하였다'고 한다".

33 조선 중기의 스님이자 승병장으로 활약한 休靜(1520~1604)이다. 淸虛는 그의 호로, 西山이라고도 한다.

34 「天恩寺紀實碑」, 〈… 其三黑岳寺暨朝鮮淸虛大師自楓岳來寓重建殿宇因主峯靑黑故改寺榜黑岳 …〉. 『三陟郡誌』(1916)에서는 1599년에 청허대사가 黑岳寺로 寺名을 바꾸었다고 구체적인 시기도 밝히고 있다. 그런데 『江原道誌』(1940)에서는 宣祖 戊戌年(1598)에 寺名을 '黑岳'으로 바꾸었다고 기재되어 있다.

32년(1599)에 사명을 흑악사라고 개칭하였다는 기록은 재검토가 필요하며,[35] '흑악사'라는 사명이 정확하게 언제부터 사용되었는지는 알 수 없으나, 「삼존상개금후불정개채원문」(1922)과 「중수기」(1596)의 관련 내용으로 보아 1596년 이전부터 사용되었다고 볼 수 있다.[36]

이후 흑악사를 다녀간 강릉부사 이병준, 삼척부사 이병연, 유배 온 채제공이 '흑악사'를 소재로 한 시를 남겼고, 1900년 준경묘·영경묘 수축과 관련하여 만든 「수호절목」에 '흑악사'라는 사명이 사용될 때까지 각종 기록에서 흑악사라는 사명은 계속 사용되었다.

••••

35 청허대사의 행적을 보면 명종 12년(1557) 겨울에 兩宗判事직을 물러난 후 지리산·금강산·두류산·태백산·오대산 등 여러 명산을 편력하다가 관서의 묘향산에 들어가 여러 암자에 기적하였고, 임진왜란 때 八道十六宗都摠攝이 되어 공을 세운 후 그 職을 제자인 四溟大師에게 물려준 후 관동·관서의 명승지를 다니다가 선조 37년(1604) 묘향산 원적암에서 입적하였다(김철, 1997, 「西山大師」, 『한국불교인물사상사』, 민족사, 301쪽). 따라서 청허대사가 명산을 편력하는 과정에서 태백산을 지나며 현재의 天恩寺에 들렀을 가능성이 있거나 아니면 청허대사의 제자가 70여 명이어서 그 제자 중의 일부가 임진왜란 중에 폐허화된 이곳으로 와서 寺勢를 다시 일으키며 寺名을 '黑岳'으로 바꾸었을 가능성이 있다. 이와 함께 아미타불 복장물에서 발견된 「西天佛說八萬大藏經目錄」은 평안도 묘향산 상원암에서 重刊한 목록을 한글이나 한문으로 옮겨 적은 것으로, 이는 당시 천은사에 「西天佛說八萬大藏經目錄」이 인쇄된 형태나 목판으로 소장되었음을 보여 준다. 이러한 사실은 기존의 자료에 청허대사와 그 제자들이 금강산으로부터 와서 寺名을 '黑岳寺'로 바꾸었다는 기록과 배치될 수 있으나, 그의 행적 중에 금강산이 등장하고, 주로 주석한 곳이 묘향산이라고 보았을 때, 이를 종합해 보면 어떤 형태로든 이곳 천은사가 청허대사 또는 그의 제자와 관련됨을 실증적으로 보여 주는 증거가 될 수도 있다. 그러나 寺名을 변경한 시기가 선조 32년(1599)이라는 기록은 본문에서 든 사유로 인해 재고할 필요가 있다.

36 「三尊像改金後佛幀改彩願文」(1922)에 〈… 改名藏看復改金 大師西山改黑岳 住持法能彩金像 時年萬歷丙申秋 …〉이라 쓴 것으로 보아 관련 기사가 시대순으로 배열되었다고 볼 때, 萬曆 丙申(1596) 이전에 서산대사가 寺名을 '黑岳'으로 바꾸었다고 볼 수 있다. 그리고 이에 앞서 만들어진 「重修記」(1596)에도 '黑岳寺'라는 寺名이 기재되어 있으므로 '黑岳寺'라는 寺名은 1596년 이전부터 사용되었다고 볼 수 있다.

또, 흑악사와 간장사라는 사명은 함께 사용되고 있음을 알 수 있다. 『여지도서』[37]와 숙종 8년(1682)경에 제작된 『동여비고(東輿備攷)』에서 간장암이란 명칭이 사용되었으며, 삼척 김씨 족보 『기유보』에서도 간장사라는 사명이 보인다. 이는 흑악사와 간장사라는 명칭이 시기별로 구분되어 사용되었다기보다는 조선 중기 이후 사용하는 사람에 따라 달리 불렀던 것임을 알 수 있다.[38]

'천은'이란 사명은 『조선지지자료(朝鮮地誌資料)』(1910~1911 추정)[39]에서 처음 확인할 수 있는데, 1916년 삼척군수였던 심의승에 의해 만들어진 『삼척군지』에는 이와 관련하여 기해년(1899)에 준경묘와 영경묘를 수축할 당시 영건 당상 이중하가 '천은'이란 사명을 하사하여 이후 천은사로 불리게 되었다고 전한다. '흑악사'에서 '천은사'로의 이와 같은 사명 변경 과정에 대한 언급은 「천은사기실비」, 1922년에 작성된 「삼존상개금후불

••••

37 『輿地圖書』는 조선 英祖朝에 各道 邑誌를 收聚, 改修하여 成冊한 것인데, 『輿地圖書』라 함은 『輿地圖』(각 邑 地圖)와 『書』(각 邑 邑誌)로 이루어진 전국 지리지임을 뜻한다. 『輿地圖書』의 각 邑 邑誌의 편성 시기는 各道 邑誌의 上送을 명한 것이 영조 33년이니 영조 33년에서 41년 사이(1757~1765)에 이루어진 것으로 추측할 수 있다.

38 이와 같이 寺名이 사용하는 사람이나 시대에 따라 달리 불리는 예는 춘천 청평사의 예에서도 확인할 수 있다. 현재 춘천시 오봉산에 있는 淸平寺는 광종 24년(973) 承賢이 창건하여 白岩禪院이라 하였으나, 폐사된 후 李顗의 아들 李資玄이 寺名을 '文殊院'으로 하여 중창하였다. 이후 명종 5년(1550) 普雨가 청평사로 개칭하였다. 조선 후기의 기록인 『여지도서』(1757~1765)와 『관동지』(1826~1830)에는 寺名이 '文殊寺 一名 靑平寺'라 하였으며, 1872년에 제작된 「春川府地圖」에는 '淸平寺'라 기재되어 있다. 이와 같은 사례로 보아 부르는 사람이 자신이 선호하는 寺名을 공식 명칭으로 남길 수 있다고 볼 때 조선시대에 '看藏寺[看藏庵]'와 '黑岳寺'가 혼용된 것은 전혀 문제시되지 않는다. 다만 '黑岳'이라는 寺名이 처음 등장한 시기가 언제인가라는 것이 문제로, 기록에는 청허대사가 '黑岳'이라 개칭하였다 하였는데, 공식적으로 등장하는 시기는 萬曆 24年(1596)에 만들어진 「重修記」에 처음 등장한다.

39 신종원 편, 2007, 『강원도 땅이름의 참모습—조선지지자료 강원도편』, 경인문화사.

정개채원문」을 비롯한 각종 기록에 전재되어 있다. 그런데, 삼척시 미로면에서 준경묘와 영경묘를 수축할 때인 1899년 당시에 흑악사로 하여금 조포사의 기능을 수행하도록 하였고, 이에 대한 보상으로 각종 세금과 잡역을 금한다는 내용은 당시 내린 「완문」과 1900년의 「수호절목」에 기재되어 있으나, '천은'이란 사명을 하사한다는 내용을 찾을 수는 없다. 당시 영건 당상이었던 이중하가 비공식적으로 '천은'이란 사명을 하사하였는지, 아니면 천은사에서 준경묘와 영경묘 제사를 준비하고 수호하는 역할을 하게 됨에 따라 「완문」과 「수호절목」에서 각종 세금과 잡역을 감면해 주어 사명(寺名)을 왕의 은혜에 보답한다고 하여 당시 총섭(總攝)이었던 대원(大圓) 스님이 '천은'이란 사명[40]으로 바꾸었는지는 알 수 없으나, '흑악사'라는 사명이 사용된 마지막 기록이 1900년이고, '천은사'라는 사명이 처음 등장하는 시기가 1910~1911년 사이에 조사된 『조선지지자료』임을 감안할 때 준경묘·영경묘 수축과 제사에 도움을 주면서 원찰로서의 지위를 확보했던 것이 '천은사'로 사명을 바꾸게 된 계기가 되었을 것으로 볼 수 있다.[41]

이를 종합해 보면 첫째, 사명이 간장암에서 흑악사로 바뀌어 가고, 둘째, 조선 중기 이후 흑악사의 별칭이 간장암이거나 산내 암자로서 간장암이 존재하였을 가능성도 있을 수 있다고 본다. 아무튼 허목이 『척주

••••

40 '天恩'으로 寺名을 변경한 것이 濬慶墓와 永慶墓를 수축한 사실과 어떤 형태로든 관련이 있음은 다음 자료에도 잘 나타나 있다. 「三尊像改金後佛幀改彩願文」(1922), 〈… 大圓奏改天恩寺 穆祖皇帝推崇時 …〉.

41 『三陟郡誌』(심의승, 1916)를 비롯한 각종 기록에 1899년 寺名을 '天恩'이라 바꾼 것으로 기재되어 있는데, 이는 '完文'을 내려 준 시기와 일치한다.

지』를 서술한 이후에도 천은사의 사명은 흑악사와 간장사[간장암]가 서로 교대 또는 혼용되고 있다.

각종 자료에 나타난 천은사와 관련된 사명의 변화, 창건 연대, 변천 과정 등을 정리하면 다음 [표 8-2]와 같다.[42]

[표 8-2] 각종 지리지·기문 등에 기재된 天恩寺 寺名

참고 자료	사찰 명
「葆光亭記」(1289)	容安堂(1280)
「看藏寺記」(1294)	容安堂 → 看藏寺
「看藏庵重創記」(1323)	容安堂 → 看藏庵
『新增東國輿地勝覽』(1530)	看藏菴
「重修記」(萬曆 24, 1596)	黑岳寺
「江陵都護府使 李命俊 詩」(1628~1630)	黑岳寺
『陟州誌』(許穆, 1662)	白蓮臺 或曰 看藏菴 → 黑岳寺
『東國輿地誌』(1680 전후)	看藏寺 → 黑岳寺
『東輿備攷』(1682)	看藏菴
「三陟府使 李秉淵 詩」(1732~1736)	黑岳寺
『望美錄』(蔡濟恭, 1751~1752)	黑岳寺
『輿地圖書』(1757~1765)	看藏菴
『伽藍考』(1781 이전)	看藏菴
「阿彌陀佛願文」(1798)	白蓮寺 → 看藏 → 黑嶽(寺)
『梵宇攷』(1799 이전)	看藏寺 → 黑嶽寺

●●●●

42 天恩寺와 관련된 내용이 『新增東國輿地勝覽』 이후 각종 지리지 등에 언급되다가 『梵宇考』에 '今廢'라고 기록되어 있는 것으로 보아 조선 후기에 일시적으로 廢寺되었을 가능성도 있고, 「天恩寺紀實碑」를 참고한다면 寺名이 看藏寺에서 黑岳寺로 바뀌었을 가능성도 있다. 『梵宇考』, 「三陟」, 「看藏寺」, 〈俱在頭陀山今廢 … 看藏今稱黑岳寺〉.

참고 자료	사찰 명
『關東誌』(1826~1830)	看藏寺 → 黑嶽寺
『陟州先生案』 중 「府使 李奎憲」(1835~1839)	黑岳寺
『三陟府邑誌』(1826~1830보다 이후)	白蓮庵 或曰 看藏菴 → 黑岳寺
三陟金氏族譜 『己酉譜』(1849)	看藏寺(에서 간행)
『關東邑誌』(1870)	黑岳寺
『陟州誌』(金宗彦, 1848~1888)	黑岳寺
『三陟郡邑誌』(1895 이후)	看藏寺 → 黑嶽寺
『濬慶墓 永慶墓 儀軌』의 「完文」(1899)	黑嶽寺
『濬慶墓 永慶墓 儀軌』의 「守護節目」(1900)	黑嶽寺
『朝鮮地誌資料』(1910~1911)	天恩寺
『三陟郡誌』(1916)	白蓮臺 → 看藏庵 → 黑嶽寺 → 天恩寺
「天恩寺紀實碑」(1921)	白蓮臺 → 看藏寺 → 黑嶽寺 → 天恩寺
「三尊像改金後佛幀改彩願文」(1922)	看藏寺 → 黑嶽寺 → 天恩寺
『江原道誌』(1940)	白蓮臺 → 看藏寺 → 黑嶽寺 → 天恩寺
『陟州誌』(崔晩熙, 1946)	白蓮菴 → 看藏庵 → 黑嶽寺 → 天恩寺
『三陟鄕土誌』(1955)	天恩寺
『眞珠誌』(1963)	白蓮臺 → 看藏寺 → 黑嶽寺 → 天恩寺

3) 이승휴(李承休)와 천은사(天恩寺)의 관련성 검토

천은사는 현재 이승휴 유적지로 인정되었기에 국가 사적 421호로 지정되어 있다. 이와 관련한 기록으로는 충렬왕 때 고쳐야 할 폐단 10개조를 올린 후 파직된 이승휴가 삼척에 내려와 두타산 자락인 구동 즉, 현재의 미로면 내미로리 천은사 경내에 용안당을 세우고, 경진년(庚辰年, 1280) 10월에서 기축년(己丑年, 1289)까지 약 10년간 삼화사에서 1,000상자의 불경을 빌려 읽은 후 71세 되던 해인 충렬왕 20년(1294)에 홀연히 용안당 간판을 간장사로 개칭하고 승려가 주석할 밭을 희사하였다는 내용이 실린 「간장사기」, 그리고 이승휴의 아들들에 의해 중수된 후 둘째 아들인 담욱의 요청으로 최해가 쓴 「간장암중창기」가 전한다. 조선시대에 들어서 각종 지리지에 이승휴·간장사[간장암]와 관련한 기록이 보이는데, 대부분의 내용은 「간장사기」와 「간장암중창기」를 원용하고 있다.[43]

현재의 천은사와 이승휴가 편액을 건 간장사는 별개라는 일부의 견해가 있으나, 천은사는 이승휴와 관련되는 간장사와 직접적인 관련을 지니고 있음은 다음을 통하여 확인할 수 있다.

첫째, 각종 지리지에 언급된 사명의 변화를 보면 '간장사[간장암] → 흑악사', '백련대 → 간장사[간장암] → 흑악사 → 천은사'로 법등이 이어져 오고 있음을 확인할 수 있다.[44] 이들 기록에 간장사와 흑악사 각각에 대한 위치 비정을 하지 않은 예도 있고, 이에 대한 전거를 제시하지 않은 제한점도 있다. 그러나 조선시대에 발간된 대부분의 기록에서 천은사를 소개하면서 이승휴와 관련된다는 사실을 소개하였으며, 법등이 '간장사 → 흑악사'로 이어지고 있을 뿐만 아니라 18세기 중반에 편찬된 『여지도서』와 1849년 간장사에서 인쇄된 삼척 김씨 족보 『기유보』로 보아 조선 후기까지 동일한 사찰이 간장사[간장암] 또는 흑악사로 불렸다는 사실은 이승휴가 세운 간장사가 흑악사이고, 흑악사가 현재의 천은사임을 보여 주

43 최해가 쓴 「看藏庵重創記」를 원용하여 안축이 쓴 기문으로 李承休와 看藏寺를 소개한 문헌은 『新增東國輿地勝覽』·『梵宇攷』·『三陟鄕土誌』이다.

44 [표 8-2] 각종 지리지·기문 등에 기재된 天恩寺 寺名 참조.

는 것이다.[45]

둘째, 조선시대에 제작된 삼척 관련 고지도(古地圖) 중 1682년에 제작된 『동여비고』, 1757~1765년 사이에 발간된 『여지도서』와 고종 7년(1870)에 만들어진 『관동읍지(關東邑誌)』에는 현재의 천은사 위치에 '간장사[간장암]'라는 사명이 기재되어 있음을 확인할 수 있다. 다른 고지도에서는 해당 위치에 '흑악사'라 표기되어 있다. 특히 거의 동시기(1870경)에 만들어진 『관동읍지』에는 '간장사'라 표기한 데 비해 상백본(想白本) 『척주지』에는 '흑악사'라고 표기되어 있다. 즉, 1870년경에 2개의 사명이 같이 사용되었음을 알 수 있다. 이를 종합해 보면 결국 간장사가 흑악사이고, 이는 현재의 천은사임을 나타내는 중요한 근거로 제시할 수 있다.

셋째, 천은사 경내 발굴 조사에서 각종 건물지와 함께 청자를 굽던 가마터 등이 발견되었다는 사실은 고려시대에 사찰이 있었다고 추정할 수 있으며, 이곳이 이승휴와 관련한 유적지였을 가능성을 높여 준다.

4) 고지도(古地圖)에 표기된 '천은사(天恩寺)'의 사명(寺名) 변화

삼척 관련 고지도에서도 사찰이 표기되어 있음을 확인할 수 있다. 지도별로 수록된 사찰명은 다음 [표 8-3]과 같다.

45 黑岳寺가 현재의 天恩寺라는 것은 극락보전에 봉안된 阿彌陀佛 내의 腹藏 중 '黑岳'이란 寺名이 기재된 「重修記」·「阿彌陀佛願文」·「三尊像改金後佛幀改彩願文」을 통해 이 불상이 黑岳寺의 불상임을 알 수 있으므로, 黑岳寺가 현재의 天恩寺라고 단정할 수 있다. 이와 관련하여 홍성익도 다음 글에서 「阿彌陀佛願文」의 '黑岳'이란 寺名을 근거로 현재 천은사 극락보전에 봉안된 불상이 '黑岳寺'라는 寺名을 사용할 당시부터 있었던 불상이므로 '黑岳寺'가 현재의 '天恩寺'라고 하였다. 홍성익, 2006, 「天恩寺의 문헌 검토」, 『삼척 天恩寺 이승휴유허지발굴조사 보고서』, 강원문화재연구소, 26쪽.

[표 8-3] 각종 古地圖에 수록된 삼척지역 사찰

古地圖 명	연 대	수록 사찰명	비 고
『東輿備攷』	숙종 8년 (1682)	三和寺, 中臺寺, 看藏庵.	
『備邊司印方眼地圖』	영조 21~36년 (1745~1760)	中臺寺, 黑岳寺, 雲興寺, 靈隱寺, 中峰庵, 隱禪庵, 喚仙庵, 三水庵.	
『輿地圖書』	영조 33~41년 (1757~1765)	三和寺, 看藏庵, 靈隱寺, 雲興寺, 中峯菴.	'三和寺'가 본문에는 '中臺寺'라 기록됨.
『關東誌』	순조 26~30년 (1826~1830)	黑岳寺, 三和寺, 雲興寺, 靈隱寺, 斷橋菴, 明寂菴.	『關東誌』 본문. 三和寺, 黑嶽寺, 斷橋菴, 靈隱寺, 雲興寺.
『關東邑誌』	고종 7년 (1870)	中臺庵, 看藏寺, 新興寺, 靈隱寺.	想白本 『陟州誌』 지도와 비교해 보면 지도의 지형 표기 형태는 같으나, 세부적인 관청명이나 기타 내용은 다름.
想白本 『陟州誌』[46]	고종 7년경 (1870경)	中臺寺, 黑岳寺, 新興寺, 靈隱寺.	『陟州誌』(許穆, 1662). 三和寺, 黑嶽寺, 靈隱寺, 雲興寺, 金井庵, 隱禪庵, 頓覺寺.
三陟府地圖	고종 9년(1872)	三和寺, 黑岳寺, 雲興寺, 靈隱寺.	
三陟營鎭地圖	고종 9년(1872)	三和寺, 黑岳寺, 新興寺, 靈隱寺.	

[표 8-3]을 보면 1682년경에 발간된 『동여비고』에서부터 1872년에 만들어진 『삼척영진지도(三陟營鎭地圖)』에 이르기까지 삼척 지역의 주요 사

••••

46 서울대학교 규장각 想白古915.15-H41c-v.1-2. 강원도 三陟의 邑誌로서 현종 3년(1662)에 당시 府使였던 許穆(1595-1682)이 쓴 『陟州誌』를 필사한 것으로 정확한 필사 연대는 알 수 없다. 다만 고종 7년(1870)까지의 내용을 담고 있는 「三陟先生案」이 붙어 있는 것으로 보아서 1870년 무렵에 필사된 것임을 알 수 있다.

찰이 '삼화사·흑악사·신흥사·영은사'임을 알 수 있고, 현재의 천은사는 사명이 대부분 흑악사로 표기되어 있음을 알 수 있다. 그러나 1682년경에 발간된 『동여비고』, 1757~1765년 사이에 발간된 『여지도서』와 고종 7년(1870)에 만들어진 『관동읍지』에는 간장사[간장암]라고 표기되어 있음을 확인할 수 있다. 이는 위에서 이미 설명한 바와 같이 천은사의 사명으로 조선시대에 흑악사와 간장사[간장암]를 같이 사용하였음을 알려 주는 증거이다.

5) 개금(改金)과 개화(改畵) 관련 기록

천은사 내 불상과 탱화에 대한 개금과 개화에 대한 기록은 아미타불 내의 복장인 「아미타불원문」(1798)과 「삼존상개금후불정개채원문」(1922)에서 발견할 수 있다. 개금과 개화에 대한 기록을 시대순으로 나열하면 다음 [표 8-4]와 같다.

[표 8-4]의 기록에서 알 수 있는 바와 같이 「삼존상개금후불정개채원문」에 기록된 "비구(比丘) 용주(龍珠)가 탱화를 고쳤다"와 "휴휴(休休)거사(居士)[이승휴]가 장간(藏看, 간장?)으로 이름을 바꾸고 개금"이라는 기사는 여러 정황으로 보아 그 사실을 확인할 수는 없다. 조선시대에 접어들면서 만력 24년(1596) 당시 주지였던 법능(法能) 스님이 채금상(彩金像)하였다는 「삼존상개금후불정개채원문」의 기록은 아미타불의 복장을 직접 확인하여 본 결과 '만력 24년'이라는 연대와 함께 흑악사에서 아미타삼존불을 중수하고 복장시주한 사실 등을 기록한 별도의 기문이 발견됨에 따라 사실로 확인되었다.

이후 해운당이 영조 12년(1736)에 개금하였으며, 용파(龍波)대사가 가

[표 8-4] 각종 기록에 나타난 天恩寺 내 改金·改畵 기록

연대	改金·改畵 기록	典 據[47]
미상	比丘 龍珠 탱화를 고쳤다(復改畵).	「三尊像改金後佛幀改彩願文」(1922)
미상	休休 居士(李承休)가 藏看(看藏)으로 이름을 바꾸고 改金.	「三尊像改金後佛幀改彩願文」(1922)
만력 24년 (1596)	住持法能彩金像 時年萬歷丙申秋.	「三尊像改金後佛幀改彩願文」(1922)
영조 12년 (1736)	海雲堂이 丙辰 改金.	「阿彌陀佛願文」(1798)
	改金 海雲 丙辰歲.	「三尊像改金後佛幀改彩願文」(1922)
1798년	龍波대사가 嘉慶 3년 戊午 4월 16일 改金을 시작하여 5월 7일 마침.	「阿彌陀佛願文」(1798)
1922년	住持漢宗發謀事 龍像大德諸和尙 一心改畵亦改金 常住金剛長安寺 隨緣赴感北道場 畵師雲曲大禪師 過去誓願爲佛毋 太白山中寂滅宮 登桐造成彩畵時 瑞氣放光吳道子 年當七旬老畵師 我存二軔後佛幀 自財自畵自奉安 今之雲曲陁畵者.	「三尊像改金後佛幀改彩願文」(1922)
1983년	雲虛堂 一峰 주지 스님이 當寺로부터 삼장사 布敎堂에 奉安되었던 아미타삼존불을 還元 奉安하여 改金을 하였다.	「三尊佛改金發願文」(1983)

경(嘉慶) 3년 무오(戊午, 1798) 4월 16일 개금을 시작하여 5월 7일 마쳤다. 1922년에는 주지 한종이 발원하고, 화사 운곡 의법(畵師 雲曲 依法)이 주도하여 개금·개화하였으며, 1983년에 현재 운허당(雲虛堂) 일봉(一峰) 주지 스님에 의해 개금이 이루어져 현재에 이르고 있음을 알 수 있다.

47 改金·改畵와 관련한 개별 내용을 연대순으로 배열하는 과정에서 참고한 문헌의 순서는 연대순으로 배열하지 못하였다.

만력 24년에 처음으로 불상에 금을 입힌 것인지는 알 수 없으나, 이후 총 4차례에 걸쳐 목조아미타삼존불에 대한 개금이 이루어졌음을 알 수 있다.

위에서 천은사의 사력에 대하여 창건설화, 사명의 변화 과정, 이승휴·간장사와의 관련성, 지도에 표기된 천은사 관련 기록, 천은사 내 불상과 불화의 개금과 개화 관련 기록 등으로 구분하여 살펴보았다. 이를 종합하여 표로 정리해 보면 다음 [표 8-5]와 같다.

[표 8-5] 각종 기록에 나타난 天恩寺 연혁

<table>
<tr><th>연대</th><th>연혁 정리</th><th>典 據[48]</th></tr>
<tr><td>신라
경덕왕
무술년(758)</td><td>白蓮臺世傳 이후 3번 중건한 것은「두타산삼화사사적」 내용과 동일.</td><td>『眞珠誌』(1963)</td></tr>
<tr><td>미상</td><td>白蓮臺 - 3번 불탄 후 폐허.</td><td>『三陟郡誌』(1916)</td></tr>
<tr><td rowspan="4">신라
흥덕왕
4년
기유(829)</td><td>• 창설 연대는 삼화사와 같음.
• 창건설화는 삼화사와 같음.</td><td>『三陟郡誌』(1916)</td></tr>
<tr><td>1. 두타삼선이 서역에서 와서 두타산 자락 서쪽에 白蓮臺를 창건하였는데, 이 절이다(동쪽/청련대-지상사, 남쪽/금련대-영은사, 북쪽/흑련대-삼화사).
2. 범일국사가 堀山, 金華, 三和 3寺를 만들면서 이 절을 창건.</td><td>「天恩寺紀實碑」(1921)</td></tr>
<tr><td>梵日이 창건하고, 得名 白蓮.</td><td>「三尊像改金後佛幀改彩願文」(1922)</td></tr>
<tr><td>在未老面 未老里 新羅 興德王 4年 己酉 創設.</td><td>『조선환여승람』(1922)</td></tr>
</table>

48 천은사 연혁과 관련한 개별 내용을 연대순으로 배열하는 과정에서 참고한 문헌의 순서 연대순으로 배열하지 못하였다.

연대	연혁 정리	典 據
	• 창설 연대는 삼화사와 같음. • 창건설화 삼화사와 같음.	『江原道誌』(1940)
	• 신라 흥덕왕 4년 己酉에 창건. • 중창 과정은 「두타산삼화사사적」 내용과 동일.	『삼척향토지』(1955)
	所創.	『眞珠誌』(1963)
미상	壯色不停過山水 一百歲拾三年時 首座[49] 白雲이 重修.	「三尊像改金後佛幀改彩願文」(1922)
미상	比丘 龍珠 탱화를 고쳤다(復改畵).	「三尊像改金後佛幀改彩願文」(1922)
고려 광종 2년 (신해, 951)	廢해진 것을 重建.	「天恩寺紀實碑」(1921)
고려 문종	虞人[사냥꾼]이 사냥 중에 절의 잔재를 발견하고 깊이 깨닫고 沙門號[중 이름]를 道眼이라하고 法殿을 수리하고, 禪堂을 축조하여 기거하였다.	「天恩寺紀實碑」(1921)
미상	僧舍空虛百有年 虞人操弓逐獐得 道眼法師又重修.	「三尊像改金後佛幀改彩願文」(1922)
미상	休休 居士[李承休]가 藏看(看藏?)으로 이름을 바꾸고 改金.	「三尊像改金後佛幀改彩願文」(1922)
1289~ 1294년	'容安堂'을 '看藏寺'로 개칭하고, 승려가 주석할 밭을 희사함.	「看藏寺記」(1294)
1323년	이승휴 선생의 출가한 둘째 아들인 담욱의 발의로 3형제가 합심하여 중수하였는데, 藝文 辛蔵이 관동 지방을 다스리다가 이를 알고, 삼척현에 공문을 보내어 도와주도록 하여 1년이 안되어 공사를 마치게 하였다.	「看藏庵重創記」(1323)
고려 공민왕	왕사 懶翁和尙이 이곳에 와서 머무르며, 塔에 袈裟 등을 부장하여, 山中의 秘寶를 만들었다.	「天恩寺紀實碑」(1921)
조선 선조 임진병란 때[50]	절의 탑이 무너지고, 殿宇 1동만 남고 모두 훼손.	「天恩寺紀實碑」(1921)

••••

49 고려 때 교종에서 승통의 버금이 되는 법계.

연대	연혁 정리	典 據
만력 24년 (1596)	重修記. 黑岳寺. 腹藏施主 戒玉 / 腹藏施主 信敬. 腹藏施主 性默 / 腹藏施主 雪云. 腹藏施主 敬薰.	「重修記」(黑岳寺, 1596)
	住持法能彩金像 時年萬歷丙申秋.	「三尊像改金後佛幀改彩願文」(1922)
임진병란 중	何事壬辰遇賊火.	「三尊像改金後佛幀改彩願文」(1922)
1596년 이전	서산대사가 '黑岳'으로 寺名을 바꿈.	「三尊像改金後佛幀改彩願文」(1922)
선조 무술년 (1598)	청허대사가 금강산으로부터 와서 '黑嶽'으로 바꿈.	『江原道誌』(1940)
선조 32년 (기해, 1599)	청허대사가 금강산으로부터 와서 寺名을 '黑嶽'으로 바꿈.	『三陟郡誌』(1916)
	청허대사가 금강산으로부터 그 門徒 性允, 灵運을 데리고 수백 인으로 禪社를 만들어 응진전, 백련당, 청련당, 동별당, 설선당, 심검당, 범종루를 만들어 불사를 크게 일으켰다.	「天恩寺紀實碑」(1921)

••••

50 임진왜란이 1592년 4월에 일어났는데, 당시 삼척부사는 김위(1591~1592)이다. 연로하다 하여 물러나게 하고, 후임 부사로 기령(1592)이 임명되었는데, 1592년 4월에 와서 10월에 강원감사로 승진하여 갔다. 이후 부사 洪仁傑[선조 25~28년(1592~1595)]이 부임하였는데, 선조 28년(을미, 1595) 7월에 낙오한 보잘것없는 왜군 몇 명의 목을 벤 사건을 어사 노경임이 임금에게 아뢰어 홍인걸을 금부에 잡아 들였다. 배재홍 역, 『척주선생안』, 삼척문화원, 84~86쪽. 이것으로 보아 임란 직후에는 삼척 지역에도 왜적에 의한 별다른 피해나 전투가 없었던 것으로 보인다. 이후 전쟁이 장기화되면서 삼척 지역에도 왜구의 잔재들이 오갔던 것으로 보인다. 그러나 이들과의 전투나 백성들의 큰 피해에 대한 언급은 없다. 따라서 임진왜란 중에 왜적과의 전투로 인해 天恩寺가 불탔는지는 현재의 기록만으로는 알 수 없으나, 腹藏物로 발견된 중수기가 1596년에 작성된 것으로 보아 임진왜란이 일어났던 시기에 당시 黑岳寺의 전각이 훼손되었음을 미루어 짐작할 수 있다.

연대	연혁 정리	典 據
숙종 32년 (병술, 1706)	화재로 불탐.	『江原道誌』(1940)
숙종 33년 (정해, 1707)	重建.	『江原道誌』(1940)
숙종 42년 (병신, 1716)	화재로 불탐.	『三陟郡誌』(1916)
	全寺가 回祿 하였다.	「天恩寺紀實碑」(1921)
숙종 43년 (정유, 1717)	重建.	『三陟郡誌』(1916)
	道悅, 致明 두 上人[51]이 主事로서 선승양당과 동별당을 새롭게 만들었다.	「天恩寺紀實碑」(1921)
	一國大勢豈能兌. 重建康熙丁酉秋.	「三尊像改金後佛幀改彩願文」(1922)
기해년(1719)	극락전을 중수.	「天恩寺紀實碑」(1921)
신축년(1721)	범종루를 만들고, 전당에 단청을 하여 一新하였다.	「天恩寺紀實碑」(1921)
영조 12년 (1736)	海雲堂이 丙辰年에 改金.	「阿彌陀佛願文」(1798)
	改金 海雲 丙辰歲.	「三尊像改金後佛幀改彩願文」(1922)
영조 48년 (임진, 1772)	돌 층계를 만들어 미관을 정비하였다.	「天恩寺紀實碑」(1921)
정조 22년 (무오, 1798)	龍波대사가 嘉慶 3년 戊午 4월 16일 改金을 시작하여 5월 7일 마침.	「阿彌陀佛願文」(1798)
	年年移移過百年 大德龍波發此心 許多大夫從玆意 不日成之獻佛衣.	「三尊像改金後佛幀改彩願文」(1922)
미상	住持 趙會疊이 황무지를 개척하여 수만 畝를 保存.	『江原道誌』(1940)
순조 31년 (신묘, 1831)	重修.	『三陟郡誌』(1916)
	重修.	『江原道誌』(1940)
1835~1839년 사이	黑岳寺 불당이 오래되어 무너지자 100緡의 재물을 떼 주어 수리하였다.	『陟州先生案』 중 「府使 李奎憲」(1835~1839)

51 지덕을 갖춘 불제자, 승려의 높임말.

연대	연혁 정리	典 據
헌종 7년 (신축, 1841)	雪松 休還이 재산을 내어 佛宇禪堂을 重修.	「天恩寺紀實碑」(1921)
헌종 12년 (병오, 1846)	종루를 중건하였다.	「天恩寺紀實碑」(1921)
헌종 15년 (기유, 1849)	看藏寺에서 木版本으로 三陟金氏 族譜 13券 13冊을 간행하였다.	三陟金氏族譜『己酉譜』(1849)
철종 11년 (경신, 1860)	華岳과 愚學 후임자가 法宇를 수리하였다.	「天恩寺紀實碑」(1921)
고종 25년 (무자, 1888)	應河先師가 助運庵을 중건하였다.	「天恩寺紀實碑」(1921)
광무 1년 (정유, 1897)	重修.	『三陟郡誌』(1916)
	大圓 長老와 幹事 德月·雨潭·雲虛·寶雨가 마음을 모아 尋劍堂을 수년에 걸친 공사 끝에 준공하고, 七星閣을 만들었다.	「天恩寺紀實碑」(1921)
	總攝 大圓이 發意하고, 山中德主가 같이 共謀하여 尋劍堂을 重建함.	「三尊像改金後佛幀改彩願文」(1922)
	重修.	『江原道誌』(1940)
1897~1922 사이	丹雘階砌說禪堂 化主會曇勤功蹟.	「三尊像改金後佛幀改彩願文」(1922)
1899년	… 國祖先寢受享祀造泡以黑嶽寺爲定自今以後本郡官用以下各廳雜役雖 …	『濬慶墓 永慶墓 儀軌』의 「完文」(1899)
기해년 (1899)	營建 堂上 李重夏가 寺名을 '天恩'으로 바꿈.	『三陟郡誌』(1916)
	大圓奏改天恩寺 穆祖皇帝推崇時.	「三尊像改金後佛幀改彩願文」(1922)
	營建 堂上 李重夏가 寺名을 '天恩寺'로 바꿈.	『江原道誌』(1940)
1900년	造泡寺以黑嶽寺擧行從前本郡雜役一切勿侵事.	『濬慶墓 永慶墓 儀軌』의 「守護節目」(1900)
계묘년(1903) 3월	회담 선사가 설선당을 중건하고, 萬日會[52]를 열었다.	「天恩寺紀實碑」(1921)
정미년(1907) 12월	화엄암에서 화재가 발생함.	「天恩寺紀實碑」(1921)

연대	연혁 정리	典 據
기유년(1909) 9월	화엄암 중건을 시작하여 다음 해에 완공하였다.	「天恩寺紀實碑」(1921)
1910~1911년	天恩寺 (미로면 내미로리에 소재).	『朝鮮地誌資料』(1910~1911)
갑인년(1914) 4월	진영각을 새로이 건립하여 선사들의 진영 12위를 모셨다.	「天恩寺紀實碑」(1921)
을묘년(1915) 가을	법전을 중수하고 누각의 단청을 하였다.	「天恩寺紀實碑」(1921)
병진년(1916) 2월	영호 간에 여러 절에서 새롭게 인쇄된 사집, 사교, 대교 등을 보관하고, 중요 불적을 경내 4개 사찰에 보급하였다.	「天恩寺紀實碑」(1921)
정사년(1917) 8월	道場石砌을 증축하고, 청룡등 북쪽 약간의 토지를 매입하여 중창 기념으로 수만 그루의 나무를 심었다.	「天恩寺紀實碑」(1921)
기미년(1919) 3월	절 임야 내에 수십 町의 논을 개간하였다.	「天恩寺紀實碑」(1921)
경신년(1920) 가을	丁酉年(1897)부터 庚申年(1920)에 이르기까지 24년간의 공사를 마무리하였는데, 그 공이 매우 크다.	「天恩寺紀實碑」(1921)
1922년	주지 한종이 발원하고, 운곡 대선사가 畵師로 참여하여 改金 및 改畵.	「三尊像改金後佛幀改彩願文」(1922)
1940년경	현재 주지 金祥傾이 私財로 舊債를 정리하고, 수리하여 쇄신함.	『江原道誌』(1940)
1983년	雲虛堂 一峰 주지 스님이 當寺로부터 삼장사 布敎堂에 奉安되었던 아미타삼존불을 還元 奉安하여 改金을 하였다.	「三尊佛改金發願文」(1983)

해방 이후의 연혁에 대하여 운허당 일봉 주지 스님의 증언을 토대로 정리하면 다음과 같다.

••••

52 정토종에서 극락세계 阿彌陀佛會에 가서 나기를 주장하고, 천 일, 또는 만 일을 한정하고 큰 소리로 '나무아미타불'을 부르며 도를 닦는 의식.

- 1948년 동짓달 동지일(冬至日)에 실화(失火)로 본사(本寺)가 전소(全燒)되었다.
- 한국 전쟁 중에 화엄암(華嚴庵)과 조운암(助運庵)이 철거되었다.
- 1972년 6월 10일 운허당 일봉 현 주지 스님이 부임하여 가건물에서 우거(寓居)하였다.
- 1973년 쌍룡양회 석회석 광산 개발로 인한 발파를 이유로 본사의 이전을 요구(要求)하여 왔으나, 역사성 등을 들어 반대하였다.
- 1973년 이후 불보살님께 본사의 중창을 발원하고 불사(佛事)를 시작하여 극락보전·약사전(藥師殿)·삼성각(三聖閣)·영월루(映月樓)·범종각(梵鐘閣)·설선당·용안당·육화료(六和寮)를 건립하였고, 후불정화(後佛幀畵)·신중정화(神衆幀畵)·칠성정화(七星幀畵)·산신정화(山神幀畵)를 조성하였으며, 석등(石燈)과 석탑을 극락보전 앞에 설치하였다. 불사를 마무리하면서 2004년에는 기존의 육화료를 헐어 내고 정면 5칸 측면 7칸의 겹집 초익공(初翼工) 형태(形態)로 삼척 지역에서 벌채(伐採)한 한국 소나무만을 이용하여 유근홍(柳根洪)을 도편수로 임명하여 다시 지었는데, 이 과정에서 34년에 걸친 불사를 마무리하게 됨에 따라 신도와 대중들을 초청하여 2005년 10월 17일 상량식을 거행하였고, 이때 「두타산 천은사 육화료 중건 상량문(頭陀山 天恩寺 六和寮 重建 上樑文)」[53]을 작성하여 대들보에 매립하였다.

53 「頭陀山 天恩寺 六和寮 重建 上樑文」은 彌巖 金道賢이 上樑文을 짓고, 一竹 洪泰義가 글씨를 썼다.

• 천은사 경내에는 동안 이승휴 선생을 기리기 위한 사당인 '동안사(動安祠)'가 건립되어 있어 1979년부터 운허당 일봉 주지 스님의 주도로 매년 다례제를 올렸는데, 지금은 (사)동안이승휴사상선양사업회에서 천은사의 협조를 받아서 매년 다례제를 지내고 있다.

2. 천은사(天恩寺)의 역사가 지닌 의미

사찰로서 천은사는 천년 고찰로서의 분위기를 지니면서, 불자들을 위한 신앙 공간으로서의 역할을 충실히 수행하고 있다. 이와 함께 지금까지의 사력을 보면 나름대로 역사성을 지니며 법등을 이어 왔음을 알 수 있다. 구체적으로 천은사의 역사가 지닌 가치를 정리하면 다음 세 가지를 들 수 있다.

첫째, 천은사는 역사적으로 불교문화와 관련하여 천은사 경내에서 출토된 금동약사여래입상은 통일신라 최전성기의 양식을 계승한 유물로 영동 남부지역의 불교문화사에서도 최고(最古)의 유물이고, 나아가 이 지역에서 약사신앙이 전파되고 발전하는 것을 설명하는 최초(最初)의 유물일 가능성이 있다는 점에서 매우 중요하다. 또한 목조아미타삼존불은 복장물로 발견된 「중수기」로 보아 임진왜란 이전에 조성되었음을 알 수 있으며, 불상의 양식 또한 고려 후기 단아 양식의 불상을 계승한 조선 전기의 불상으로부터 조선 후기로 넘어가는 과도기 양식을 대표할 수 있다는

점에서 매우 귀중한 자료이다.[54]

이와 같이 중요한 의미를 지닌 불상을 천은사에서 소장하고 있다는 것은 역사적으로나 불교문화적으로 매우 중요한 의미를 지닌다고 볼 수 있다.

둘째, 고려 원종 때 강화도 참성단에서 초제(醮祭)를 설행하고, '일통삼한(一統三韓)'이라는 역사인식의 한계로 각 지역에서 일어났던 삼국부흥운동 등의 분립적 요소를 해소하기 위한 역사변전의식(歷史變轉意識)이 폭넓게 나타나고, 이의 영향으로 고조선을 고려 역사의 출발로 설정한 일연(一然)의 『삼국유사(三國遺事)』와 이승휴의 『제왕운기』가 간행되었다. 이들 사서는 우리나라 역사의 시작을 알리는 환웅[단웅]신화를 전하는 대표적인 사서로 잘 알려져 있다. 그러나 우리에게 일반적으로 알려진 환웅신화는 『삼국유사』 「기이」 1의 「고조선」 조에 실린 환인·환웅·곰·호랑이 등이 등장하는 내용이다. 이와는 달리 『제왕운기』 권하 「전조선기」 조(前朝鮮紀條)에는 석제(釋帝)·단웅(檀雄)·손녀(孫女)·단수신(檀樹神) 등이 등장한다. 이와 같이 단웅신화가 불교적 외피를 입고, 제물(祭場)으로서 나무를 중시하는 등 『삼국유사』와는 다른 면모를 보이고 있다. 이와 같은 면들은 「묘향산사적(妙香山事蹟)」에 실린 환웅 이야기와 함께 곰·호랑이·신시(神市) 등에 대한 새로운 해석을 가능케 하여 『삼국유사』에 담긴 내용을 정확하게 이해하고, 우리의 고대사를 올바르게 정립함에 있어 매우 중요한 인식의 토대를 제공하고 있다.[55]

54 홍영호·김도현, 2003, 「삼척시 미로면 天恩寺의 불상 고찰」, 『강원지역문화연구』 제2호, 강원지역문화연구회, 31~32쪽.

더불어 『제왕운기』에서 중국의 역사를 상권에 먼저 기록한 후 하권에서 우리나라 역사를 기록한 점이라든지, 단군조선의 시작을 중국과 같은 무진년(戊辰年, B.C 2333)으로 서술한 사실들은 그가 유학자이고 역사가이기 이전에 그의 생애와 생존했던 시기(1224~1300)가 민족 사상의 일대 격변기에 위치한다는 사실과도 밀접하게 관련된다.[56]

이와 같이 나름의 민족의식과 역사적 정통성을 내포한 이승휴의 대표적인 저서인 『제왕운기』를 저술한 곳이 용안당, 즉 간장사이고, 이는 현재의 천은사이다. 따라서 이곳 천은사는 민족사의 정통성을 확보하고, 우리의 고대사에 대한 인식을 새롭게 한 이승휴 선생이 10여 년 이상을 머무르며 『제왕운기』를 저술한 유서 깊은 사찰이라는 면에서 역사적으로 매우 중요하다.

셋째, 천은사는 인근의 준경묘와 영경묘를 수축하는 과정에서 일정한 역할을 하였으며, 수축 후 조포사로 지정되어 제수(祭需)를 준비하는 등 원찰로서의 역할을 수행하였다.[57] 이와 관련한 자료는 다음과 같다.

••••

55 『제왕운기』에 소개된 단웅 이야기가 『삼국유사』에 실린 환웅 이야기와 어떻게 비교·분석될 수 있는지와 이것이 어떤 모습으로 우리나라의 고대사 인식에 도움을 줄 수 있는지는 다음 논문에 잘 나타나 있다. 신종원. 2003, 「단군신화에 보이는 樹木信仰」. 『韓國史學史學報』 제8호. 韓國史學史學會; 신종원, 2004, 「단군신화에 보이는 곰의 실체」, 『삼국유사 새로 읽기』 1, 일지사.

56 김도현, 2004, 「이승휴의 생애와 관련 유적」, 『이승휴와 제왕운기』, (사)동안이승휴사상선양사업회, 31쪽.

57 사찰은 그 본래의 종교적 목적을 위한 기능 이외에도 시대를 달리하며 다양한 목적을 수행한다. 즉, 왕실의 안녕과 번영을 축원하는 원당, 왕실의 태실을 수호하는 태실수호사찰, 陵을 보호하는 능침수호사찰, 산성을 보수하고 유지하기 위한 사찰, 院의 역할을 담당한 사찰 등이 있다. 박병선, 2001, 「조선후기 원당 연구」, 영남대학교 대학원 박사학위논문; 이병희, 1998, 「고려시기 원의 조성과 기능」, 『청람사학』, 제2집, 청람사학회(홍성익, 2005, 「보덕사의

[자료 1] 己亥年(1899) 十一月初四日「完文」黑嶽寺

今此 濬慶墓 永慶墓修封以後諸般奉護之節一依 陵園例爲之事伏奉 聖敎今於創始之初凡所規定者本道本郡曷敢不盡心對揚以衛國祖先寢乎享祀造泡以黑嶽寺爲定自今以後本郡官用以下各廳雜役雖一繩一鞋更毋得侵索拎本寺從前瑣瑣謬例一一革罷俾寺僧專意致力拎兩墓所擧行爲去乎如是定規以後官屬輩或罔念法意復踵前習則本齋官移照于地方官査實嚴治是遣自郡若或襲謬則自本齋具報于掌禮院以爲照法査處齋官及墓屬輩如或侵漁則地方官亦卽査報于掌禮院以爲互相糾禁之地爲去乎以此完文成給永爲憑考者58

[자료 2]「守護節目」

守護軍

- 濬慶墓守護軍活耆洞十五名 (活耆洞)
- 永慶墓守護軍東山里十五名 (東山里) 免戶布事 凡 墓所 祭享禁火伐草植木等事全數擧行事
- 活耆東山及下寺田明寂洞本郡雜役一切勿侵事
- 造泡寺以黑嶽寺擧行從前本郡雜役一切勿侵事
- 香炭山姑無劃付以本郡所在 莊湖葛山薪南臨院四津各稅錢五百四十五兩四戔八分自宮內府奉勅劃付事

••••

문헌사 검토」,『영월 보덕사 사천왕문지 발굴조사 보고서』, 39쪽에서 재인용).

58 『肇慶壇 濬慶墓 永慶墓 營建廳 儀軌(下)』(光武 五年 庚子 十二月 日 濬慶墓上), 移照 訓令附(강원도 삼척시립박물관 소장, 유물번호 450번). 강원도에서 발견할 수 있는 이와 유사한 사례로 영월 莊陵의 願刹로서 報德寺를 造泡守護之寺로 지정하고, 正宗 庚戌에 免稅를 주청하여 받아들여진 내용 등이 다음에 실려 있다. 『關東誌』 第四冊, 「莊陵事蹟 下」, 「報德寺」.

• 未盡條件追乎磨鍊事[59]

위의 [자료 1]을 보면 미로면 활기리와 동산리에 준경묘와 영경묘를 각각 수축한 이후 혹악사로 하여금 향사(享祀)와 조포사로서의 역할을 수행하고, 대신 각 청의 잡역과 세금을 면제해 준다는 내용을 담고 있다. [자료 2]는 준경묘와 영경묘를 수축한 이후 이를 수호하고 유지하기 위한 「수호절목」에 혹악사를 조포사로 하여 삼척군의 잡역 일체를 면제해 준다는 내용이다.

위의 2가지 자료를 보면 천은사는 법등을 이어 가는 과정에서 준경묘와 영경묘의 수축[60] 이후 1899년에 능침수호사찰로 지정되었으며, 치제(致祭)에 필요한 제수를 준비하는 조포사로서의 역할을 수행하여 조선 왕실과 밀접한 관계를 지녔음을 보여 주고 있다.

Ⅲ. 삼척 두타산 이승휴 유적

삼척 두타산 이승휴 유적은 1280~1289년 사이에 강원도 삼척시 내

••••

59 『肇慶壇 濬慶墓 永慶墓 營建廳 儀軌(下)』(光武 五年 庚子 十二月 日 濬慶墓上), 「守護節目」.

60 삼척시 미로면 활기리와 동산리에 있는 준경묘와 영경묘에 대한 수축과 관련해서는 다음 논문을 참고하라. 원영환, 1993, 「목조의 활동과 홍서대고」, 『강원사학』 제9집, 53~74쪽; 배재홍, 2003, 「조선 태조 이성계의 고조 목조 이안사와 삼척」, 『조선사연구』 제12집, 1~35쪽; 김도현, 2012, 『경사스런 나라를 위하여 준경묘·영경묘·천은사 그리고 삼척』, 강원도민일보·삼척시; 김도현, 2013, 「준경묘·영경묘 수호활동과 제향」, 『박물관지』 제20호, 강원대학교 중앙박물관.

미로리에 이승휴가 머무르며, 『제왕운기』를 저술하였던 당시에 조성되었다.

즉, 약 10년간 머무르는 동안 이곳에 용안당(容安堂)·지락당(知樂塘)·보광정(葆光亭)·표음정(瓢飮渟)을 지어 삼화사에서 1,000상자의 불경을 빌려 읽으며, 『제왕운기』·『내전록』을 저술하였고, 이후 충렬왕 20년(1294) 되던 해에 홀연히 용안당 간판을 간장사(看藏寺, 현재 천은사)로 개칭하고 승려가 주석할 밭을 희사하였던 고려 후기의 학자 이승휴와 관련된 유적이다.

유적이 소재한 천은사는 본래 신라 대에 창건되었다고 전하며, 사명은 '백련대 → 간장암(간장사) → 흑악사 → 천은사'로 변화되어 오늘에 이른다. 여기서 '간장암(간장사)'은 고려시대에 만들어진 이승휴의 「보광정기」와 「간장사기」를 통해 확인할 수 있다.

이승휴가 활동하였던 시대는 기존의 귀족문화가 해체되면서 새로운 시대의 탄생을 준비하는 시기였다. 이때에는 강계의 난, 몽골의 침략과 몽골에의 복속으로 인한 사회적인 변화와 신분 계층 간의 변동기에 중앙 관계로 진출하려는 일군 사인(士人)이 있었다. 이들은 '능문능리(能文能吏)'의 교양과 능력을 토대로 사회 변혁에 부응하는 새로운 이념을 제시하면서 그 시대를 계도해 간 신진사대부였다. 이승휴와 같은 초기 신진사대부는 유학을 정신적 근간으로 삼고, 나아가서는 광세재민하고 들어와서는 수신제가하는 의식을 갖추었다.

백성을 중시하면서, 실제 행동에서는 현실적인 대응 전략을 많이 보인 이승휴는 관료로서 감찰·언관의 역할을 많이 하면서 백성들 편에서 행정을 처리하고자 하였으며, 서장관으로 원나라에 파견되어 중국(원)을 치켜세우면서도 고려의 자주의식을 강조하였고, 우리 민족사의 정통의식과 발해를 우리 민족의 영역으로 인식한 『제왕운기』를 저술하였으며, 적극적으로 현실을 이해하고자 하는 태도에 기반하여 종교적인 실천을 통하여 국가와 사회에 봉사하는 재가불교신자(在家佛教信者)의 모습을 보여 주고 있다. 또한 『동안거사집』에 실린 다양한 시(詩)와 우리 민족사를 서사시 형태로 서술한 『제왕운기』는 문인으로서의 탁월한 능력을 보여준다.

고려 충렬왕 때 고쳐야 할 폐단 10개조를 올려 파직된 후 삼척에 내려와 두타산 자락인 구동 즉, 현재의 삼척시 천은사 경내에 용안당을 비롯한 몇 가지 시설을 하여 10여 년간 머물렀다. 그가 남긴 유적은 2000년 9월 16일 사적 제421호인 '삼척 두타산 이승휴 유허(三陟頭陀山李承休遺墟)'로 지정되었다가 2011년 7월 28일 '삼척 두타산 이승휴 유적(三陟頭陀山李承休遺蹟)'으로 그 명칭이 변경되었다.

삼척시 미로면 내미로리 천은사 경내에 있는 이승휴 관련 유적을 소개하면 다음과 같다.

1. 지락당(知樂塘)

연못지를 지락당이라 하였는데, 방당(方塘) 즉, 네모진 형태를 갖추었다. "지락당"이란 명칭은 "어찌 내가 고기의 즐거움을 모름을 알겠는가"라는 『장자』「제물」편의 말을 취하여 이름 지었다고 한다. 사찰에 조성된 연못지는 대부분 연꽃을 심어 조경했는데 이곳에도 연꽃을 심었다고 한다.

지락당 전경(복원 後)

전체적으로 방형을 띠고 있었던 것으로 추정되는 연못지는 최대 장축이 동-서 14m, 남-북 16m로 면적은 약 224m²(68평) 정도이다. 현재 남아있는 호안석축에 의한 연못지만이 확인되고 있으며, 선대에 조성된 유구는 확인되지 않았다.

호안석축은 최대 높이가 2.2m 정도인데 1.6m까지는 50m~80m가량의 석재를 사용하여 쌓은 것이 확인되고 있다. 또한 아래층인 선대의 석축은 장방형의 석재를 허튼층쌓기를 하면서 퇴물림 방식이 강하게 쌓은 반면 후대의 석축인 상위의 석축은 방형에 가까운 석재를 허튼층쌓기 방식의 퇴물림 방식이 약하게 쌓았다.

현재 노출된 연못지의 바닥은 하상층의 자갈과 굵은 모래층으로 형성되었으며 거대한 자연석재가 군(群)을 이루고 있다. 이것이 다른 연못지에서도 볼 수 있는 조경석으로 놓았을 것이라고 추정된다.

호안석축은 동측만이 축성되었다. 외면에는 물이 새는 방지책을 마련하지 않고 내면에만 잡석으로 마감하였다. 호안석축의 기단은 없으며 하천의 지표 위에 자연석을 그대로 쌓는 방식을 채택하였다. 남측은 자연석이 연못지를 향하여 비스듬히 놓여 자연벽을 이루었으며 서·북측은 하상층의 자갈과 모래로 이루어지면서 거대한 바위가 호안(湖岸)을 이루었던 것으로 보인다.

입수구는 별도의 시설이 되지 않고 계곡에서 흘러내리는 유입수를 그대로 받아들인 것으로 추정된다. 출수구도 별도의 시설이 보이지 않는다. 출수구가 있었을 것으로 추정되는 남측은 어느 시기엔가 붕괴되어 작은 자연석으로 다시 쌓은 것으로 보인다.

2. 청자 도요지

이 유적은 현 주지 스님의 거처인 용안당 건물 뒤편에 동북쪽으로 난 당시의 암자인 화엄암과 부도군으로 올라가는 길 좌측 편인 산 경사면에 위치하고 있다.

가마유구는 전체 1개소로 북서-남동향의 자연 경사면과 같은 방향으로 시설된 것으로 확인되었다. 유구는 길이 남-북 320cm, 동-서 440cm의 규모로 평면 장타원형의 소규모 가마이다.

가마의 벽체는 대부분 유실되어 완전하게 남아 있지는 않지만 현존하는 북벽은 2단~3단 정도의 높이 66cm로 벽체에 사용된 석재들이 조금 남아 있는 편이다. 남벽은 거의 유실되어 윤곽선만 남아 있다. 서벽은 두께 38~54cm, 높이 38cm로 모서리 부분의 석재들은 불 먹은 흔적이 완연하다. 입구부는 대나무숲과 계곡에 바로 접하고 있는 관계로 확인을 하지 못하였으나 대부분의 유물과 소토들이 입구 쪽과 소성실 중앙부에서 확인되었다.

천은사 내 청자 도요지 전경

천은사 내 청자 도요지에서 발견된 도침
(사진 제공: 김병욱 도예가)

이 가마는 외형상으로는 비교적 규모가 작은 장타원형의 가마로서 그 구조는 소성실이 1개인 단실요이며 바닥은 경사면을 이용하여 지하 면을 약간 파서 조성하였고 천정은 남아 있지 않지만 등요와 같은 지상 토축일 가능성이 높다. 소성실의 바닥 면은 진흙을 깔아 처리하였으며 경사가 거의 없는 편이고 고온의 불길이 닿아 비교적 굳게 익은 상태로 확인되었다. 이 청자요 유구의 원형이 대부분 상실된 관계로 그 구조의 정확한 양상을 밝힐 수는 없지만, 지금까지 강원도 지방에서 확인된 최초의 청자 가마터라는 데서 그 의의를 찾을 수 있을 것이다.

수습된 유물로는 대접이 가장 많으며 그 외의 접시, 완, 도지미[도침] 등이 있다. 이들 유물의 양상으로 볼 때 이 가마는 12~13세기에 사용한 가마로 추측된다. 이것으로 보아 이승휴가 이곳에 용안당을 짓고 은거하며, 불경을 읽는 등 불교에 심취해 있을 때에도 사용되었던 가마로 추측된다.

3. 용안당(容安堂)·보광정(葆光亭)

이승휴가 주석할 당시에 만들었다는 용안당과 보광정 터를 정확하게 확인할 수는 없으나, 「간장사기」를 통해 그가 주석하였던 용안당이 간장사, 즉 현재 천은사라는 것을 알 수 있으며, 이는 조선시대의 각종 기록과 고지도(古地圖) 등을 통해서도 확인할 수 있다. 천은사는 이승휴 관련 유적과 함께 신라 최전성기의 양식을 계승한 유물인 금동약사여래입상(金銅藥師如來立像)을 보관하고 있으며, 고려 후기 단아 양식의 불상을 계승한 조선 전기의 불상인 목조아미타삼존불(木造阿彌陀三尊佛), 조선 태조 이성계 4대조인 목조 이안사 부모를 모신 준경묘·영경묘의 조포사(造泡寺)로 기능하였던 유서 깊은 사찰이다.

용안당·보광정에 대하여 『동안거사집』「보광정기」에 실려 있는 관련 내용을 소개하면 다음과 같다.

> 두타산(頭陀山)의 중대동(中臺洞)은 기이하고 절묘하여 신기한 경치를 다 드러냈고, 묶어 놓은 듯도 하고, 편편하기도 하며, 옹기종기 땅을 응축해 놓은 듯한 곳이다. 거기에다 거닐고 의지하기 편리하니 그 아름다움을 이루 다 형용하기가 어렵다. 만일 동파가 이곳을 본다면 의당 서시로써 비교하려 하였을 것이다. 그 노닐며 구경하는 운치는 곧 십사관시에 자세히 기술되어 있다. 중대동의 동북쪽으로 하나의 봉우리가 홀로 솟아 머리처럼 생기어 평퍼짐하게 흘러내리는 산봉우리가 있으니, 그것은 대문수라 부르고, 대문수 남쪽에 솥발처럼 솟아 일어난 것이 훌쩍 날아오르는 듯한 것은 삼공봉이고, 비스듬히 경계진 양

용안당
(현재 천은사 주지실)

쪽 골짜기 사이에 돌고 굽이져서 동쪽으로 바다에 들어가는 것은 포포천이다. 내의 북쪽에 문수봉에 딸린 겹친 산언덕이 있는데, 이곳은 삼공봉을 바라보고 있으며, 우묵하고 널찍하여 물이 안고 도는 곳으로서, 특별히 하나의 작은 구역을 이루고 있느니, 이곳이 구산동이다. 구산동을 가로질러 서북쪽에서 동남으로 콸콸 흘러가는 물줄기가 용계이다. 용계를 따라 양쪽 가에 밭 이경이 있으니, 이것은 동안거사 외가에서 전해 오는 토지이다. 땅은 비록 메마른 박토이지만 몇 식구의 집안이 의지해서 먹고살 만하다. 이에 시내 서쪽 밭의 잘록한 언덕 위에 집을 짓고 도연명의 귀거래사(歸去來辭)에 나오는 "심용슬지이안(審容膝之易安)"이란 구절의 글귀를 취하여 용안당이라 하였다. 당의 남쪽에 차가운 물이 퐁퐁 솟아오르는 샘이 있는데, 가물어도 더 줄지 않고, 비가 와도 더 많아지지 않으며, 차고도 차가워서 시원한 기운이 사람을 엄습하여, 손으로 움키기도 전에 몸이 이미 청량해진다. 그로 인하여 그 위에 정자를 짓고 소나무, 대나무를 섞어서 심고 화초를 빙 둘러 심

> 어 놓으니 비록 소박하여 화려하지는 않으나, 누추한 데까지는 이르지 않았다 남화진인의 제물편에 나오는 글귀인 "물은 주입해도 가득해지지 않고, 퍼내도 마르지 않으며 그 나오는 근원을 알 수가 없는데 이것을 보광이라 한다"를 취하여 이름을 '보광정'이라 하였다.

「보광정기」에 실려 있는 위의 내용을 현재의 천은사와 삼화사, 그리고 그 주변을 구성하는 쉰움산, 두타산 자락의 봉우리와 계곡 등에 대입시켜 보면 이승휴가 현재의 천은사와 내미로리를 중심으로 생활하면서 활동 공간을 옛 삼화사 절터와 무릉계곡을 폭넓게 설정하여 인식하였고, 이에 바탕하여 '용안당'과 '보광정', '표음정'이라 명명한 공간을 지어 생활하였음을 알 수 있다.

4. 표음정(瓢飮渟)

이승휴가 주석할 때 만들었다는 표음정 터를 정확하게 확인할 수는 없으나, 이에 대하여 『동안거사집』「보광정기」에 실려 있는 관련 내용을 소개하면 다음과 같다.

> 보광정 가운데에 엷은 돌을 깔아서 자리를 만들고, 그 가운데 작은 우물을 파서 음식 짓는 데 쓰일 수 있도록 해 놓고 설당거사 소동파의 전중시의 "한 번 배부름은 기약할 수 없으나 한 바가지 물은 기필할 수 있다"라는 시구를 취하여 '표음정'이라 하였다.

천은사 내 동안사 전경

천은사 경내는 아니지만, 삼척 지역 내의 이승휴 관련 유적은 그가 머물렀던 용안당에서 삼화사로 불경을 빌리러 다녔던 옛길인 '돌머들-홍태골-저수 고개[지시 고개]; 국시- 작은 당골[고양뎅이-횟골]-서낭댕이-정거리-옛 삼화사 터', 그에게 불경을 빌려주었던 삼화사, 안집사·병부시랑·진자사와 함께 죽서루에 올랐다가 판상의 시를 차운하여 시를 쓴 죽서루, 몽골의 침략에 대비하여 지역 주민들과 함께 입보한 '요전산성'이 있다.

그리고 1995년 천은사 경내인 지락당 터 옆에 이승휴의 위패를 모신 사당인 '동안사(動安祠)'를 건립하였고, 이후 이승휴 선생을 기리는 동안대재를 매년 10월 3일 이곳에서 봉행하고 있다.

Ⅳ. 맺음말

지방에 소재하는 전통 사찰들 대부분은 그 창건 시기가 고대(古代)부터 시작되어 흥망을 거듭하면서 1~2가지의 특성만을 나타내며 현재에 이르는 사례들이 많다. 삼척시 미로면 내미로리에 있는 천은사 또한 이와 같은 경향을 보인다고 볼 수 있다. 그러나 최근에 다양한 자료들이 발굴됨에 따라 천은사에 대한 이해의 폭이 넓어지고 있으며, 그 중요성 또한 커지고 있다. 본문의 내용을 정리하면 다음과 같다.

첫째, 지금까지 천은사는 고려시대 이승휴 유허지로만 주목되다가, 최근에는 불교문화와 관련하여 천은사 경내에서 출토된 금동약사여래입상이 통일신라 최전성기의 양식을 계승한 유물로서 영동 남부지역의 불교문화사에서도 최고의 유물이고, 나아가 이 지역에서 약사신앙이 전파되고 발전하는 것을 설명하는 최초의 유물일 가능성이 있다는 점에서 주목받고 있고, 또한 목조아미타삼존불은 복장 내에서 발견된 중수기로 보아 임진왜란 이전에 조성되었음을 알 수 있으며, 불상의 양식 또한 고려후기 단아 양식의 불상을 계승한 조선 전기의 불상으로부터 조선 후기로 넘어가는 과도기 양식을 대표할 수 있다는 점에서 매우 귀중한 자료로서 인정을 받아 강원도 유형문화재로 지정됨에 따라 귀중한 불교문화재를 소장한 사찰로서도 그 중요성이 높아지고 있음을 알 수 있었다.

둘째, 필자는 이 글에서 천은사의 연혁과 사명을 설명함에 있어 지금까지 알려지지 않은 자료들을 발굴하여 천은사의 연혁과 그 역사성을 좀 더 심도 있게 분석할 수 있었다. 구체적으로 정리해 보면 천은사 사명이 역사적으로 '백련대[백련] → 간장사 → 흑악사 → 천은사'로 변화됨을 알 수 있는데, 조선시대에는 간장사[간장암]와 흑악사라는 사명이 섞여 사용되고 있음을 알 수 있었다. 각종 지리지와 이명준·이병연·채제공의 시에는 '흑악'이라는 사명이 사용되었음에 비해 『여지도서』와 숙종 8년(1682)경에 제작된 『동여비고』에서는 '간장암'이란 명칭이 사용되었고, 삼척 김씨 족보 『기유보』에서도 간장사라는 사명이 보였다. 이는 천은사의 사명이 시기별로 구분되어 사용되었다기보다는 조선 중기 이후 사용하는 사람에 따라 흑악사와 간장사라는 이름으로 불렸음을 알 수 있다. 특히 거의 동시기(1870경)에 만들어진 『관동읍지』에는 '간장사'라 표기한 데 비해 상백본 『척주지』에는 '흑악사'라고 표기되어 있다. 즉, 1870년경에 2개의 사명이 같이 사용되었음을 알 수 있다. 이를 종합해 보면 결국 간장사가 흑악사이고, 이는 현재의 천은사임을 나타내는 중요한 근거로 제시할 수 있으며, 결국 고려시대에 이승휴가 10년간 불경을 읽으면서 『제왕운기』를 저술한 곳 또한 이곳 천은사임을 알 수 있다.

그리고 '흑악사'라는 사명은 1596년에 제작된 「중수기」에 처음 등장한 이후 계속 사용되다가 1900년 준경묘·영경묘 수축과 관련하여 1900년에 작성된 의궤 내의 「수호절목」을 보면 흑악사를 조포사로 한다는 내용이 나온다. 그런데, 1910~1911년 사이에 제작된 『조선지지자료』에서는 '천은사'라는 사명이 등장하는 것으로 보아 1900~1910년 사이에 사명이 '천은사'로 바뀌어 현재에 이르고 있음을 알 수 있었다.

셋째, 천은사는 인근의 준경묘와 영경묘를 수축하는 과정에서 일정한 역할을 하였으며, 수축 후 조포사로 지정되어 제수를 준비하는 등 원찰로서의 역할을 수행하였다. 이와 관련하여 『조경단 준경묘 영경묘 영건청 의궤』에서 준경묘·영경묘 수축과 관련하여 기해년(1899) 11월 흑악사에 내려진 「완문」과 1900년에 작성된 「수호절목」을 발견하였는데, 이는 천은사가 준경묘·영경묘의 원찰로서 기능하였고, 당시에도 사명이 '흑악사'였음을 알려 주는 매우 중요한 자료이다.

넷째, 천은사 극락보전에 봉안된 아미타불의 복장 내에서 만력 24년 세차 병신년에 제작된 「중수기」·『천수다라니경』 목판본·강원도 삼척부 두타산 흑악사 각판·「서천불설팔만대장경목록」·「아미타불원문」·「시주질」·「삼존불개금발원문」·「삼존상개금후불정개채원문」·「서천불설팔만디장경목녹」·「강원도삼척군천은사극락전개금시주기」·성주사인이 있는 『능엄경』·『묘법연화경』을 포함하는 다량의 유물을 발견하였다.

특히 '만력 24년'이라 쓰인 「중수기」를 발견함으로써 목조아미타삼존불 조성 시기의 상한선이 실증적으로 올라가서 조선 전기에 제작된 불상일 가능성을 더욱 높여 주었다. 또한 1798년과 1922년에 작성된 원문을 통해 당시 천은사와 인근 사찰의 사세와 불상·불화의 개금과 개화 과정, 참여한 화사를 통한 강원도 지역 불교미술의 계보 정리와 함께 천은사의 연혁을 이해하는 데 많은 도움이 되었다.

고려 원종 때 강화도 참성단에서 초제를 설행하고, '일통삼한'이라는 역사인식의 한계로 각 지역에서 일어났던 삼국부흥운동 등의 분립적 요소를 해소하기 위한 역사변전의식이 폭넓게 나타나고, 이의 영향으로 고조선을 고려 역사의 출발로 설정한 일연의 『삼국유사』와 이승휴의 『제왕운기』가 간행되었는데, 이 책은 우리에게 일반적으로 알려진 『삼국유사』 「기이」 1의 「고조선」 조에 실린 환웅신화의 환인·환웅·곰·호랑이 등에 대한 이해에 있어 「묘향산사적」에 실린 단군 이야기와 함께 곰·호랑이·

신시 등에 대한 새로운 해석을 가능케 하여 『삼국유사』에 담긴 내용을 정확하게 이해하고, 우리의 고대사를 올바르게 정립함에 있어 매우 중요한 인식의 토대를 제공하고 있다.

이와 같이 나름의 민족의식과 역사적 정통성을 내포한 이승휴의 대표적인 저서인 『제왕운기』를 저술한 곳이 용안당, 즉 간장사이고, 이는 현재의 천은사이다. 따라서 이곳 천은사는 민족사의 정통성을 확보하고, 우리의 고대사에 대한 인식을 새롭게 한 이승휴 선생이 10여 년 이상을 머무르며 『제왕운기』를 저술한 유서 깊은 사찰이라는 면에서 역사적으로 매우 중요하다.

참고문헌

1. 史料

金鼎卿, 1955, 『三陟鄕土誌』.

金宗諺, 『陟州誌』.

朴漢永, 1921, 「天恩寺紀實碑」.

沈宜昇, 1916, 『三陟郡誌』.

李承休, 『動安居士集』.

李承休, 『帝王韻紀』.

蔡濟恭, 『望美錄』.

崔晩熙, 1946, 『陟州誌』.

崔晩熙·洪鍾凡, 1963, 『眞珠誌』.

崔瀣, 「看藏庵重創記」.

許穆, 『陟州誌』.

『伽藍考』.

「江陵都護府使 李命俊 詩」.

『江原道誌』.

『高麗史』.

『關東邑誌』.

『關東誌』.

「重修記」.

『東國輿地誌』.

『頭陀山三和寺事蹟』.

『梵宇攷』.

「三尊像改金後佛幀改彩願文」, 1922.

『三陟郡邑誌』.

三陟金氏族譜『己酉譜』.

「三陟府使 李秉淵 詩」.

『三陟府邑誌』.

『新增東國輿地勝覽』.

「阿彌陀佛願文」.

『輿地圖書』.

『朝鮮地誌資料』, 1910~1911.

『朝鮮寰輿勝覽』, 1922.

『肇慶壇 濬慶墓 永慶墓 營建廳儀軌』, 1901.

『陟州先生案』 중 府使 李奎憲 관련 기록.

서울대학교 규장각(http://kyujanggak.snu.ac.kr/).

2. 논저·보고서

강원문화재연구소·삼척시, 2006, 『삼척 천은사(天恩寺) 이승휴 유허지 발굴조사 보고서』.

관동대학교 박물관·삼척시, 1999, 『삼척 천은사 이승휴유허지 발굴조사 보고서』.

김도현, 2006, 「삼척시 미로면 천은사의 역사와 목조아미타불 복장」, 『박물관지』 13집, 강원대학교 중앙박물관.

______, 2012, 『경사스런 나라를 위하여 준경묘·영경묘·천은사 그리고 삼척』, 강원도민일보·삼척시.

______, 2013, 「준경묘·영경묘 수호활동과 제향」, 『박물관지』 20집, 강원대학교 중앙박물관.

______, 2015, 「동안 이승휴의 불교인식과 看藏寺」, 『이사부와 동해』 제10집, 한국이사부학회.

______, 2016, 「동안 이승휴선생의 생애와 관련 유적」, 『박물관지』 23집, 강원대학교 중앙박물관.

김도현 외, 2004, 『이승휴와 제왕운기』, (사)동안이승휴사상선양사업회.

박병선, 2001, 「조선후기 원당 연구」, 영남대학교 대학원 박사학위논문.

변동명, 2005, 「이승휴의 생애와 저술」, 『진단학보』 99집, 진단학회.

배재홍, 2003, 「조선 태조 이성계의 고조 목조 이안사와 삼척」, 『조선사연구』 제12집, 조선사

연구회.

원영환, 1993,「목조의 활동과 홍서대고」,『강원사학』 제9집, 강원대사학회.

이병희, 1998,「고려시기 원의 조성과 기능」,『청람사학』, 제2집, 청람사학회.

조계종 불교문화재연구소, 2014~2017,『삼척 홍전리사지 발굴조사 약식보고서』.

차장섭, 2002,「朝鮮時代 族譜의 한 類型 —三陟金氏 族譜를 중심으로」,『대구사학』 67집, 대구사학회.

홍성익, 2005,「보덕사의 문헌사 검토」,『영월 보덕사 사천왕문지 발굴조사 보고서』.

______, 2006,「天恩寺의 문헌 검토」,『삼척 天恩寺 이승휴유허지발굴조사 보고서』, 강원문화재연구소.

홍영호·김도현, 2003,「삼척시 미로면 天恩寺의 불상 고찰」,『강원지역문화연구』 제2호, 강원지역문화연구회.

[찾아보기]

[ㄴ]

[ㄷ]

[ㅁ]

[ㅈ]

저자 소개

신종원(辛鍾遠)

문학박사(고려대학교 대학원).
강원대학교 교수 역임.
한국학중앙연구원 명예교수.
주요 저서: 『신라초기불교사연구』, 『한국 대왕신앙의 역사와 현장』, 『삼국유사 깊이 읽기』 외 다수.

이창식(李昌植)

문학박사(동국대학교 대학원).
세명대학교 인문예술대 교수.
아시아강원민속학회 회장.
한국공연문화학회 회장 역임.
문화재위원 역임.
주요 저서: 『인문학적 상상력과 융합콘텐츠』, 『전통문화와 문화콘텐츠』 외 다수.

강석근(姜錫瑾)

문학박사(동국대학교 대학원).
성결대학교 객원교수, 국제어문학회 회장.
동국대학교 교양교육원 교수 역임.
문화재청 문화재전문위원 역임.
주요 저서: 『이규보의 불교시』, 『한국불교문학연구』 외 다수.

저자 소개

김도현(金道賢)

문학박사(고려대학교 대학원).
문화재청 문화재전문위원.
강원도 문화재전문위원.
太東문화재연구원 원장.
주요 논저: 『史料로 읽는 太白山과 天祭』, 『삼척 공양왕릉』, 「신앙과 산림문화—산에서 모시는 신령과 의례」 외 다수.

조경철(趙景徹)

문학박사(한국학중앙연구원 대학원).
연세대학교 사학과 객원교수.
동아일보와 한국연구재단 선정 인용지수 2위(역사학, 2013).
주요 저서: 『백제불교사연구』, 『한국고대사』(공저), 『한국사 한 걸음 더』(공저) 외 다수.

김진광(金鎭光)

문학박사(한국학중앙연구원 대학원).
한국학중앙연구원 한국학사전편찬부 문화콘텐츠편찬실장.
연변대학 발해사연구소 객원연구원 역임.
주요 저서: 『해동성국, 고구려를 품은 발해』, 『당으로 간 고구려·백제인』, 『일제 강점기 간도 발해유적 조사』 외 다수.

한국고대사 사료(史料)로서의

제왕운기 帝王韻紀